矢吹晋著作選集　別巻

朝河貫一顕彰

未知谷
Publisher Michitani

チャイナウオッチと日本史ウオッチは通底する

私は経済学部の良き学生とはとうてい言えないはみ出し学生の一人であったが、この学部の当時のリベラルな雰囲気が私の生き方に指針を与えてくれたことに感謝している。われわれ一九六二年経済学科卒業生の有志は、六〇年安保デモ仲間の絆として経済学集団なるごたいそうな名の読書会を作って六〇年が近い。月一回の定例読書会は、コロナ禍による一時休会を除き、いまも解散に至っていない。学部の二年間に学んだものと読書会で学んだものを比べると、後者が圧倒的に大きい。とはいえ、絆の原点を形作るのは学部の二年間であり、それが私の生き方を方向づけた。

卒業二五年後の一九八七年四月一〇日、私は学士会夕食会に招かれて「中国経済について」講演した。当時の有澤廣巳理事長のもとに中国社会科学院日本研究所から中国語の書籍が多数届き、その目利き役が大内力教授（経済学部演習の指導教授）、石井和夫さん（東京大学出版会専務理事、戦線からの復員学生として日中関係に深い関心を持たれ、中国問題を学ぶ矢吹を贔屓してくださった）を通じて私に回ってきた。その仕事を続けているうちに、有澤先生から講演の提案が出た次第である（『午餐会夕食会講演特集号』一九八七年十月号所収）。その後二〇〇〇年九月八日夕食会では「中国経済の国際化」を講演した。当夜の主題はWTO加盟後の中国経済を占うことであり、中国経済の市場経済化はどこまで進んだか、国際化はどこまで進んだか、その現状を数葉のグラフで解説した（『学士会会報』第八三〇号、二〇〇一年I号)。実はもう一回講演の機会を与えられた。二〇〇七年三月二〇日午餐会で「朝河史学を読む:日本史の三大革命と天皇制」と題して門外漢の日本史学批判を語った(『学士会会報』第八六五号、二〇〇七年Ⅳ号)。このテーマで素人の日本史再解釈を語る機会を与えて下さったのは、やはり恩師大内力教授であった。私は大内経済学体系を、その入口で敬遠した不肖の弟子だが、大内力編『現代社会主義の可能性』(東京大学出版会、一九七五年)の執筆陣には参加を許され、一九七九年四月の「労働者自主管理」大内訪中団*派遣の際は秘書長の大役を与えられた。帰国数年後、私が『チャイナ・シンドローム:限りなく資本主義に近い社会主義』(蒼蒼社、一九八六年)を書いたところ、老師は意外にも「中国は〝限りなく資本主義に近い社会主義〟なのである」と結ぶ書評を書いて下さった(『社会労働評論』一九八七年四月号)。このような形で〈師弟の社会主義問答〉は私の卒業後、むしろ活発に続いた。

＊ メンバーは、大内団長以下、佐藤経明副団長、団員は新田俊三、海原峻、斉藤稔、馬場宏二、中山弘正、秘書長矢吹晋であった。その記録は「大内力訪中団日誌(一九七九年四月)」『たにし会の半世紀』柴垣和夫編、三協美術印刷、所収。

さて勤務先の横浜市立大学商学部を定年になった機会に、私は郷里の福島県立安積高校の仲間たちと「朝河貫一博士顕彰協会」を立ち上げ、顕彰活動の神輿《みこし》とすべく、英文著作である朝河史学四部作『入来文書』(柏書房、二〇〇五年)『大化改新』(同、二〇〇六年)『比較封建制論集』(同、二〇〇七年)『中世日本の土地と社会』(同、二〇一五年)を邦訳した。老師はこれに着目され、学士会午餐会講演の機会を与えて下さった次第である。

日本資本主義における封建論争がさまざまに語られたことは周知の通りだが、封建制の定義が曖昧模糊としていたこともあり、旧ソ連の崩壊とともに、日本における封建論争は行方不明になった。私自身は、旧ソ連の崩壊とこれを反面教師として蘇生した中国の経済システムを観察しながら、『チャイメリカ：米中結託と日本の進路』（花伝社、二〇〇二年）を書いて、米国財務省証券の赤字発行を支えている中国貿易黒字の意味を論じた。米国輸出入の経常収支赤字を中国黒字で補完する構造に象徴される現代のグローバル経済は、二一世紀の世界経済システムとして、他に代替不能なモデルとなっている。しかしながら、この「米中チャイメリカ」構造のもとで、「米国経済の衰退」と「中国経済の躍進」はいよいよ加速する。ジョー・バイデン大統領は二〇二一年一一月一六日午前、習近平国家主席とテレビ会談を行った。「米国の対中政策を合理的かつ実際的な軌道に戻すことを期待する」と習近平は呼びかけた。両首脳は〈競争が衝突に転じない〉ための両大国の責任を論じ合った。こうしてトランプ前政権下で高まった両国間の緊張関係は、バイデン政権発足後一年近い探り合いを経て、ひとまず緩和に向かう。

とはいえ、両大国の相互不信は容易に解消には至らないし、対立を引き起こした両者の経済構造は、何も変わっていない。バイデン政権はトランプ前政権が発動した対中追加関税や輸出管理令とその運用などを基本的に堅持しているだけでなく、いわゆる人権外交や、台湾問題の扱い等、中国を挑発するパフォーマンスが目立つ。すなわちトランプ前大統領の置き土産たる de-coupling という名の封じ込め策を弊履《へいり》のごとく捨てるわけにはいかないが、de-coupling という経済分断策の失敗は明らかで、その帰結は認めざるを得ない。中国はＷＴＯ加盟後、その枠組みの中で経済成長を遂げ、米国経済を追い上げてきた。米中競争の敗北必至に驚いたトランプ政権が都合十五本の執行命令を下して中国経済の封じ込めを企図したのは、事後のルール変更であるばかりか、そもそも実現不可能な気休め策にすぎない。グローバル経済の二大地域経済圏の要として米中両国の経済は、深く噛み合う相互依存・相互補完関係で結ばれている。かつての米ソ冷戦体制が二つのブロック経済圏として競争・競合した構図とは、大きく異なる。旧ソ連を解体に追いやったドラマの二の舞は、もはやありえない。二一世紀の与件が異なるばかりでなく、旧ソ連解体を反面教師として、中国の指導者たちが必死に教訓を学んだ事実が根本にある。

二〇二一年一一月一一日中国共産党は「歴史決議」を採択して、〈新時代の中国的特色をもつ社会主義〉を今後のイデオロギーとして定めた。〈新時代〉とは〈二一世紀のデジタル時代〉の意だ。私はこれを「電脳社会主義」(『習近平の夢』二〇一七年、『中国の夢』二〇一八年。いずれも花伝社)と呼ぶ。ズバリ一例を挙げよう。人口百万当たりの新型コロナウイルス感染による死者は、米国二三〇九人、日本一四五人に対して、中国は三人にすぎない。米国、日本の死者は、それぞれ中国の七二一倍、四五倍だ。* 〈中国システム〉の優位性は、コロナ対策に関するかぎり、一目瞭然であろう。しかも、この優位性はコロナ対策だけにとどまらず社会全般に及ぶ、すなわち電脳社会主義の社会的効率性にほかならない。

＊ 札幌医大ホームページコロナ統計二〇二一年十一月十五日現在。

グローバル政経秩序の激変過程で日本の行方は、荒海に漂う小舟に似る。しかしながら、日本にも知恵がないわけではあるまい。古来天皇制という政治哲学をもって中国の易姓革命に対抗する策、すなわち和魂漢才を発揮してきた。明治維新以降はこの策を和魂洋才に転用してきた先人たちの知恵がある（矢吹晋『天皇制と日本史：朝河貫一に学ぶ』集広舎、二〇二一年）。われわれにいま必要なのは、〈二一世紀の和魂漢才〉ではないか。その活用精神を朝河史学から学びたい。

（原載『経友』二〇二一年二月号）

矢吹晋著作選集別巻　目次

矢吹晋著作選集　別巻

第一章　朝河貫一を知っていますか

私は現代中国論を専攻してきた者にすぎず、日本史はまったく門外漢ですが、しかし、素人だからこそかえってよく見えるということもあります。プロというか玄人の研究者の場合、自分の住んでいる世界の事柄は、あたかも空気のように存在しているので、なかなかそれを客観的に認識しにくい。しかしその場に初めて足を踏み入れた者にとっては、強く感ずるものです。つまり他人の、別世界の欠点はよく見えるけれども、自分の学界の欠点はなかなか見えにくい。中国語ならば「当局者迷、傍観者清」あたりでしょうか。はたから見ると非常によく見えるところがある。そういう話をさせていただきます。

朝河史学を読む――日本史の三大革命と天皇制

三大革命の一つは大化改新（六四五年）、もう一つは明治維新（一八六八年）です。明治時代にはこの二つを二大革命とする議論が各種あったようで、その意味では朝河貫一（一八七三〜一九四八）だけの所説ではないのですが、しかしやはり朝河は朝河らしい議論を『大化改新』（矢吹晋訳、柏書房、二〇〇六年）の「序章」で試みています。三大革命のもう一つは戦後革命（一九四五年）あるいは戦後改革です。これを三つ目に数えていいのかどうか。長期的に見れば、むしろ明治革命の延長として考えたほうがいいのかもしれません。このへんは議論の余地があります。朝河は膨大な資料 Japan Chronicle（日本誌）を残していますが、彼自身は三大革命という言い方はしておりません。その点をあらかじめお断りしておきたいとおもいます。

朝河とイェール大学

最初にイェール大学の話をさせていただきます。朝河の経歴ですが、ごくごく簡単に言いますと、旧二本松藩に生まれ、福島尋常中学（安積高校の前身）、次いで早稲田の東京専門学校を一八九五年に卒業して、ダートマス大学に留学します。そのあとイェール大学歴史学科の大学院で博士号を取りました。そのドクター論文が The Early Institutional Life of Japan（大化改新）です。まずダートマス大学で講師となり、日露戦争の風雲急ということで、彼は The Russo-Japanese Conflict（日露衝突）を書く。これは英語で書かれた極東情勢の詳細な現状分析として高く評価されます。その後一九〇七年にイェール大学の講師に就任します。二〇〇七年には朝河就任百周年になるのを記念して、イェール大学で Asakawa Initiative という名称を使ってイェール大学と日本との絆を強めようという記念のイベントが始まりました。その最初の企画として三月九～一〇日に朝河記念シンポジウム「日本と世界」が開催されました。たまたま私は朝河のことを少し研究しているものですから、冒頭にスピーチをする機会を与えられて大変緊張いたしました。イェール大学が東アジアの学問をどのように築いてきたか、その概略を申し上げると、サミュエル（Samuel Wells Williams）という人物が東洋学の初代教授で、黒船来航時のペリー提督の通訳官でしたが、引退してイェール大学の先生になりました。

彼は日本語より中国語が得意だった。サミュエルの子供が二代目の教授フレデリック（Frederic Wells Williams）で、准教授で終わりましたが、そのフレデリックに学位論文を指導してもらう形で歴史学博士号を取ったのが朝河です。朝河からイェール大学、いやアメリカ全体の日本学 Japanology が始まったと見ていい。「世界に向かいて日本を紹介し、東西洋の相互の理解を助けるためにアメリカに残る」と日本語で書いた両親宛ての手紙が残されています（『朝河貫一書簡集』所収）。ダートマス大学に留学した朝河は卒業後すぐに帰国する予定でしたので、彼の帰国を両親は待っていた。ところが、タッカー学長が朝河を見込んで、ぜひイェール大学で博士号を取得して、ダートマスに戻って日本学を教えてほしいと頼むわけです。そこで朝河は父親にその旨を手紙にしたためました。イェールでは、その書簡を引用して今回のイベントのパンフレットを作っています（*Yale-Japan*, November 2005, Yale University）。イェールの「朝河百周年 Asakawa Initiative」行事の一つとして、「朝河ガーデン計画」があります。大学キャンパス内のセイブルック・カレッジに朝河は十数年住んでいました。その中庭の一角にちょっとした庭園を作って「朝河ガーデン」と名付けようということでプロジェクトが動き出しました。私たちは福島県二本松市や安積高校ＯＢを中心に朝河貫一博士顕彰協会を立ち上げているので、ここに何かモニュメントをプレゼントしようと考えています。またイェール大学パンフレットの中に、コングレス・ライブラリー（米国議会図書館）の話が出てきます。

朝河の一九〇六年第一次帰国

朝河が最初に日本に帰国した一九〇六年に、イェール大学から日本学の書物を買うことを頼まれたのですが、同時に彼はコングレス・ライブラリーにも手紙を書き、もし必要なら日本学の基本的な文献を収集して差し上げたいがどうかと申し出ました。そこで議会図書館側も朝河にお金を渡して依頼しました。線装本や巻物の形の書物や史料は横に重ねるのが普通ですが、それではアメリカの図書館では扱いに不便なので、新たに硬い表紙を付けて特有の装幀をして縦に並べています。朝河コレクションは議会図書館もイェール大学も同様です。イェール大学は、最初はスターリング図書館に置いていましたが、一九六〇年代にバイネッキ・ライブラリーという稀覯本《きこうぼん》図書館ができてからは、そちらに移しています。その目録を見ると、かなり素晴らしいものが揃っていて、朝河の選択眼が理解できます。

Asakawa Initiative の一環

Asakawa Initiative の一環ですが、東大とイェール大学の間ではいろいろな交流が始まっています。まず双方のキャンパス内にそれぞれの出先事務所をつくってお互いの対外研究教育活動の便宜を図っています。次はインターンシップ。近年は日本の大学でもかなり行っていますが、卒業後に就職を希望する学生が夏休みに行政機関や企業に行って見習いをして、その仕事が自分に向いているかどうかを調べて就職判断に活かす仕組みです。イェール大学の学生が日本の企業を知るために東大のイェール事務所を窓口とする。来日中に、日本のビジネスの内側から企業を観察するというプログラムです。同じことはイェール側でも東大のために行われます。

朝河史学と朝河平和学

朝河の歴史学研究は平和学（私が仮に名付けたものですが）と密接に関係しています。というのは、朝河の生きた時代がまさに戦争の時代であったことに関係があると思います。朝河は戊辰戦争でたたきつぶされた旧二本松藩の出身です。その後に日清戦争があり、アメリカに行ってドクター論文を書き上げるとすぐに日露戦争が勃発しました。しかし、アメリカの人々はほとんど極東の情勢を理解していない。そこで彼は *The Russo-Japanese Conflict*（日露衝突）という英文の本を書いて、どういう状況であるかということを訴え問題提起をします。その要旨が二回に分けて、*Yale Review* の一九〇四年五月号および八月号に転載されたことによってイェール関係者を初めとして、この問題に関心をもつ欧米の知識人たちが日露戦争の争点をよく理解できたので、これが共通認識のベースになった。

ポーツマス講和会議と「イェール大学覚書」

ポーツマス講和会議のときには、朝河はウエントワース・ホテルまで出向いています。近くの比較的安いホテルに二週間ほど投宿し、私設オブザーバーとしていろいろな活動をしています。例えば地元の新聞 Boston Herald に対して、これは正義の戦争だから日本は賠償を取ってはいけない、というようなことを説いています。ポーツマス会議の前夜に、世論工作のためアメリカに行った政治家金子堅太郎がハーバード大学出身で、ルーズベルト大統領もハーバード出身ですから、ハーバード・コネクション云々ということが語られてきました。しかしこれには裏があって、ポーツマス交渉の舞台裏で精力的に働いたのは、じつは金子の随員の阪井徳太郎（一八六八～一九五四、日本の実業家、牧師）です。阪井とイェール大学の事務局長ストークス（Anson Phelps Stokes）はエキスコパル神学校のクラスメートで、この二人の極秘の話し合いに基づいて、イェール大学の国際法教授ウールジィ（Theodore S. Woolsey）と、朝河の先生のフレデリック・ウイリアムス、そしてストークス事務局長との三人で、朝河の著書をベースとして講和条件の分析をした。それがいわゆる「イェール・シンポジウム」とか「イェール・メモランダム」と呼ばれるものです。そのことをイェール大学は大変誇りにしています。

日露戦争に勝った奢れる日本は、夏目漱石が『三四郎』の広田先生に「日本は滅びるね」と言わせていますが、まさにそういうことになる。そのような状況に直面して朝河は一九〇九年、『日本の禍機』を書きました。これは朝河の唯一の日本語の本です。朝河は早稲田の東京専門学校出身なので大隈重信は恩師に当たりますが、しばしば諫言書を書いています。例えば、朝鮮併合に対しては、「もし朝鮮が弱いから独り立ちできず、ロシアに併呑されるということが心配である」ならば、「朝鮮の開発を支援して独り立ちできるようにし、経済発展を支援したらいい。開発はまさに明治の日本がやったことではないか。その経験を生かして、朝鮮の人々が自力で立ち上がるようサポートをする。これが一番正しい道である」と。「そうしないと肝心の朝鮮人から恨まれるだけでなく、世界中から指弾を受けるであろう」。結果はまったく朝河の指摘の通りになった。さらに大隈は朝河にとって東京専門学校の恩師でもあるわけですが、一九一五年に大隈内閣が行った対華二一カ条要求についても厳しく批判しています。

日米戦争の前夜には、たまたまハーバード大学美術史の教授、美術館館長だったラングドン・ウォーナーが朝河に相談をもちかけた。天皇に直訴して開戦を止める、ルーズベルトから天皇への親書を書いてもらって、開戦を止めることを提案した。朝河は「希望はほとんどない。しかし、万に一つでもやってみる価値はあろう」、「というのは、仮にうまくいかなくても、戦後への種まきのために役立つはずだ」として大統領親書草案を起草したのです。実際に天皇に届いた「ルーズベルト親書」は、朝河が書いた草案と全然違っていた。それは「日本軍はインドシナから撤退せよ云々」という最後通牒だった。朝河原文は「日本国民というのは長い歴史を持つ偉大な民族だ、史上いろいろ危機はあったが、全部クリアして発展してきた。偉大な日本人は、今回の危機も必ずや克服できるであろう」。日本人の心情に訴え、天皇に訴えるだけではなく、それを公表して日本国民にも訴える。そういう手紙ということで、彼は草案を起草した。ルーズベルトの最後通牒を知った朝河は「この内容の手紙なら、むしろ送らない方がよかった」と後日回想しています（『朝河貫一書簡集』所収）。

「朝河学」というネーミングを最初に提唱されたのは東大史料編纂所におられた金井圓先生（一九二七〜二〇〇二）です。『朝河貫一書簡集』を編集した当時、阿部善雄先生（一九二〇〜八六）が中心でしたが、阿部さんが急逝され、その後を金井さんが継いで中心となりました。『書簡集』が終わったあと、朝河研究会を作ったときにはその長老格でした。金井さんのお考えによると、朝河研究は、①比較制度史家、②国際的知識人、③人間朝河、この三分野に分けたらいいというものでした。

朝河が平和を語るとき、まさに戊辰の役でたたきつぶされた旧二本松藩士の子として生まれ、日清・日露・第一次大戦・日中戦争、最後は日米と戦争の続く時代に生きたのが彼の生涯です。日米戦争当時は「敵国アメリカ」の大学で研究生活を送った人物ですから、非常に切実に平和を考えていたのは当然です。ただ彼は平和を抽象的に考えたのではなくて、彼の脳裏では平和と歴史学が直結していました。戦争というのは国民同士によって戦われる。戦い合う国民性というのは一体何か。国民性は歴史によって作られる。だから、歴史研究＝国民性の研究＝平和学でなければいけない。平和を追求するための一番役に立つ方法が歴史学、すなわち諸国民の国民性を作りあげた歴史の研究であったわけです。

歴史の分野で彼は先ほど紹介した「日露衝突」に加えて都合四冊の本を書いています。*The Early Institutional Life of Japan*「大化改新」は彼の学位論文です。これを私は今二〇〇六年夏に邦訳しました（柏書房）。去る二〇〇五年に訳したのは、*The Documents of Iriki*「入来文書」です。二〇〇七年に、日本の封建制の起源をまとめた論文集を『比較封建制論集』という書名で訳しました。厳密に言うと彼の専門は「比較法制史」ですが、ちょっと固いので、『比較封建制論集』としました。

日本史の二つの革命――大化改新と明治維新

日本史における二つの革命ということを朝河は『大化改新』序章ではっきり提起しています。しかし第三の革命については曖昧で、これからの研究を待たなければいけない。ただ、朝河は *Japan Chronicle*「日本誌」と名付けて膨大なカードを遺しています。中心は朝河の封建制の研究史料ですが、封建以前も含まれており、また近現代の一九四八年の死の直前までの史料が膨大なカードになっています。普通の図書カードの倍くらいのカードに、実に小さな文字で丹念に書き、さらにインデックスも付けられた貴重な資料です。

朝河「大化改新論」（革命Ⅰ）の核心

朝河によると、大化改新は唐から律令制度を導入する際、有効と思われるものは輸入したが、易姓革命の思想は拒否して、世襲の天皇制を中核に据える形で古代国家ができた。土地制度は班田収授制度とした。この制度自体はうまく機能せず、失敗したが、豪族の土地私有を改め、天皇あるいは国家に集中した点では成功した。ここで古代国家ができたことが封建社会の起点になる。しかし古代国家は、土地を国家のものとしたものの、間もなく私的な庄園が成長して公田制は崩れていく。その庄園はどのようにして封土 fief に変化したのか。その実証が朝河の中心の仕事になります。庄園の内部は実際にはその中身が変わってきても、例えば島津庄なら「島津庄」という言い方がずっと後まで残る。こうしてうっかりすると、平安時代の庄と、後の足利時代の庄との異質性が認識されない。つまり、封土 fief として封建社会を支える土地制度になってからの庄と、それ以前の庄とをはっきり区別しなければいけない。中田薫教授（東大法制史教授）の庄研究は、日本の庄研究としては画期的だが、日欧比較の点についての問題意識が明確ではない。その結果、日本では何となく庄とマナー manor を安易に対比する時代錯誤の風潮が続いている。朝河が厳しく批判したのはこの点です。

朝河「明治維新論」（革命Ⅱ）の核心

次に朝河の明治維新論です。封建制は「大政奉還」によって終わります。明治維新によって主権は天皇に移り、中央集権の国家が再構築された。つまり最初の革命・大化改新を起点として（媒介を経て）封建社会が始まり、明治維新を契機として近代国家が始まる。その間が日本史における封建社会であるというのが朝河の基本的な考え方です。ただし、その間を鎌倉時代と戦国時代と徳川時代の三つに分け、典型的な封建時代は戦国時代である。徳川時代はすでに「ポスト封建」に近く、中央集権国家への移行過程だと見ています。土地については、私有地として実質的な権利関係が固まってくる。問題は天皇の地位で、明治憲法で決められたように、天皇は主権者ではあるが、独裁者ではなく、受動的主権passive sovereigntyであったと位置付けています。

「戦後改革」論（革命Ⅲ）における天皇論

戦後改革について朝河は、有名な経済学者のフィッシャー（Irving Fisher）に手紙を送っています。フィッシャーは朝河よりも六歳年上で、一年早く亡くなっていますから、ほとんど同時代の人です。イェール大学教授だったので、非常に親しい付き合いをしていました。フィッシャーがいろいろなことを朝河に聞いてくるのに答えて、朝河は次のような手紙を書きました。一九四四年一〇月ですから、敗戦の一〇カ月前です。「第一は、日本史上の重大危機に際して発生した大化改新と明治維新に共通する点は、主権者・天皇の認可と支持である。第二は、日本史上において天皇の支持を欠いたまま、あるいは天皇の名と切り離されて、政治上の重大な決定が行われたことはない。第三は、天皇の特異な地位を理解するには、天皇の主権は絶対的だが、天皇自らの発意でそれを行使するのではないことを忘れてはならない。天皇は主権者ではあるが、専制君主ではない。その説明として、天皇は枢密院の顧問官の進言を待ち、正規の国家機関を通じて行動するという特徴を持っている。天皇の受動的主権passive sovereigntyという慣習には危険性も潜む。最近一〇年のように邪悪なる奸臣が地位を占めて、天皇の気が進まないにもかかわらず、その政策を押し付けることが一再ならず起きている。しかし、この事態は長続きしない。こういう一時的なことで問題を判断してはいけない」。

米国の軽薄な論調への批判

朝河は、日本の天皇の地位を説明した米国の「専門家気取りの人々」に対して、それらの天皇論と国民感情についての議論は「あまりにも的外れのことが多い」と批判しています。具体的には、「にわか仕立ての自称設計者たち」が天皇制廃止を必要条件だとしているが、「米国の宣教師精神に基づいて休日の気晴らしのように処理できる問題であろうか」と、いろいろ勝手な議論をする人を **occasional self-styled planners** と揶揄しています。朝河自身は敬虔なクリスチャンですが、アメリカ人宣教師の中にはこういう軽はずみな者も少なくないと批判しているのです。フィッシャーは単にイェール大学の有力教授に過ぎないのですが、実はフィッシャーの人脈、親友のステイムソン（Henry Lewis Stimson）が重要なのです。彼はフィッシャーと同年生まれ、イェール大学の同級生であるだけでなく、有名な秘密結社 Scull and Bones のメンバー同士でもあり、特有の人的関係で結ばれていた。そのフィッシャーと頻繁に文通しています。それはステイムソン陸軍長官や国務長官へのホットラインでもあります。ステイムソンは、原爆のマンハッタン計画の責任者グローブズ（Leslie Richard Groves）准将を監督する立場にありました。ステイムソンは、時には軍の意見を却下しました。例えば、グローブズから受け取った原爆の投下目標計画の中にあった京都をリストから削除させています。

ところで、この京都への原爆投下の話に関してはもう一人のアメリカ人が出てきます。それは前に触れたウォーナー（Langdon Warner）です。彼は朝河より八歳若く、夫婦で日本美術や中国美術の研究をしていて、早い時期に『推古朝の美術』という研究書を出しています。その序文を朝河が書いています（矢吹訳『朝河貫一比較封建制』所収）から、二人の付き合いは相当古いことが分かります。ウォーナーは何かあると朝河にいろいろなことを聞いてくる。朝河は仏教についてはかなり深い知識を持っていましたが、自分が知らないことは友人の伊東忠太や関根貞など、当時の東大建築科の教授から聞いてウォーナーに教えています。その様子が、この本の「朝河序文」から分かります。ウォーナーは、京都や奈良への原爆投下計画に関して、第二次世界大戦中の米軍のAntiquities Division（戦地文化財救済委員会）や国務省ロバーツ委員会を通じて活動しました。そういう仕事の一番大事な部分で示唆を与えていたのが朝河でした。朝河は敗戦直後にウォーナーに対して「長文書簡」を書いています。かなりよく考えた、無駄のない、ほとんど論文のような手紙です。実現しなかったが、出版さえ考えていたのです。もう一人のアメリカ人はシャーマン・ケント（Sherman Kent）です。朝河よりも三〇歳若い教え子で、イェール大学でフランス中世史の論文を書いていました。日米開戦前夜、イェール大学の准教授のポストを捨て、OCI（Office of Coordinator of Information＝情報調整局）に勤めましたが、この組織はすぐOSS（Office of Strategic Service＝戦時情報局）に改組されます。これは戦後にCIA（Central Intelligence Agency＝中央情報局）に発展します。OSS当時は、アメリカのあらゆる知性を集めて国際情勢を分析する組織でした。ハーバード大学からはライシャワー（Edwin O. Reischauer）も動員されています。ケントは戦後GHQとともに日本にやって来て、その著書*Writing History*は『歴史研究の方法』という訳書として出版されました。これは大学院生に対する歴史論文の書き方のマニュアル本なのですが、日本では皇国史観追放時の混乱状況で、盛んにもてはやされ、版を重ねた。その著者ケントの恩師が朝河だったとは誰も知らなかった。朝河とケントは歴史的洞察力に基づいた国際関係の構築を追求する師弟関係でした。この潮流のトップに君臨したのがドノバン（William Donovan）でした。イェール大学ロースクール出身の大物弁護士で、彼がＯＳＳを作ったのです。この意味では、アメリカの国策情報研究・対外政策の実行と、イェール大学はかなり深い関わりのあることが分かります。

朝河と同時代の日本歴史家たち

朝河と同時代の日本の歴史家たちのお話をします。辻善之助教授は、当時史料編纂所所長で、一九二九年に朝河の *The Documents of Iriki*「入来文書」が出版されたときに新刊紹介を書いています。この本の日本語原史料部分は入来院の古文書を起こして、そのまま日本語で書き写したものですが、辻は東京で印刷する手配をしました。三上参次は辻善之助の後任の史料編纂所所長です。イェール大学のために図書二万冊、議会図書館のために四万五〇〇〇冊を選ぶ際、朝河に協力しました。三浦周行教授は、朝河が史料編纂所に留学したときの仲間ですが、その後京都大学に転じました。牧健二教授は、三浦の京都大学における弟子筋に当り、京都大学法学部の『法学論叢』に *The Documents of Iriki* の書評を書きました。これが日本語で書かれた戦前唯一のまともな書評です。ヨーロッパではフランスのマルク・ブロック（Mark Bloch）やドイツのオットー・ヒンツェ（Otto Hintze）など世界トップクラスの歴史家たちが書評を書いていますが、日本では完全に無視された。竹内理三教授は朝河史学を評価していますが、原著は読んでいない。堀米庸三教授は、戦後原著を読んで、著書『歴史の意味』で評価しています。

永原慶二教授は当時まだ史料編纂所にいて、日本で復刻版を出した時の編集委員会の一員で、入来町にも（同僚の）石井進教授とともに現地調査に出かけています。しかしながら、その出張報告書の中には、朝河の名は不思議なことにまったく出てこない。なぜでしょうか。朝河の分析した日本中世史と永原・石井氏らの日本中世史像とが根本的に異なっていたからでしょう。*

＊ 山口隼正教授は入来町出身で九州大学から史料編纂所に転じた研究者ですが、『日本歴史』（二〇〇七年三月号）に矢吹訳の書評を書いて下さった。瀬野精一郎教授（一九三一〜二〇二二）は『社会経済史学』二〇〇七年五月号に矢吹訳の書評を書いて下さった。

論点1　朝河 vs. 黒板勝美教授

黒板勝美教授は朝河史学とほとんど同世代の歴史家です。朝河が日本における封土の起源 **The Origin of Feudal Land Tenure in Japan** という論文を *The American Historical Review* に書いた時、黒板は『史学雑誌』（第26編第3号）にすぐ紹介文を書きました。ところが、これは朝河論文に対する甚だしい誤読でした。朝河は直ちに「日本封建制度起源の拙稿につきて」という反論を『史学雑誌』（第26編第6号）に書いています。その中で、外国で日本史を研究することには次のような意味があると言っています。「海外の研究者は内国にて及び難き思想の自由あり、比較の着想を錬磨する便あり、材料の量は劣るとも特殊の長所を養うの利あり。……願わくば日本史の中より貴重の宝玉を世界人類の発達史に向いて貢献するを得んか」。つまり、日本史というのは世界で稀に見る非常に素晴らしいものを持っている。それは中国文明という大きな文明の周辺にあって、短期間に良きものを咀嚼し発展させていくという素晴らしい伝統があって、これはほかの後進国が近代化をする上で非常に参考になる。それは日本史の宝物であって、世界人類に貢献するような日本史を書かなければいけない。ところが日本では制約があって、外国にいたほうが書きやすいという現実がある、と言っています。

論点2　島津初代「忠久の生い立ち」伏せ字問題

朝河は一九三九年に「島津忠久の生い立ち」という論文を立教大学の『史苑』（第12巻第4号）に書いています。日本語で書いた最後の論文で、非常に長大なものです。東大が所蔵する国宝級史料は島津家文書だけだと聞いたことがありますが、島津家文書が重要な文書であることは間違いない。それを一番よく読んだのは、朝河かもしれない。というのは、入来文書と島津文書は、いわば対になっているからです。伏せ字の話をします。私がこの編訳『朝河貫一比較封建制論集』（柏書房、二〇〇七年二月）を出した時は間に合わなかったので、この本では伏せ字のままにしました。ところが今回、三日間スターリング図書館に通って、ついに伏せ字を起こした部分を発見することができたのです。朝河は自分の資料を丹念に整理する性癖があったので、私は絶対に存在するはずと確信していました。ただ、この論文の抜き刷りは、Asakawa Papers の「印刷されたもの」というボックスにタイトルなしでまとめて入っていたので今まで気づかなかったのですが、今回調べてようやく発見できたのです。検閲でなぜ伏せ字にされたかというと、先ほどの思想の自由と関係があります。抜き刷りを朝河は早稲田大学図書館にも寄贈した。それには朝河が誤記を訂正し、書き直している箇所があります。しかし、当然のことですが、伏せ字を起こすようなことはしていない。

私はどうしても伏せ字が気になるのでスターリング図書館で調べたわけです。ではどこが消されたのか。「『東鑑』は頼朝に情婦があったことを数度記しておるも、他人の妻を犯したこと、なかんずく恩義深き忠従の妻を私した罪悪を頼朝に寄与することは『東鑑』のみならず他書も他家の系も示さぬ所以である」。情婦がいたこと自体は当時の習慣からして許されることですが、自らの忠臣の妻を寝取るという話は別問題です。ところが、「只独り島津家系のみが、己の出自を誇らんために、この背信、破廉恥の汚辱を憚る所なく頼朝の面上に投じた」と、朝河は島津藩の公認伝説を厳しく批判しています。つまり、島津初代の忠久が頼朝の落とし子だという説、母親は丹後内侍だという説は、朝河に言わせると、到底ありうべからざるばか話です。丹後内侍は盛長の妻であり、頼朝が自らの忠臣の妻を寝取ることがありうるか。島津家としては幕府の派遣した御家人・入来院との対抗上、「頼朝の直系」を宣伝したい必要性は理解できないこともないが、この伝説は客観的に見れば、己にツバするものではないかと批判しています。「恩者、忠従に対して感荷《かんか》の情の懇誠《こんせい》なるを記される頼朝が、果してかかる悪行を犯すほどに賎しき人物であったろうか。かくの如きは武士の棟梁たる名将が誰とても敢て行わざるべき種類に属する。まして天下草創の大業を行うを自ら意識せる頼朝が、かかる陋行《ろうこう》あって如何にして多数の御家人を統制して彼が如き信頼忠勤を得たであろうか」と、武士道からしてありえない愚行と論じています。「兼ねて伝説は、政子が他婦に対する怨し得べき妬心ありしを誇張して、孕女を殺さんとする夜叉たらしめた」。これは頼朝が私生児を妊娠させた時に、政子に殺されそうになって住吉神社に逃げ、雨の降る晩、そこで産み落としたという伝説ですが、「たとい薩州にて頼朝伝説を作った初めには盛長の存在を知らなかったであろうと仮定しても、後に吉見系、尊卑分脈、東鑑等を知るに至っても、伝説を棄てざるのみか」以下が伏せ字になっています。「猶も久しきに亘って弥が上に之を修飾しつつ」というところが消されています。「猶も盛長を抹消し、猶も武家政治創造の偉人に寄せた汚辱を主張したるは驚嘆すべき事実とせねばならぬ。殊に此伝説のみが此事を敢て為したことは如何に弁じ得るのであろうか。而して之がために併せて自家の源頭を濁泉たらしめたことは自ら招く所なりとはいえ、喜ぶべきことであろうか」と批判しているわけです。

次に「忠久は以仁王《もちひとおう》の落胤《らくいん》だという伝説」が作られる。以仁王の落胤という私生児伝説というのは、徳川幕府との対抗関係のために工夫されたものです。頼朝落胤説の矛盾を指摘されるや島津藩は次いで、以仁王落胤を偽造する。これには損得両面ありと朝河は分析する。第一に今度は徳川家に対抗するために、天皇家と縁続きだと自家の出自を修正した。そうすると、忠久の誕生を一五年ほど遅らせることができて、他藩の学者から非難された論点を回避できる。さらに頼朝が忠臣の妻を犯したとする無恥破信の冤罪が晴れる。寝取られた盛長も名誉回復できるメリットがある。しかしながら、伝説はマイナス面も免れない。何よりも「再び論ずるまでもなく、従来の詳しい頼朝伝説が、嘘であったと白状したことになるし、更には良心の呵責、再び他人の律儀を犠牲として根も葉もなき自家の美名を買わんとする事であらねばならぬ」、この部分が伏せ字になっているわけです。

朝河は「前には創物の将軍頼朝に不信義の汚名を着せ、今は進んで末路惨憺《さんたん》たる以仁王に冤罪の悲哀を加えたる。たとえ我は眼眩んで此情を忍んでも、他人の賛同は期し得ぬであろう」と、島津藩の歴史偽造を酷評しています。

論点3　陽画としての *The Documents of Iriki*、陰画としての忠久伝説批判

朝河はそれぞれの伝説を関連する史書の記述に照らして、どのような矛盾が生ずるか、その矛盾を徹底的に追及しています。そこから読み取れる結論は、次のようなものです。薩摩・大隅・日向三国からなる島津勢力は、日本社会全体を貴族社会から武家社会に転換するうえでのテコとなったと見てよい。例えば、足利幕府は直接的には九州において足利側が勝ったことで成立した。もし敗れていたら宮廷勢力が復活したかもしれない。そういう文脈で、九州こそが歴史的転換の中心軸になった。この中心軸九州において、島津勢力と対抗しつつ、一時は島津側よりも優勢で、この動きの台風の眼のように、島津を突き動かし、九州全体を動かす核心になったのが、鎌倉幕府から地頭として南九州の目付役のように派遣された渋谷氏＝入来院であった。朝河は入来院を核心と見て、その対抗関係から島津藩を調べたけれども、これは入来院家というファミリー・ヒストリーを書くためではないし、南九州というローカル・ヒストリーを書くためでもない。日本全体の歴史の転換基軸として、京都勢力と武家勢力の対抗関係を描き、武家側の中心的勢力になっていく武士団の典型例として入来院を描き、他方で旧勢力から武家勢力に転身していく島津庄・島津藩を対比して描いています。朝河は「南九州の封建制について」という本を書くと予告していたのですが、その後イェール大学歴史学の正教授に昇格し、ラテン語史料を解読するヨーロッパ中世史の講義が中心になったので、『南九州の封建制』

という本をまとめる時間が消えたのでしょう。

論点4　正閏問題に悩む三上参次を慰める朝河

朝河と三上参次の交流ですが、三上は文部省教科書を執筆する指導的立場にあって、南北朝の記述で悩まされていた。朝河は三上に宛てて慰めの手紙を数通書いています。要するに、宮内省では北朝を正統としていたが、第二次桂内閣の上奏は南朝を正統とした。ところが教科書は喜田貞吉が南北双方を並列していた。そのことがヤリ玉に挙げられて喜田は解任され、三上も辞任した。そんな状況に対して朝河は、「日本学界のために嘆息し、御苦衷のほど御推察申し上げ候。此事に限らず日本にては未だ事物の真を語るを憚る趣相見え、嘆息此事に候。いずれの国にもかくのごとき事情なきのあらず候ても、日本は所謂文明国中最もこれが多き様に存じ候」と、日本には「歴史を書く自由がない」と慰めています。

さらに「国体および政治に関する部に最も慎重の態度も徐々に真を現わさざるべからず、真ならざることは決して永久なる能わざること、史の証するところに候えば、いつまでも真を蔽わんとするは、急激の破裂を招くゆえんにして国の為にも忠なるものと言うべからず」と書き、それは決して真の忠国ではないと断言しています。こういったところに朝河の歴史観が示されています。「私ら海外に在って日本の史を論著するものは、日本の旧思想等に掣肘《せいちゅう》せられざる利便を感じ候。欧文に書き候事は少しも日本諸学者の注意を引かず、なんらの手応えもこれなきは呆るる所に候えども、世の（欧米）識者の参考に供し得候」とも書いています。「日本読者のみの独り合点の見地を離れて、人類社会発達の方式という見地よりせざるべからず、これ論著の性質より来る一良結果に候」と述べ、人類社会発展の方式、世界史に貢献する日本史、そういう日本史でなければいけないというのが、朝河史学の核心です。

イェール大学日本OB会の贈り物（Gifts of Yale Association of Japan）

いわゆる朝河コレクションの一部は、イェール大学の日本卒業生たちが寄付したものです。大久保利武会長以下、OBたちは一九三〇年代当時の金で三万円の寄付を集めました。その資金をもとに黒板教授が日本文化・歴史研究に必要なものとして、経典や庄園文書、古地図などを集めました。ただし、日本に一つしかないものは、持ち出さずに書写して贈りました。ここからも学術資料の扱い方に関わる朝河の見識が分かります。

最後に

私はイェール大学のスピーチで、*The Documents of Iriki* は日本で戦後再版されたにもかかわらず、まったく読まれていないのは何故かを話しました。一つは再編集の仕方が朝河の意図を決定的に取り違えたためです。朝河が「編年体」で並べたものを元来の所蔵者別にしてしまった。さらに、朝河が捨てたものまで拾い入れた。これは朝河が取捨選択した宝物を反故の山に埋めたに等しい。

もう一つは、俗流唯物史観学派、旧講座派＝日本共産党の政治行動です。朝河は「中世日本には農奴はいなかった」と主張した。ヨーロッパは三圃制度で、領主が指揮命令しないと土地の割り替えができない。しかし日本は水稲耕作中心で年貢の量は決まっていた。耕作者の努力で収量が増えた分は自分のものになるシステムだった。だから、水飲み百姓、貧乏小作人でも「あたかも経営者のように」主体的に働いた。これは決して農奴ではない。朝河はこの事実を実証した。封建的あるいは半封建的農奴遺制を基礎としてファシズム政治が行われたとする旧講座派の分析を是とする日本共産党から見て、朝河史学は政治的に敵方扱いされたわけです。

大化改新について、二〇〇七年二月にNHKが「大化改新、隠された真相」という番組を放映しましたが、あの内容はまるでデタラメだと私は考えます。「大化改新はなかった」という大化改新虚像論が戦後の俗流唯物史観学派の中心で、それをまとめたのがあの番組です。考古学の発掘成果はむしろ『日本書記』の記述を裏付けていると読むのが素直な解釈です。朝河は神話や伝説にも何らかの真実が反映されている。神話から史実への発展を『古事記』『日本書記』から読み取ること、これが朝河の博士論文『大化改新』論なのです。

結論になりますが、朝河史学は戦前、「右寄りの皇国史観」によって、戦後は「左寄りの唯物史観学派＝旧講座派」によって、無視された。日本史家には古文書『入来文書』に収められた個々の古文書を読む者がないわけではなかったが、朝河の *The Documents of Iriki* を読まなかったので、全体像、すなわち朝河史学をまったく理解できなかった。しかし朝河史学はいずれ甦るに違いないと私は信じております。ご清聴ありがとうございました。

（本稿は二〇〇七年三月二〇日学士会午餐会における講演に二〇〇六年学習院大学での講演の一部を加えた要旨である）

第二章　朝河貫一の歴史語録

〈万世一系とは、易姓革命の対抗観念である〉

1、もし日本人がその伝説を客観的真実として信じているかと単刀直入に問われるならば、おそらく十中八、九は、なぜそんな馬鹿げた質問をするかと反問するでしょう。統治王朝の皇孫伝説は、その極致が天地創造の物語ですが、より大きな歴史的影響を与えてきました。「万世一系」と定められた天皇主権の基礎を構成するからです。この神話は国家と国民の心の中に絶え間なく生きてきました。実際の力においては神話以上、理論以上のものです。それは最も深い感情であり、全体の下地なのですが、外国の観察者が見逃し易いのです」。

矢吹のコメント：この朝河語録は、神話と歴史の結節点を実に巧みに説明している。万世一系とは、そもそも大化改新で拒否した中国の政治文化たる「易姓革命」論を強く意識して形成された日本独自の政治観念なのだ。万世一系とは、易姓革命の対抗観念にほかならないことを朝河は剔《てっ》抉《けっ》した。（矢吹晋著『敗戦・沖縄・天皇』花伝社、二〇一四年、二五七頁より再引用）

〈天皇制の理想的な終焉とはなにか〉

2、将来、天皇制自体が時代錯誤と見なされるような事態が到来するか否か、この問題は、浅見をもって揣摩《しま》憶測すべきではない。もし果たしてそのような到来があるとするならば、その時には、天皇制のきわめて価値のある歴史的使命が演じ終えたときである。そのときこそは、天皇制の存在が日本人の進化に貢献した量の深遠無辺なことを国民一般が感得するであろう。このような時期は、国民の自治能力の充実したときにのみありうることは明らかであるから、それは遠い未来の現象とならざるをえない。英帝国すらもなお、王制をもって統一の象徴として不可欠としているではないか。いわんや、これよりは無限に深遠の情的淵源ある日本の天皇制においておや。（朝河絶筆手稿覚書「新生日本の展望」）（「マッカーサー占領行政を叱る」『敗戦・沖縄・天皇』花伝社、二〇一四年、二五七頁より再引用）

3、封建制度が日本で独自に成長しながら、ヨーロッパのそれと酷似していることを知るには、原因の組合せのなかから、類似の性質と原則を生み出したものを知る必要がある。日本と西洋の社会の中でいまなお作用し、作用しつづける封建制の物質的精神的影響から、その重要性を評価できよう。
（矢吹訳『大化改新』一〇頁）

4、大化改新は古代日本に中国からなんらかの力をもちこみ、それらを西暦六四五年に人工的に結合し、そのなかから予期しえない、完全に土着の封建制度を育てた。大化改新は、日本史上の二大革命の一つであり、もう一つは一八六八年の明治維新である。（同上、一〇〜一一頁）

5、大化改新に続く五世紀にわたるゆるやかな封建社会の形成が続き、その後実際の封建国家の七世紀を経て、一八六八年に天皇の権威にとって代わられた。それは六四五年に行われた変化と同じ力によるものであった。この最後の考えは、改新への歴史的な関心が単に封建制度に関わるだけではなく、日本の天皇制にも関わることを示す。世界の君主制におけるユニークな地位は、驚きの対象であるとともに誤解の対象でもある。比較政治学の研究者は、日本の国家組織において天皇の地位が果たす高度に啓蒙的な役割を無視することはできない。大化改新と明治維新を結ぶ要は天皇である。（同上、一一頁）

6、土地制度の発展は要するに、レーン（封建）法の急速にして広範な成長のなかにある。すなわちラント法（律令体制）とホーフ法（庄園法）のなかに部分的であれ、成功裡に導入できたためであり、また頼朝は主として天皇の裁可によってこの導入を行ったのであって、国家の公務員としてではなく封建領主としての立場でそれを行ったのであった。その結果が特有の幕藩体制であり、それは非封建的権利をさらに支配し、日本封建制の基本的要素を形成した。そしてこの永続する体制の初期の力強い構造を樹立したのが頼朝であった。彼以前の誰もが平清盛でさえも、領主として、天皇の裁可を得て三つの法（ラント（律令体制）法、ホーフ（庄園）法、レーン（封建）法）においてかくも広範に権力を集中することはなかった。なるほど清盛の領地は大きかったが、頼朝よりは小さく、一般的な公式の権威づけを欠いていた。清盛によるホーフ法という資源の利用は、所有者の私的な了解によるか、あるいは専横な侵害にすぎなかった。清盛も公的権力を広範に行使したが、純粋な封建領主としてではなく、彼とその家臣が政府の皇室制度のなかで保有する官職によるものであった。これとは対照的に一一八五年以後に、頼朝が地域と領地で警察の代理と徴税者として家臣を雇ったのは、すでに見たように、朝廷によって権威づけられたものであった。それでもこれらの人々は、京都の政府役人としてではなく、鎌倉の領主に責任を負う家臣として公的義務を負っていた。彼らは領主から奉仕に対して与えられた封土という恩恵を受け、これらの義務を履行した。さもなければこれらの家臣は領主と同様に律令体制たるラント法において少しの地位しか得られず、真に行政的なものというよりは、名誉職的な性質の肩書をたまたま持つだけであろう。それゆえ、日本の政治的封建制支配の創始者は、頼朝であるとみるのが正当である。（矢吹編訳『朝河貫一比較論集』一九一〜九二頁）

7、徳川時代の藩をクラン（clan）と訳すのは容認しがたい。藩は封建領主、あるいは大名の領地であり、それゆえ本質的に領地の性質をもつ。時には国と共存して帝国の行政区画になっている。人的な側面についてみると、すべての封建社会において世襲と固定した身分を意味したことは確かだが、封建社会の社会組織の基礎以上のものではない。藩は実質においてはすでに社会発展の純封建時代を超えているのであり、武士階級は家臣としての絆で領主に従属している。その大部分は統治機構であり、経済組織であり、藩の人口はもはやポスト封建であり、実際に社会生活の氏族の段階から一〇〇〇年も経ているのだ。英語の書き手の間でclanの使用が共通しているが、日本でも外国でも、誤解しやすい用語は藩と同格の語を選ぶべきである。われわれは原語＝藩を用いるか、あるいは封土fiefあるいは大名制baronyと訳した。（矢吹訳『入来文書』四五〜四六頁）

8、職 shiki は自由に分割され、譲渡された。そして着実に数と流通量を増やした。その一部が結果的に私的な武士の手に入ったときに、封建的発展がついに可能となった。これが最も簡潔な庄と職の説明、すなわち中世日本の制度史の真実の縦糸と横糸である。(同上、一五頁)

9、一八五三年にペリー提督は将軍の幕府に宛てて、通商を禁じた幕府の伝統的な政策は、「天理」を犯す「極悪犯罪」である故、アメリカの大艦隊が通商を求めに来航するであろう。アメリカ艦隊が大挙して押し寄せたら、日本はどうして交易禁止などできよう。アメリカ側は納得できる説明を断固求めるはずだ。その勝利は明らかである。そのさいに、もし貴国が降伏を望むのであれば、ここで一緒に送る二枚の白旗を掲げよ、そうすれば砲撃はただちに止むであろう、と書いています。(六月四日に幕府役人に口上で伝えられた。この趣旨を正確に記した英語・中国語・日本語の三通の書簡の形でおよそ五日後に、箱に収められた白旗とともに届けられた。四日の会談に同席した二人の役人が書いた二つの日誌と、英語を除く書簡とが現存する。それらの書簡は当時、幕府老中以外は見ていない)

10、さすがにアメリカ政府はアメリカ史初年に「アメリカ・インディアンに対して行ったように無償に土地を奪うこと」をなさず、ただ占領駐留軍の要する土地・建物・物資を駐在期間に限り専用している。領土の削取においてもアメリカが従来、メキシコに対してなしたるほどには、統合領土を奪っていない。[中略] これに反して、沖縄や小笠原諸島(硫黄島・父島・母島等)に至っては、カイロ決議においても「日本の史的統合領土」を認めている。ポツダム宣言にいう「不限定島の範囲」に含めうるものではなく、「アメリカが奪取した」と解するほかない。これは「ロシアが千島・南樺太を取ったことに比すべき征服」という非難を免れない。千島も沖縄も、他の同盟国が黙認し、日本が黙せる事実のほかには、弁解のない地域である。〔中略〕沖縄、そして小笠原諸島は、すでに一八五三年ペリー来艦時に「一部奪取を提言」して、「本国政府（フィルモア大統領）の断固斥けたところ」なので、この百年前に比すれば、アメリカは征服戦の機を見るに及んで、先頃の「政府の良心」を「沈黙の潜伏した欲望」に委ねて実現したものであり、あたかも「ロシアが前世紀初より屢々企てた北地奪取」を今におよび、「宣戦と日本降伏とを利用しついに実行したのと同轍なり」といわざるを得ない。（朝河絶筆覚書「新生日本の展望」、前掲『敗戦・沖縄・天皇』二七三〜七四頁より再引用）

〈徳川時代の農民は耕地の所有者〉

11、日本の封建政府の最後の三百年間に、家臣は領主と共に村から離れた城下町に居住し、その所得は実際の土地保有の代わりに石高（米による給料）であったために、耕作者は多くをみずからの裁量にまかされた。それは農奴やそれに類したものではなく、耕地の事実上の所有者であった。（矢吹編訳『朝河貫一比較封建制論集』七三頁）

〈農奴に最も近いのは、大農民の世襲の奉公人か〉

12、これらの農民階級のどれをとっても農奴ではない。農奴に最も近いのは、大農民のもとで働く世襲の奉公人であったが、この奉公人は少数派に減少しつつあった。彼らと主人との関係は、「土地」

というよりは「主人の家庭」に従属していたのであり、真の従属というよりは個人的な関係に基づいていた。（同上、二五八頁）

〈一六〇〇年ごろの日本農民の地位はヨーロッパよりも高い〉

13、一六〇〇年の日本の農民は実際、公的にも私的にもヨーロッパ中世の農奴より高い地位を獲得していた。（同上、四七頁）

〈庄は、「分散農場」制からなる〉

14、庄は、領主と半ば自由な小作人の共同介入によって経営される地条型（うね）可耕地によって構成されるマナー組織（manorial organization comprising strips of arable land）ではなく、「分散農場制（scattered farm system）」の大きな単位であり、形と規模が極度に不揃いな土地の混合であり、その起源と実際の条件において非常に多様なものであった。（同上、一二六頁）

〈庄に具現された日本農業の特徴〉

15、庄には、独特の日本農業の永続的特徴がすべて体現されている。それは土地の大きな部分を占め、人々の生活の多くの部分を支えていた。その漸次的進化はこの時期を通じてその複雑さのほとんどすべてにおいて、政治・社会生活全般を反映し影響を与えてきた。（同上、九〇頁）

〈鎌倉時代の「作人」は実質的に「地主」であった〉

16、「作人」が実質的に「地主」であることを示しているのかも知れない。しかしながらそうであったとしても、封建時代第一期〔鎌倉時代〕の終りには少なくとも「作人」は雇われ耕作者ではなく、いわんや農奴ではなく、耕地の果実を得る者、結局のところ、そこから派生するすべての租税負担を担う者（bore the whole burden of the dues）であったと結論して過言ではあるまい。（同上、一四九頁）

〈「作人」という新階級の誕生と、旧地主の武士階級と新地主（小領主）への分化〉

17、彼らは旧「作人」の制度的子孫ではなく、農奴でもなく、特別な先行者なしに現れた正規の小作人であった。旧百姓も旧作人も単純な階級ではなく、それぞれいくつかの地位の等級からなっていた。
（同上、一五三頁）

18、封建時代の最初から百姓のなかに武器をもつには貧しすぎる小百姓がおり、侵略する武士や専横な徴税者が来ると、逃げたのは当然であった。しかし百姓のなかには、大きな武装した「地主」もいた。「作人」の初期の条件も多様であり、多様性はますます増加した。フランスの農村階級も奴隷や農奴として落ち着くまでは複雑であったと思われる。（同上、一七八頁注115）

19、各階級の等級差は一掃され、前の二つの階級のいくつかは新隊列のなかに融合していた。いいかえれば、次のような事態がいかにもありそうな姿である。すなわち「作人」の一部が残り、自由小作人になり、他の者は地位の高い百姓になった。「地主」も上昇した「作人」と同様に、職業的武士ともはやその家来ではなくなった者とに分化した。彼らは庄に残り、姓をもつことを誇りとし、小領主の生活をするか、あるいはこの時期の終りにかけてますますそうなったように土地を離れ豪族に従属するようになった。旧呼称は続いたが、実質は変化していた。新たな複合的な百姓には財産持ち農民と小作人が含まれており、新農村階級の基幹を構成したように見える。上には不在領主がいて、下には雇われ者がいた。（同上、一五三頁）

20、雇われた農業労働者（作男、耕作者）は、時には何世代も続いたが通常は期限つきで、土地ではなく一族に付属していた。彼らは自ら耕作するための土地を保有することも、賃貸することもなかったが、一六〇〇年以後は勤倹な作男が蓄えを用いて土地を買ったり借りたりし、小作人あるいは独立した農民として出発することは、よくあることだった。これらの労働者を奴隷と呼ぶのは適当ではない。彼らは知行を割当てられているのではなく、年貢や賦役労働の義務をもっていたわけではない。逆に賃金や他の形の報酬のために働いたのである。結婚や相続において制限を受けていなかった。雇用者のために働いている土地と抱合せで譲渡されることもなかった。彼らは家内的に雇われた者であり、それ以上でも以下でもなかった。（同上、一七八頁注116）

〈例外的に残った四国祖谷山のケース〉

21、祖谷山《いややま》についての事実は、少なくとも次の面から異例のものであり、興味深い。①彼らは村のために名《みょう》という古い呼称を留保し、村長《むらおさ》を名主と呼んでいたことで、われわれの議論からして興味深い。②首長は武士であり、騎士の奉仕という義務を負っていた。③彼らの地位は世襲であった。④彼らは小作人を農奴として保有していた。このために、小稿では孤立した村にしばしば言及する。今日この地域を訪問し、現在の状況を学ぶことは興味深いであろう。祖谷山を最近旅行した伊予の市民は、祖谷山を旅行したがまだ訪問しにくいこと、首長の家族は農民から依然として大いに尊敬されており、農民の多くはまだ強情で反抗的であると報告している。（同上、二五六頁）

〈マナーと庄の異同〉

22、ヨーロッパの典型的マナーは村落共同体に類似した特徴をもち、その耕地は長方形の帯状で一定の規格をもつ。その耕作はマナーの牧場や草原、森林の管理と同様に領主と小作人の共同監督のもとにおかれている。小作人はこれらの保有権の変化しない帯状畑を保有する。というのは、各地条ごとに定められた領主への奉仕を負わされているからである。そのうえ、下層の小作人は厳密にその地条に緊縛され、移動を禁じられている。これに対して日本の庄は、耕地についていえば、場所だけでなく形やサイズも定形ではなく、その保有者によって独自に管理される。これらの保有者の多くは領主の財政権限が妨げられない限り、好きなように職を処分し、土地保有権をもっといりくんだ変化可能なものにし続ける。それゆえ、もしマナーの起源の主な問題が村落共同体の要素にかかわるならば、庄の最初の大問題は、利益移動の集積結果として成長し、不在領主のもとでゆるやかに束ねられたことである。（同上、一七～一八頁）

〈牧草地・耕地の混在こそが共同体規制の根拠〉

23、ヨーロッパの典型マナーを特徴づける牧草地・耕地の混在は、村落共同体に似た生活をもたらした大きな理由だと考えざるをえない。（同上、一九頁）

〈自由な個別保有という個人的財産権〉

24、日本では個人的財産権（the freedom of individual possession）は、封建制の開始に先立って、マナーの出現を妨げ、自由な個別所有への領主の侵害に抵抗するために、すでに確実に守られていた。これは日本の封建制とヨーロッパのそれとの相違を理解する場合に、記憶すべき重要な条件である。（同上、二二頁）

〈庄は、いかなる条件のもとで、封土に変わったのか〉

25、第一は土地保有権と諸階級が非常に単純化・再編成・強化されることによって、はっきりした階級が現れたに違いないことだ。一つは武力で奉仕する、高貴とみなされた階級であり、他の諸階級は、生産に従事し土地保有権をもつが、卑しいとみなされた階級である。第二に、領主あるいはその上位者は自らが武士であり、領地の武士たちとの間には直接的な人的関係があった。土地保有権に基づく諸階級の再編成と軍事的領主の出現という二つの変化は、鎌倉時代として知られる最初の封建時代に大きな影響を与え、実質的な進歩を示したものの、その完成は次の時代まで待たなければならなかった。領主 seignior は寺社領の領主でさえも、不安定な土地保有権をより自由な土地保有権に変えようと長らく努力した。領主はいまや地主《じしゅ》と作人《さくにん》の利益を害う職《しき》を没収して、従属的な小作人に与えることとさえした。（同上、二一一〜二一二頁）

〈庄に領主農場はなく、それゆえ農奴なし〉

26、庄についての一つの重要な点は、領主に対して個人的な奉仕を負う小作人の農奴階級が生まれなかったことである。この重要な事実の主因は、領主農場の欠如に求められなければならない。庄の領地管理は、マナーと違って、大量の強制労働を継続的に確保する必要はなかった。小作人を厳格に土地に縛りつけるインセンチブは相対的に小さかった。居住地と住民の動きは、強制よりは庄内外を比べた純粋に経済的条件によって決定されていた。さまざまに変わる土地の権利と利益の支配的な傾向にもかかわらず、小作人の状態はこれらの理由のために全体として、かなりの程度まで相対的自由と柔軟性を保持した。厳密な意味での奴隷制度はそうした土壌では育たなかった。庄は、決してマナーと同じではなく、農奴を持たなかった。（同上、一〇七頁）

〈領主農場が小作人に対して強制労働を強いる〉

27、ヴィラ（領主が居住するカントリーハウス）はマナーに似て、マナーのもつ際立った特徴をもち、小作人に対して強制労働の義務を強いるかなりの広さの領主農場を含んでいた。領主農場がマナーにあり、庄にはなかったことが、耕作者の条件にどれほど重大な影響を与えたかを観察しよう。（同上、一〇〇頁）

〈作人とは「土地に緊縛された農奴」ではなく、「賃金のために雇われた者」〉

28、いわゆる作人（cultivator）は、一片の土地に緊縛された農奴 serf といったものではなく、収益の多い権利の保有者あるいは彼自身が労働者を雇用する側であることは明らかである。ではこれらの労働者は作人のもとで真の農奴として奉仕するのか。日本で十二世紀に農奴は存在したのか。私はまだこれらの疑問に答えることはできない。ただ私が見た乏しい証拠の限りでは、これらの労働者は領主に対するサービスのために土地に緊縛された農奴というよりは、何らかの形で賃金のために雇われた者であることを示唆していると言えるだけである。（同上、一七頁）

〈「作男」は農奴ではない〉

29、この時期に、農業人口の最下位には賃金のために雇われた国内の作男がいたことを積極的に証明できる。たとえ日本の庄と封土の歴史において、いずれかの時期に、農奴と呼べる階級がいたとしても、ここでの作男はもちろん農奴ではなかった。（同上、二四頁）

〈地下人と対比できるのはローマ帝国のサルトゥス〉

30、社会的に最も低い階層・地下人《じげにん》でさえも、作人職《さくにんしき》の個々の保有者によって賃金のために私的に雇用されたものである。庄の地下人と対比するには、フランスの封土における農奴ではなく、たとえ類似が表面的なものだとしても、むしろローマ帝国のサルトゥス（ラテン語で森林。牧場・森林で働く者で、人格的支配を受けない点で農奴と異なる）をあげるべきだ。（同上、一八頁）

〈領主農場における共同耕作〉

31、フランク王国の村落 villa やマナー manor の領主は、独立した地位を獲得していた。領主は不自由な小作人 unfree tenants から自らの税金をかきあつめ、領主の部下は領主農場 home farm を無償で耕作しなければならなかった。ヴィラはより先進的な型の農業を発展させた。［水稲に特化する］庄とは対照的に、ヴィラではさまざまな穀物が育てられ、農業は大規模に行われ、農場は共同耕作が普通であった。これらの差異は、主として日本の水稲耕作のため、そして庄には領主農場を欠いていたことに帰着させることができる。（同上、八九頁）

〈マナーとは異なって、庄には農奴がいなかった〉

32、庄についての一つの重要な点は、領主に対して個人的な奉仕を負う小作人の奴隷階級が生まれなかったことである。この重要な事実についての主な理由は領主農場の欠如に求められなければならない。領地の管理はマナーと違って、大量の強制労働を継続的に確保する必要はなかったのである。小作人を厳格に土地に縛りつけるインセンチブは概して相対的に小さかった。居住地と住民の動向は、強制よりは庄内と庄外を比べた純粋に経済的条件によって決定されていた。さまざまに変わる土地の権利と利益の支配的な傾向にもかかわらず、小作人の状態は全体としてこれらの理由のために、かなりの程度まで相対的自由と柔軟性を保持した。厳密な意味での奴隷制度はそうした土壌では育たなかった。わずかの下位の小作人が時間の経つにつれて個々の土地賃貸者に奉仕したが、これは領地の領主のためではない。マナーとは異なって庄は農奴を持たなかったのだ。（同上、一〇七頁）

〈小作人の領主農場における無償労働〉

33、マナーの小作人は階級の差に応じて異なる無償労働を領主と領地のために行い、この強制労働は疑いなく、彼らの義務のなかで最も厄介なものであった。決定的な理由が領主農場の存在に起因することは明らかだ。すべての小作人は、程度の差こそあれ厳格なマナーに住み、決まった単位名をもち、定められた負担を課された単一あるいは分割された土地で働き、これらの義務の大部分が強制労働であるならば、その結論は、これらの耕作者はヴィラの従属民であり、自由な小作人ではない、ということになる。（同上、一〇一頁）

〈成熟した庄から生まれた新農民階級〉

34、マナーについても同じだが、庄の場合に問うべきは、旧階級の混合から生まれる新たな階級ではなく、相対的な画一性から差別化して生まれる新鮮な階級である。この時代には、庄外の自由民でさえも、庄内と同様に水田を個人的に所有していたように見える。（同上、一〇二頁）

〈日本農業における米作の本質的意味〉

35、ローマ帝国のフンドゥス（所領主の農場）とヴィラ（上流階級の人々が田舎に建てた家屋）からフランク王国の領地、イギリスのマナーへと続くヨーロッパの農業発展を学ぶ者は、耕地・田畑・農法の規模がたがいにほとんど均衡がとれていなかった事実、農法は別としても小作人の保有する耕地と田畑は、原則として日本よりはかなり大きかった事実を想起するかもしれない。ここにはさまざまな原因があるが、そのほとんどすべては農業の特質と認めることができるか、あるいはそれと密接に関わっている。すなわち山がちの国土、水平な棚田、人間による農業、小農具による丹念な耕作、各農場に不可欠の要素としての牧草地や牧場の不要なこと、そして人々の生活を支えるうえで相対的に高い価値をもつ米作が結合して、上述の結果をもたらした。（同上、三一三頁）

〈庄の構造はマナーと根本的に異なる〉

36、庄は、ヨーロッパのマネリウムあるいはマナーに似ており、字義的には領地領主あるいはその代理人の農村の家を意味するが、派生して領地自体を意味した。しかし私領としての庄は、ヴィラあるいはマナーと性質が根本的に異なっている。社会的機能が似ておらず、制度的先行物が異なり、多様であり、なかでも構造そのものが異なる。（同上、三一六頁）

〈**農民の水田をゆるやかに束ねた庄**〉

37、ヨーロッパの領地とマナーの形跡は、すべての小作人が領主のための労働を強制される大領主農場の存在が、農業諸階級の条件の著しい変化（それが起こっていたことは知られている）の原因の一つかもしれないことを示しているより古い奴隷の状態がしだいに改善されたのに対して、初期の自由保有者とコロニは紛れもない農業労働者の地位に低下した。庄の小作人はこれとは逆に、領主と領地のための農業労働者であるとはほとんどみなされない。彼らは農民用の水田を自由に利用し処分できたからだ。そして領地全体は農民の水田をゆるやかに束ねたものであった。（同上、三一七頁）

〈**経済的にみると、私領（庄）と公領は本質的に類似していた**〉

38、庄における領主農場の欠如による注目すべきもう一つの影響は、私領と公領の間の経済的状況の本質的類似性であった。国家との関わりにおける人々の法的地位の差異およびそこから支払われた租税の行方を別とすれば、公領と私領の間には、経済的内容において際立った差異はほとんどなかった。両者ともに主として個人的に利用される分散した水田からなり、両者の資源は制度的な職《しき》の手段によって同じように流通された。（同上、三一七頁）

〈**職《しき》の根拠は何であったのか**〉

39、同一の土地が地主《じしゅ》、作人《さくにん》、下作人《げさくにん》の職《しき》を生み出し、これらの職は他の資格のもとに増やされ、それぞれが次々に分解され、異なる人々に与えられ、多くの手を通じて移転された。しばしば同一人が異なる庄や公領にさえ、さまざまな領地や等級の職をもっていた。職の根拠は何であったのか。社会的不安と領地の拡大からくる経済的不安の時代にあって、思うに、職とは農民が金融危機を乗り切る、あるいは必要な保護と後援を購入する手段（貨幣の稀少を補うため）なのであった。もっと深い理由は、わずかの水田に対する直接的支配を放棄したくないという頑固な意思のなかに発見できるに違いない。
（同上、三一七～一八頁）

〈日本の封建制は私的な後援のもとに勃興し成長した〉

40、土地にかかわる慣習法は、日本の公的領域と私領をともに支配し、武士たちはそれに従属していたが、マナーも農奴もなかった。日本における封建制の起源を研究すると、とりわけ封建制がほとんど純粋に私的な後援のもとに勃興し成長したという際立った事実、封建制がマナーと農奴なしに存在した事実が浮き彫りにされる。（同上、三一八頁）

〈歴史科学は赤い炎よりも、真実の白い光を好む But science will always prefer white light of truth to the red glare of such a flame.〉

41、［矢吹解説］韓国併合を目前にしてナショナリズムに幻惑された日本国民は、朝河のこの箴言とは逆に「赤い炎」を好んだ。白鳥庫吉《くらきち》（一八六五～一九四二）は、タトゥーによる「鯨面文身」の邪馬台国を九州に比定して、このような時代風潮に迎合し、致命的な誤りを犯した。白鳥はまぎれもなく「時代の子」であり、それゆえにこそ、この邪馬台国＝九州説は論文自体としては大失敗作にもかかわらず、権威としてもてはやされ続けたのではないか。問題はむしろ第二次大戦後である。皇国史観の呪縛から解放され、思想・学問の自由は新憲法のもとで保証された。そのような戦後日本のなかで、「放射読み」なる奇怪な榎一雄（一九一三〜八九）論文が現れ、白鳥論文の矛盾を弥縫《びほう》したのは悲劇というよりはむしろ喜劇である。（But science will always prefer the white light of truth to the red glare of such a flame. Not only science, but also the very practical aim of the mutual understanding of the nations, is being seriously retarded by the rival display of self-righteousness made by the foreign and the Japanese writers. Japan Old And New: An Essay on what New Japan owes to the Feudal Japan, *the Journal of Race Development*, vol. 3 no. 1, July, 1912.　矢吹編訳『比較封建制論集』に英原文と邦訳を収めた）

第三章　入来で語る朝河英訳本の黙殺情況

第一節　敬して遠ざけられた朝河貫一史学

私は本書で『数奇な入来文書の運命』を語る。なぜ数奇なのか。入来《いりき》文書と呼ばれる古文書を綴じた巻物が逸失することなく保存されたのは、いくつかの偶然が重なっている。まず第一に入来院は南薩摩の中央に位置し、山脈で囲まれた天然の要害である。とはいえ、川内《せんだい》川およびその支流によって物流のルートは確保されていて、閉鎖的な地域ではない。鎌倉時代に相模国から地頭として赴任した渋谷一族（後の入来院氏）がこの地域に拠点を固めたのは、頼朝が鎌倉地域を東国支配の拠点に選んだ事情と酷似している。要害鎌倉は前面に海、左右背後は山々で守られていた。戦国時代に生き残る道は、難攻不落でかつ出陣に便利な地域でなければならない。入来盆地はまさにこの条件を備えていた。一時的な敗北は喫したが、完敗落城に至る敗北はなかった。文書が保存されたのはこのためだ。ここであえて記すが、一部に欠落や偽造を含むものは文書としての価値に問題がある。入来院に残された巻物が世界史的にも稀な価値を持つ所以《ゆえん》は、残された譲り状がすべて入来院内外の実際の田畠と照合可能であるからだ。土地の譲渡状を現物と照合できることに、この巻物の類稀な価値がある。

第二の数奇は、朝河貫一による発見の物語だ。朝河は庄がどのように封土に変化したのか、その過程を実証するために、たとえば牛ヶ原庄の歴史を細部まで調べ上げ、さらに島津文書も詳しく調べていた。牛ヶ原庄の場合、奈良や京都の有力寺院に膨大な量の古文書が残されていた（矢吹晋編訳『中世日本の土地と社会』柏書房、二〇一五年。原史料は朝河貫一編『庄園研究』日本学術振興会一九六五年）。島津文書、とりわけ薩藩旧記をいくら調べても、missing link があり、朝河の疑問は解けなかった。なぜか。島津庄は、近衛家を領家とする古代の庄から続いており、頼朝によって封土 fief と認められた経緯が曖昧なのだ。これに対して入来院を作った渋谷一族郎党数百人の場合は、出自もその下向の経緯も明らかだ。一族は鎌倉幕府によって地頭として派遣された。もっとも地頭として正式に認められたのは、事後の了解による。時代の転換期には往々よくあるケースだ。朝河は島津文書からは読み解けない封土への転換の秘密を入来文書から読み取った。朝河が入来文書と呼ばれる巻物を発見できたのは偶然ではない。法隆寺や東大寺等の庄文書群や島津文書を徹底的に調べ上げて、そこから得られる史料では分からない missing link を教える唯一の古文書が入来文書であることに気づいた。これが朝河による入来文書発見の物語だ。繰り返す。朝河は庄史料渉猟の結果として、この巻物に遭遇した。島津文書に含まれる『薩藩旧記』では、封土への転換過程が読み取れないという疑問を抱いて史料収集の関西・九州への旅を行い、遂にこの巻物に遭遇した。一九一九年六月であった。これは実に数奇な出会いなのだ。

第三に数奇な事件は、戦後の東京大学史料編纂所による *The Documennts of Iriki* 改竄・著作権侵害事件だ。これは日本の最高学府と権威を誇る学問の府によって引き起こされたスキャンダルである。

これは朝河の没（一九四八年八月一〇日）後、朝河史学の顕彰のために行われた一大プロジェクトにおける贔屓の引き倒し事件だ。二〇二三年は朝河生誕一五〇年、朝河没後七五年に当たり、故郷福島県ではいくつかの記念イベントが行われた。私がこの年暮、朝河の誕生日に合わせて、「甦る朝河史学」を書くのは、さまよえる朝河の魂を鎮める墓誌銘である。

〝ニセ貴族〟が旧マナー・ハウスに宿泊して

一九九二年春、私はニセ貴族の気分を味わった。なんとタキシードを着せられ、蝶ネクタイを結び、エナメル靴を履いて晩餐会に出席した。場所はイギリスのオックスフォード大学の近くにあるディッチリー・パークである。写真の建物はおよそ三百年前、一七二二年に建てられた古典的ジョージア風のマンションであり、建設された当時のままである。イギリス国王チャールズ二世（一六六〇～八五）の時代から一九四〇～四一年のチャーチル戦時内閣の閣僚たち週末の避難施設に至るまで、この建物には歴史がある。ちなみにアメリカ南北戦争における南軍リー司令官の実家でもある。第二次大戦後の今日、財団が管理し泊まり込みのできる国際会議場として使われている。会議は通常、金曜の夕刻から始まり日曜午後の遠足をもって終わる。金曜夜から日曜午前までの連続会議は、まさに世界のトップ・エリートたちの知的バトルの場にふさわしい。

私が招かれた一九九二年春の恒例会議のテーマは、「岐路に立つ米中関係」であった。クリントン政権の発足に際して、西側関係者による対中国政策アドバイスのためであり、日本からは小和田《おわだ》恒《ひさし》氏と私が招かれた。私は天安門事件以後の日本の対中経済協力の現状を語り、「（制裁という）北風よりは（改革開放を支援する）太陽を」という考え方を主張した。実はこの会議の基調報告を書いたバーバー・コナブル氏（元世界銀行総裁）やディビッド・ランプトン教授（当時米中関係全国委員会主席）も同じ考え方だったので、私にとってはたいへん心地よい会議になった。*

＊ その骨子は、Yabuki, Susumu, *China's new political economy: the giant awakes*, tr. Stephen M. Harner, Boulder, Colo.: Westview Press, 1995. および *China's New Political Economy*, Susumu Yabuki and Stephen M. Harner, Boulder, Colo.: Westview Press, 1999, revised ed. であった。なお前者は全米図書館協議会の Choice 誌，Outstanding Academic book for 1995 に選ばれた。後者は *the Cato Journal*, Winter 2001 に同誌編集長 James A. Dorn による長文の書評がある。

旧マナー・ハウス、ディッチリー・パークの正面

さて、土曜の夜は正式晩餐会だ。日本を立つ前に届いた会議要綱によると、「晩餐会はタキシード着用のこと」と書いてあったので、事務局に問い合わせたところ、「ご出席の方は皆様お持ちのようですね。ロンドンで借りるのも一案です」との答え。私はどうやら場違いの会議に招待されたらしい。晩餐会の客は三十名前後であった。このゲストをもてなすために、客の二倍の程度の人々が働いていた。これはバトラー（執事）氏と雑談して得られた知見である。タキシードを着せられて窮屈に感じたのは、最初の一〇分程度だ。食前酒に始まり、白ワイン、赤ワイン、ウィスキー、ブランデーと勧められるうちに、もうすっかりいい気分になり、ニセ貴族気

分を満喫。建物は一階にあるいくつかの部屋が会議場や食堂など、二階の個室、といっても大小さまざまの部屋に、夫婦連れ、子供連れのメンバーが宿泊した。昔、西洋経済史を齧ったときに、マナーやマナーハウスのことは教わったが、実際にマナーハウスに宿泊し、領主の館がどのような構造でいくつ部屋があるか、使用人がどのように主人や客に奉仕しているかを具体的に見聞できて、私は中世イギリス社会にタイムスリップした。

現代と中世との間にはるかな時間が流れているが、主人が客をもてなす。そこで使用人が奉仕するといった基本的な構造は、何百年も変わっていない。単に想像するだけにとどまっていたイギリスの封建時代の農村風景と領主・農民・小作人の関係が一挙に脳裏に浮き彫りにされる感覚を味わった。いわば小作人の伜が突然殿様に招待され、その家臣身分になった気分か。

一九九八年一月、私は再度ディッチリー会議に招かれ、ニセ貴族の体験を重ねた。

その時のエクスカーションはブロウトン城訪問であった。これは一三世紀に建設が始まったもので、中世の雰囲気を色濃く残したマナーハウスであった。場所はオクスフォード大学の北四〇キロあたりだが、まことに上品な現役貴族の領主夫人が出迎えてくれ、しかもわが皇太子明仁（当時）が一九八四年のオクスフォード留学時代に訪問した際の記念写真に自筆署名を添えて贈られたものをみせてくれた。日本でいまなお、徳川時代の城に居住している殿様はいるのだろうかと反問しつつ、「真冬は寒くて困るのよ」とこぼしながら、かつての使用人の小さな部屋を住まいとして城を守り続けている領主夫人には同情せざるをえなかった。

では日本の封建時代はどうか。イギリスのチャールズ二世の時代は江戸城本丸が焼失した明暦の大火から将軍綱吉が生類憐れみの令を出した前後である。この時代の加賀藩か、紀州藩のお城に招かれて「殿へのご進講役」などを委嘱されたとすれば、江戸時代の藩主と藩士、藩士とその従者との関係などが手にとるように理解できるはずだ。実は、このような形で、ヨーロッパの封建制と日本の封建制を初めて実証的に比較研究したのが本書の主人公、朝河貫一である。比較する場合、往々似たところを数え上げることが多い。しかし形は酷似しているが、中身はまるで異なる事例も少なくない。イギリスのマナー manor、フランスのセニュリ seigneurie、ドイツのグルントヘルシャフト Grundherrschaft と日本の庄は、どこが似ていて、どこが違うのか。

法制史家・中田薫の所説

ここから誤解が始まる。一つは時代の差を取り違えたもの、すなわち時代錯誤の比較である。もう一つは、ヨーロッパには存在するが、日本にはそもそも存在しないものをヨーロッパのモノサシに合わせてデッチあげたことだ。一九三〇年代にマルクス主義が流行すると、マルクスの定義に合わせて解釈する学者が続出した。これは「靴に合わせて足を削る」類の愚行だが、戦後はこれが一世を風靡した。「赤信号皆で渡ればこわくない」。学説も皆で唱えれば、正義になる、といったところか。東京帝国大学法科大学で最初に法制史を担当したのは、明治一二年に卒業した宮崎道三郎である。彼は「日中古代法制」比較に取り組んだ。法制史学教授の第二代は中田薫であり、明治三三年に卒業するとともに大学院に進み五年間にわたって「鎌倉幕府の法制」を中心に研究した。それまで中世法は史料が未整備であり、研究も空白であった。

中田は五年を費やして「日本庄園の系統一、二」（『国家学会雑誌』一九〇六年一号、二号）および「王朝時代の庄園に関する研究」（『国家学会雑誌』同年三～一二号）に発表し、これによって法科大学助教授となった。『国家学会雑誌』が一年間の連載を許したのは珍しいが、これは美濃部達吉の英断によるものであった。中田論文は全五章二六〇余頁からなるが、一九三八年に中田薫『法制史論集』（第二巻）に収録された。戦後は『庄園の研究』（彰考書院、一九四八年）として再刊された。この本については弟子筋に当たる石井良助は「日本法制史研究の礎石となるもの、日本法制史学の金字塔」と評価している。庄園の先行研究としては、栗田寛が一八八八年に書いた『莊園考』があり、これは「国学系統の最高峰」とされるが、法制史の分野からアプローチした本として、中田薫『庄園の研究』は確かに、史学史に残る名著であろう。

では中田は庄とマナーをどのように比較しているのか。「けだし庄なる語は、元来田間の屋舎を意味する語なり。然れども唐に至りては、已《すで》に其原義より転じて、城外に存在する私有土地、殊に大地主が経済上の目的を以て所有する土地を意味したるものなり。此意味に於いて唐の庄は、欧州フランク時代の Hof〔領地と館〕、mansus〔意味は同じ〕全然同一の意義を有するものなり」（彰考書院版、一二頁）。「庄なる土地は自ずから経済上の一制度を成すに至りしこと、猶フランク時代の Hof と同一なり」（同上、一三頁）。「此等の佃作者は之を庄客、寄庄戸又は客戸と称したり。此点に於いて唐の庄はフランク時代の mansi〔マンサスと同じ〕vestiti〔同じ〕に当たるものというべし」（同上、一三頁）。「唐代に於いて庄園なる制度が殆ど其の発達の極点に達したる時は、すなわちわが日本においても同種の制度が漸次其の萌芽を顕しつつある時代なり、而も両者はその発生原因においても、また流布の状況においても、まことに東西符を合するがごときものあるを覚ゆ」（同上、二六頁）。「わが恩給なる制度もローマのAprecarium（懇願して与えられた土地）、フランク時代のAbeneficium（恩貸地）と、その根本観念を一にするものなり」（同上、二二頁）。

中田の庄研究はなるほどローマのプレカリウムやフランクのベネフィキウムと対比しているが、「根本観念を一にするものなり」と断定したが、断定の論拠はなく、そもそも日欧比較研究とはいいがたいものだ。中田の場合は、せいぜい中国と日本の比較法制史と言えるだけであろう。しかし、これが庄園をヨーロッパのマナーに比定する思考法の源流となった。

二〇世紀初めに生まれたこの安易な対比がドグマ的な教義に変化したのは、一九三〇年代後半の日本封建論争以来だ。講座派と労農派が日本資本主義の成立史をめぐって激しい論争を展開したことはよく知られている。戦後史学は、その教義化をさらに進めて、講座派の流れを汲む俗流唯物史観学派は歴史学を政治運動の下僕にした。その亜流は今日でも読書界に溢れている。

農奴とは領主の隷属下にあった農民

まわりくどい説明は一切放棄して、朝河の農奴制の定義をみよう。「日本の小作人の地位は、所有者との借地条件は不明だが、どうやら借り受けたようだ。小作人は土地や領地に緊縛されたのではなく、強制労働であったわけでもない。ローマやフランク王国の奴隷、自由民、コロン［小作農夫］に相当するものではなかった。日本には労働を強要する領主［直営］農場はなく、小作人の生活の大部分が管理されていたのでもない。日本の土地制度はヨーロッパの意味での農奴は生み出さなかった」。

「こうして日本の主な特徴は、武士と農民の差が小さなこと、土地保有条件の流動性、土地所有階級と小作人階級のゆるやかな形成、そして農奴の欠如であった」（邦訳、五七七頁、原文七三頁）。朝河の論理は明晰だ。ローマやフランク王国の奴隷と日本の小作人（下人《げにん》、所従《しょじゅう》など）とは、異なる。日本では武士と農民の階級差が小さく、「農奴は存在しなかった」という結論である。戦後の歴史学界は、日本にはそもそも存在しない「農奴の幻影」を探すために、四苦八苦して、平安庄園に農奴の実像を探り、太閤検地期の農民を「農奴扱い」した。実にばかばかしい徒労ではないか。朝河が一九二九年段階ですでに実証を踏まえて、「農奴の存在を否定していた」にもかかわらず、二一世紀初頭の日本史学界は依然痴呆ぶりをさらけだして、「見解が対立している」「いまだ確たる結論はない」などと奇怪な学説を平気で記述しているのだ。

私は渡部義通、石母田正、藤間生大、永原慶二たちに対して、個人的な感情はなにも抱いていないが、政治運動の下僕に甘んじて、政治運動と歴史研究とを取り違えて恬《てん》として恥じない無反省ぶりには、厳しく批判するのが後学の義務と考えるものである。ただし、ここで比較的良心的な研究者も辛うじて存在した事実も指摘しておくことにしよう。

吉川弘文館『国史大辞典』で「封建制度」（一二巻五六五〜五六七頁）を執筆したのは、福田豊彦だが、その文献には、ライシャワー『日本近代の新しい見方』（講談社現代新書、一九五六年）とならんで、朝河貫一「日本の封建制度について」（『歴史地理』第三五巻第四号）が三〇数篇のなかの一つとして挙げられており、朝河についての極めて短いコメントがある。全文は三〇〇行近い解説のわずか一一行であり、比率は四％である。九六％をほとんど意味のない解説に充て、正しい説は四％しか紹介して

朝河が描いた入来盆地の地図（出所：*The Documents of Iriki*, p.19）

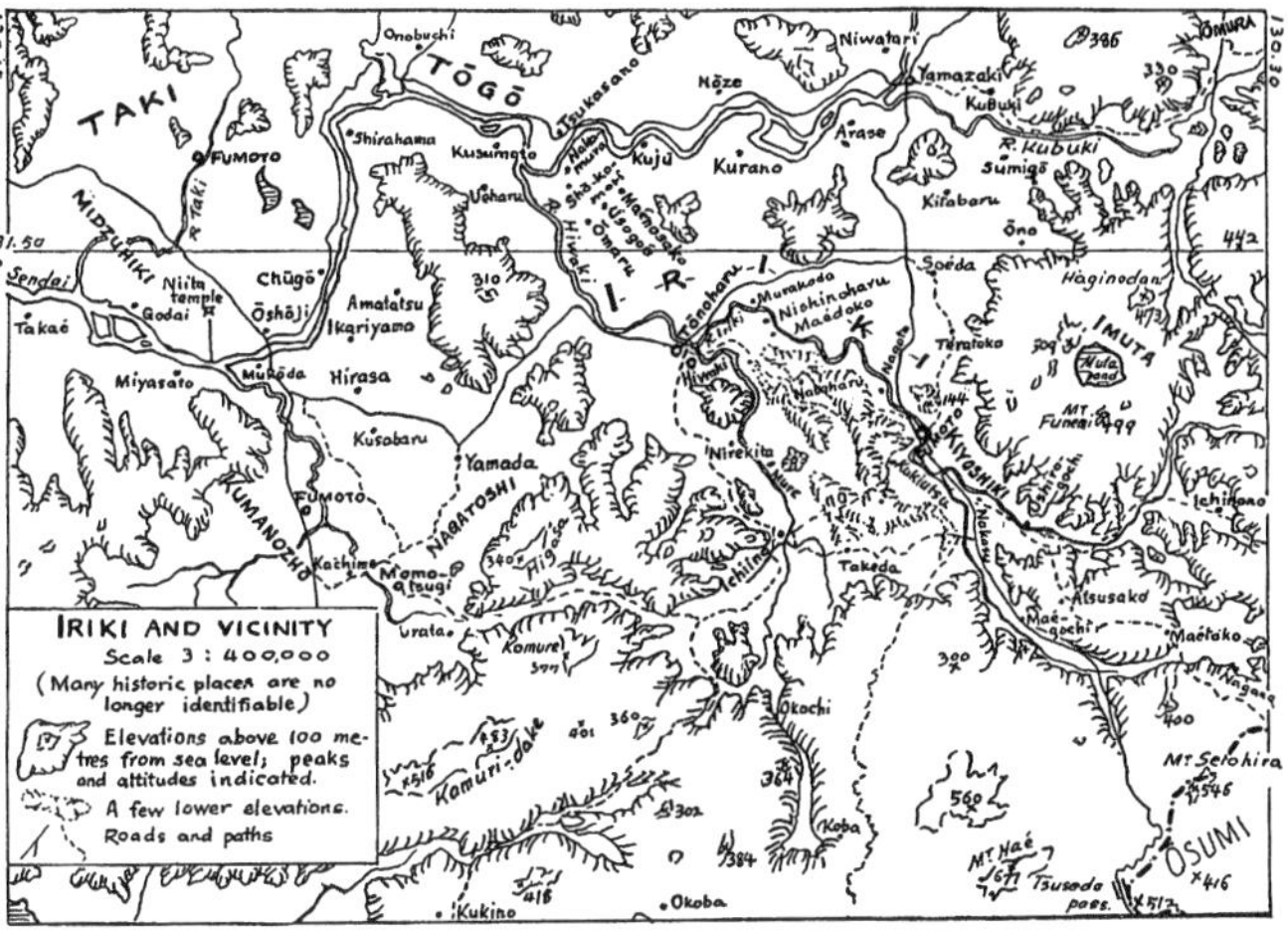

いない。私は敢えて強調するが、これが戦後史学の醜態である。有名なセリグマンの『エンサイクロペディア』（*Encyclopaedia of the Social Scuences*, 1930）はK・アサカワに関して二一四〜二〇頁まで、足かけ七頁、約六〇〇行にわたって執筆している。一九三〇年当時のことだ。その分量はヨーロッパ封建制を記述したマルク・ブロックの解説と同じ量だ。これが欧米世界で社会科学の常識として認められていたものであるのと比べて、何たる痴呆ぶりか。

では朝河の実証研究とはなにか。東京渋谷区の「渋谷」、神奈川県大和市の高座「渋谷」は、中世の「渋谷庄」の名残りである。その渋谷一族のうち、相模渋谷氏は一二四七年に薩摩国入来に地頭として派遣された。渋谷氏の上野《こうずけ》、伊勢《いせ》、美作《みまさか》などの領地はその後他人の手に渡ったが、薩摩には、その倍以上の領地が戦国合戦の恩賞として与えられた。一時は島津を恐れさせる勢力を誇示したが、やがて島津の軍門に降り、明治維新を迎えた。

この武家屋敷に残された『入来文書』は、武士社会の誕生から終焉までの細密画を描く宝庫である。朝河貫一が『入来文書』の学術的価値を発見し、国際的名声を得たが、やがて忘れられた。朝河を読むと、戦後日本史学の間違いがよく分かる。あらかじめ結論を先取りしておくと、つぎのような具合である。

①日本の庄園をヨーロッパのマナーになぞらえるのは、時代錯誤である。庄園は古代的なものだが、その土地が封土化して、日本の封建時代が生まれた。封土化した旧庄園こそがマナーと対比できるのであり、庄をマナーに比定してはならない。

②ヨーロッパのマナーには農奴（および解放された農奴。これは自由民とは区別される身分）がいたが、日本にはいなかった。日本の小作人あるいは下人《げにん》、所従《しょじゅう》などと呼ばれた農民は、土地を所有する領主あるいは地主から土地を借りて耕作し、地代として年貢を収めた。ここには経済外的強制はなく、小作人たちはみずからの意志で巧みに水田を耕した。この自主性、主体性はヨーロッパの農民と大きく異なる。

③ヨーロッパの三圃制農業と、日本の水稲耕作には大きな違いがある。水稲耕作は水が肥料をもたらし、肥料を保護するので、連作が可能であった。千年以上にわたって連作しても、連作による障害は生じなかった。これに対してヨーロッパの乾地畑作農業は連作に限界がある。地力を養うために、しばしば休閑地を必要とした。食用の冬麦と飼料用の春麦の輪作からなるシステムが完成したあとでも、地力回復のために休耕・放牧による畜糞の供給が不可欠であった。ヨーロッパの農業にとって

土地の割替えはたいへん大きな仕事であり、領主がその役割を担い、農民に耕地割当てを強制した。農民はまた領主による直接指揮のもとで農耕に従事し、いささかの自主権もなかった。まさに農奴であった。

④ヨーロッパの封建契約は領主と臣下が対等であったが、日本では臣下の立場が弱い。代表的なフランスの場合、戦国時代が長く続き、領主と家臣の関係は時には家臣の立場が強い局面も少なくなかった。つまり長引く戦争では、強い家臣をどれだけ臣下に集めることができるかが勝敗を決した。そこで強い騎士は、強い立場で領主と交渉して、その立場を強めた。では日本はどうか。朝河は日本では領主の立場が強いことについて二つの理由を挙げている。戦国時代が短かったために、強い家臣がその立場を強める間もなく、信長・秀吉による天下統一が進んでしまった。加えて日本では、大化の改新以来、中国の集権的政府（大一統）のイデオロギーを受け入れてきたので、領主と家臣が平等であるとする観念が育ちにくかった。

⑤総じて朝河の日本封建制論の際立った特徴は、水稲耕作のもつ意味を徹底的に考え抜いたこと、そこに着目して、直接的生産者すなわち農民の地位が同時代のヨーロッパよりもはるかに高かったことを指摘したことである。ずばりいえば、日本の小作農は農奴であるどころか、まさにその水田の経営者であった。

『入来文書』の数奇な運命

薩摩藩の剣術は「示現流《じげんりゅう》」として広く知られている。この示現流が元来は「示顕流」であったこと、

「その源は入来ですよ」という紹介も含まれていた。なるほど調べてみると東郷重位《とうごうしげかた》（一五六一～一六四三）の創めたものという解説が目にとまる。東郷一族の初代実重《さねしげ》は渋谷光重《みつしげ》の次男であり、入来院の元祖定心《じょうしん》は光重五男であるから、まさに一族である。いわゆる薩摩示顕流は、島津に降る前に東郷家に伝わる武芸であった。日本封建社会を描く古文書を最もよく残した入来院《いりきいん》が示顕流とともにあった事実は、象徴的だ。封建社会のヒーロー達は、いうまでもなく武士階級であったが、その事実を示現流という武芸の形で残したわけだ。

入来院家に残された膨大な入来文書を発見して、これを取捨選択の上英訳したのが朝河貫一であり、英訳書 *The Documents of Iriki* は一九二九年にイェール大学から出版された。この本が出る前後から、朝河伝説が繰り返し語られるようになった。それは朝河貫一の入来訪問がわずか一週間なのに、どうしてこのように大部の史料を書き写すことができたのか、その秘密に関わるものであった。「いくら天才でも、そんな離れ業ができるものではあるまい」、「いや、書き写している姿を見たという目撃証人がいる」。現代のようにスキャナーやデジカメという新兵器があれば、転写は容易だが、当時、朝河はカメラを携帯していなかった。ではなぜ、筆写が可能であったのか。

実は簡単なことであった。朝河は入来町を訪れて、入来文書の現物に触れる前に、その内容をほとんど読んでいたのだ。こう書くと、もう一つの伝説を作るつもりかと非難されかねないが、実は入来文書のうち当事者が重要だと判断した文書のかなりの部分は、『薩藩旧記』等に転写されており、朝河はそれを東大の史料編纂所ですでに読んでいたのだ。したがって、朝河が熱心に書き写したのは、『薩藩旧記』等に「未収録の文書群」なのだ。では、朝河が入来を訪問して初めて読むことができたものは、どの程度か。少しく乱暴な数え方をしてみよう。朝河の編集した *The Documents of Iriki* には、二五三篇の文書が収められている。このうち、『薩藩旧記』等、朝河が東大や京大では読むことができなかったものは、概算で約四割一〇〇篇程である。朝河が必死になって書き写した文書は、これに当る。この程度の分量ならば、一週間で書き写すことができるであろう。

読む前から分かっていた古文書

更に、ここにもっと重要な事柄がある。古文書は活字本とは異なるので、内容を理解できないことには書き写せない。朝河は一読して、ほとんど内容を理解できた事実が重要だ。なぜ理解できたのか。『薩藩旧記』等を通じて、朝河はその概要を知っていたからだ。たとえば寺尾家初代重経《しげつね》（定仏《じょうぶつ》）の譲状《ゆずりじょう》に関わる文書は一五通程度ある。このうち第34号文書将軍家政所下文案《まんどころくだしぶみあん》、第35号文書関東下《かんとうげ》知状《ちじょう》、第41号文書関東裁許状《かんとうさいきょじょう》は、『薩藩旧記』にも収められている。「政所下文案」は執権北条時宗の花押入りの文書で、寺尾重通《しげみち》に対して寺尾村の地頭職など、父親重経の領地の相続を認めたものである。鎌倉時代においてこれ以上に権威をもつ文書はない。「関東下知状」は「政所下文」よりは簡素化された形式だが、祖父重経の領地を孫竹鶴《たけつる》に相続させることを「鎌倉殿」（将軍）が認めたことを執権北条時宗《ときむね》が確認した文書である。「関東裁許状」は重経の後家である尼妙蓮《みょうれん》らと先妻の子与一《よいち》（為重、本名重員《しげかず》）との相続争いに対して、執権北条時宗が認めた文書である。

鎌倉幕府から届いた土地証文

このように鎌倉幕府から届く下文《くだしぶみ》・下知状《げちじょう》・裁許状《さいきょじょう》などは、最も重視されていた文書であり、朝河が研究を始めたときには、すでに島津藩の関係文書に収められていた。朝河は当然その内容を熟知していた。朝河が入来で「発見した」のは、これらの決裁文書が幕府から届くに至る①前段階でのトラブル状況と②事後の成行きを理解するための文書であった。たとえば、「政所下文案」の前提として、重経が先妻の子・与一を勘当した事実を示す第26号文書勘当状《かんどうじょう》、重経が後妻第29号文書妙蓮や、妙蓮の子第28号文書重通へ、そして孫娘第30号文書竹鶴宛てに書いていた譲状の内容である。これらの勘当状・譲状《ゆずりじょう》を追認・公認するために、執権時宗が下文を書いたのである。天皇の綸旨《りんじ》や幕府の決済文書が利害当事者にとって依拠すべき準則になることは自明であり、これらは可能な限り大切に保存される。これは常識だ。

歴史家朝河の視線

しかし歴史家朝河の視線は、そのような文書が発出されるに至った背景まで届く。裁判ならば、原告があり、被告がいて、判決に至る。しかし、歴史の真実を明らかにするためには、判決を研究するだけでは不十分だ。朝河の歴史家としてのすごいところは、判例解読をもってこと足れり、とするのではなく、「ひらがな」しか書けない訴え手の主張に耳を傾け、これを論駁する側の主張も細かく分析し、最後に判決の歴史的意味を考察するという周到な手続きを踏んで、鎌倉時代の武士家族の人間

後醍醐天皇代理式部大丞による綸旨

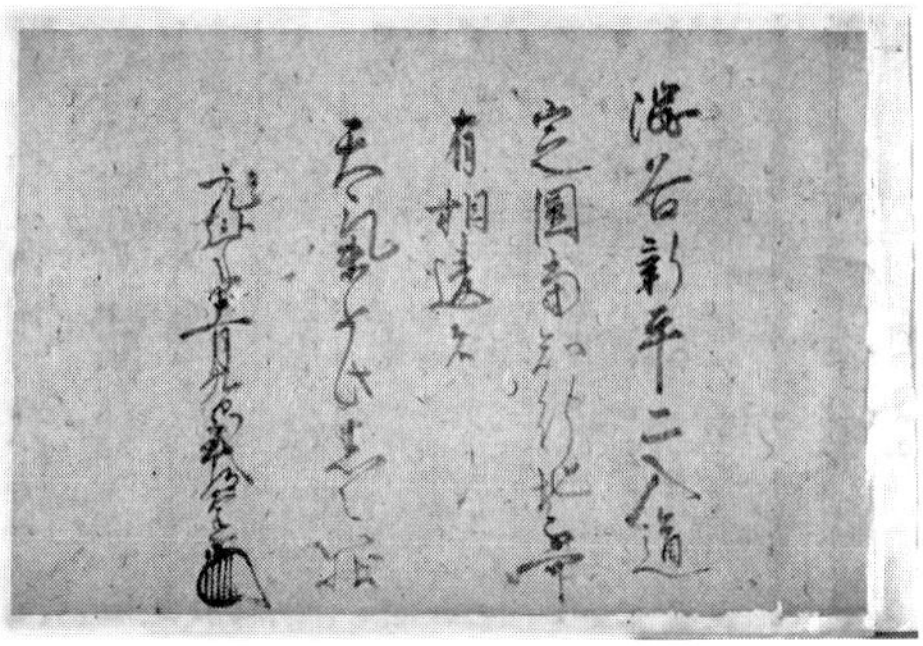

定圓はまさにこの地を知行すべし、これを違えるは不可なり。天気（万物の根本）はかくの如し（決まり文句）、この書状の通りに行うべし。
元弘三年（一三三三年）十一月九日、式部大丞（花押）

式部大丞は後醍醐天皇の代理を意味する。天皇に代わって、この綸旨を与えた。

模様、権利関係の細部を描いたことである。朝河が手にした入来院家文書は当時巻物の形に表装されており、冒頭には後醍醐天皇綸旨《ごだいごてんのうりんじ》（一三三三年一二月一六日）が収められていた。これは天皇代理の式部大丞《しきぶだいじょう》が入来院四代定円《じょうえん》の領地を安堵《あんど》したものである。

天皇綸旨や関東（幕府）下知状の内容は十分に知り尽くしながら、その背景を示す文書を朝河は渉猟し、ついに入来文書にたどり着いた。これが朝河による発見物語である。

史料の山に埋没させた物語

次は朝河の発見した宝物はなぜ、どのようにして反故文書の山中に埋没してしまったのか。発見に続くのは埋没の物語である。一九四八年に朝河は敗戦で混乱の極みに陥った日本の復興計画を考えるための資料を整理しているうちに、突然死去した。日本占領軍GHQは、星条旗を半旗に掲げて悼み、一九四八年八月一三日付*Stars and Stripes*も追悼記事を掲げた。まもなく遺品が祖国に帰り、学問的遺産を継承すべく「朝河貫一著書刊行委員会」が成立した。一九五四年二月二日のことだ。委員長は松方三郎（松方正義子息、イェール大学卒）であり、集ったのは朝河の母校安積高校（旧安積中学校）、早稲田大学（旧東京専門学校）、在日イェール大学同窓会、福島県朝河博士顕彰会などの関係者であった。「本書の再刊に当たっては、後学として改めて原本との校訂を行う一方、学界の便を計って、編纂の体例に次の方針を採用した。すなわち入来町に現存する文書は、①所蔵者別にすべてこれを収載するとともに、②文書を現存状態に則して配列することとした」。

ダイヤモンドを原石のなかに隠す愚行

朝河版*The Documents of Iriki*（入来文書）はこの復刻本によって事実上生命を絶たれ、後学たちは、古来の「巻物を活字本化したもの」を入来文書と錯覚してきた。玉は磨くことによって光る。朝河が原石からダイヤモンドを発見して磨いたにも拘らず、再刊委員会はダイヤモンドを原石のなかに隠す愚行を演じたに等しい。ただし、欧米ではむろん前掲ライシャワー発言のように、*The Documents of Iriki*を読み、日本の封建制とヨーロッパの封建制の比較研究を続けてきた。朝河の祖国、そして入来文書の祖国でのみ、朝河版とはまるで異なるものを『入来文書』として扱い、朝河の到達した地点からますます遠くへ後退していた。これが戦後歴史学の悲しい一断面である。皇国史観の呪縛がまだ解けなかったのか。それとも朝河史学があまりにも時代を超えていて、歴史家たちにとって追いつくことができなかったのか。刊行委員会がなぜこのような愚劣な判断しかできなかったのか、疑問は深まるばかりだ。

第二節　入来文書出版当時の内外書評

1　マルク・ブロックの評価

朝河貫一は完成した *The Documents of Iriki* をフランスの経済史家マルク・ブロックに送っている。ブロックは一八八六年生まれ、朝河より一三歳若い歴史家だ。一九二九年五月七日付ブロック宛の手紙は、その送り状だ。これに対してブロックからは一九二九年一二月五日付で返信し、これに対して朝河は一九三〇年一月八日付書簡を書いている。朝河は一九三〇年一一月二〇日付でブロックに宛てているが、これは入来文書を読了したというブロックの手紙への礼状である。「何よりもまず、入来文書をあなたがお読み下さったことに対して心から感謝いたします。ご多忙中にもかかわらず、このたいそう退屈な本を読み通してくださり、あなたの主宰する『年報』にみずから紹介を書いてくださることに対してお礼の言葉もございません。貴信のなかの本書についての讃辞は、小生を大いに喜ばせるものであります。今までに出た本書の紹介のうち、オットー・ヒンツェの『歴史学雑誌』（一九三〇年第二号）の紹介とアヴォンドによる『イタリア法制史評論』（一九三〇年一月）の紹介とが、他のどの紹介よりもより細心のものといえます。貴下ご自身による本書の紹介を『年報』誌上で一日も早く拝読できますことを楽しみにしております」。朝河がブロックに宛てた最後の手紙は一九三四年一二月一〇日付のもので、ブロックの企画したシリーズへの日本農業についての一冊を執筆する依頼を時間的余裕がないとの理由で丁寧に断ったものである。マルク・ブロックは名著『封建社会』（*La Société Féodale*）の「文献案内」のなかに、朝河の「起源」、「初期庄」および *The Documents of Iriki* の三点を挙げている。ブロックが朝河の「入来文書」に対して、どのような書評を書いたのかを、訳書に収めた松井道昭教授の解説から、引用しておく。さらにヒンツェとアヴォンドの書評も続けて紹介する。

松井教授曰く、ブロックが着目したのは、日本の封建制度が形成されていく過程である。ここに彼は日欧の封建制の著しい類似性を認めた。以下の引用から、朝河の封建制論がいかにブロックのそれに類似しているかが読み取れよう。「古き日本の家臣は『領主館の従者』すなわち御家人であった。この私的な依存関係は徐々に政治制度を生み出していく。一一八五年、ついに源氏によって将軍制度が樹立されたとき、決定的な第一歩が踏み出された。将軍の家臣（*vassi dominici*）に主要な政治的機能が託された。ヨーロッパにおけるのと同様に、人間の従属が土地の従属で埋め合わされる。それは土地の所有における一種の法律的再分解によって可能となった。一群の諸権利が不動産に重くのしかかる。これらの権利は重層的に重ね合わされるとともに、もつれあいながら、それぞれ異なった人物に帰属した。これが職《しき》である。この概念はヨーロッパ中世の概念に似ており、明らかに従士制《じゅうしせい》の成立以前から存在した。しかし、従士制がこの概念にずっと大きな厚みを与えたのである。つまり、かつて自由地が存在したが、それらは次第に減少していった。ヨーロッパと同様に、日本においても厳格な社会階層は人格的関係の制度の帰結である。すなわち、貴族制度は両国において従士制より日が浅い」「要約すると、以下は、いずれも日欧に共通する要素である。①封建法は私法（「家族起源の紐帯」）から始まったこと。②鎌倉幕府の成立をもって主従関係の紐帯が、頂上に将軍をいただくヒエラルキーを成したこと。もともと身分の低い武士から身を起した者が、最終的に幕府を中心とする上層武人階層制を築いたこと。③過去の遺制は環境の影響を受け変容しつつ後代に伝えられていくこと。④封建制と領主制が発生史的に同根であること」である。

日欧封建制の相違点を、整理すれば、①日本の主従契約は双務性が弱く、主君の権利が従者のそれに勝っていること。②日本の武士は上位者に対する「規律正しい忠義心」の慣習をもつ。③自由人が零落して農奴になっていく過程は日本にはほとんど存在しないこと。④農民は一貫して領主に厳格に従属させられた状態にあったこと。⑤日本の領主地は農民保有地からのみ成り、領主直営地を欠いていること。それゆえに、ヨーロッパ（イギリス、東ドイツ）がそうであったような大土地所有制を生み出さなかったこと、である。これがブロックの朝河評の核心である（矢吹訳書六四四頁。松井解説）。

2　オットー・ヒンツェの評価

矢吹訳書に収めたヒンツェ書評の訳者横山幸永教授の解説から引用する。ヒンツェは、一八六一年生まれで、朝河よりも一二歳年長である。プロイセン王立アカデミー会員で、『封建制の本質と拡大』の著者として知られる。ヒンツェは『入来文書』における朝河の分析の要点を次のようにまとめている。①七世紀の大改革（大化の改新）は、日本の古い部族・氏族体制を集権的国家に転換したが、その際、農地は個々の農民にほぼ均等に分配され、九、十世紀以降、日本全国で荘園制が確立された。

しかし、この均分的借地農制度は、長続きせず、十二世紀以降、私的大土地所有の制度が支配的になる。その理由は、一つには、中央の官吏のイニシアティブにより、米作に適した農地の開墾が積極的に進められ、耕作技術も進歩したことによるが、もう一つには、自由な小土地保有者が大領主のもとに託身する傾向が強められたことによる。強力な保護者のもとに託身した農民には、公租・負担が軽減されるメリットがあった。②大領主に奉仕する武士（戦士）層の一部には、様々に細分化されて役立つ権利としての「職」が与えられた。職を与えられた地方武士層は、封として公租・負担の配分に預かる一方、私的軍を組織して領主を守る義務を負った。③本書でその家文書が取り扱われる二つの領家（島津氏と渋谷氏）も、そのような職の保有者にその由来を遡る。島津は、十二世紀末に薩摩の国の守護に任ぜられ、渋谷は十三世紀半ばに薩摩国内の比較的小さな国の地頭に任ぜられた。両家の間では、長期にわたり勢力争いが繰り広げられたが、十六世紀末に渋谷は島津の家臣となり、入来院を名乗った。④一一八五年に源頼朝が真の国の将軍となってから、体制全体の徹底的な封建化が始まった。頼朝の軍門に下った党派の多くも将軍の直接の封臣＝御家人となり、彼らの荘園は将軍からの知行とされた。⑤国の古い行政制度は、全国でこれらの御家人の一部が地頭や守護として任ぜられる新しい制度に取って代わられ、やがて彼らが地方の統治者になっていった。⑥鎌倉時代には、まだ封建制は端緒の時期にあったが、室町時代には戦士的封建体制がその頂点に達した。⑦しかし戦士的封建体制の成立は、中央権力の解体または弱体化を意味するものではなく、戦士的土地所有者とその従士たちが地方の国事を担うことを通じて、国の摂政としての将軍の権力が強化されるというかたちで、公的支配手段と私的支配手段との融合が成立した。⑧一八六七〜六八年に社会の根底を揺るがすような革命なしに天皇の実際的支配の復活という形で、封建体制から近代的代表制国家への転換が行われたのも、それに先行する時期に、そのような公的（中央的）支配手段と私的（地方的）支配手段との融合または統合が形成されていたことによると考えられる。

ヒンツェは、以上のように朝河の分析を要約したうえで、結論的に次のような評価をしている。①九州南部の藩における、全体として五百年以上にわたる歴史過程が、入来院の家文書という地方史ドキュメントを通じて、非の打ち所のない明快さで説明されている。②本書のもう一つの意義は、日本の封建制がヨーロッパの封建制と絶えず対比されて考察されていることである。著者は、フランスとイギリスの封建制については賞讃すべき程度において知悉《ちしつ》しているが、仏英の場合以上に日本との類似性がみられるドイツの国制史についての言及が欠如していることが惜しまれる。③著者・朝河は、評者・ヒンツェ同様、封建制を軍事的、経済的、政治的の三つの側面ないし機能で捉えており、日本の封建制においては契約の契機がヨーロッパの場合よりもはるかに意味が小さく、家支配的原理が封臣関係に相対的に強く現れていること、日本における経済的諸関係においては、ヨーロッパの知行関係で普遍的に見られる地所の貸与よりも、禄米《ろくまい》の制度がはるかに重要な意義を有すること、日本の知行関係は、領主と臣民との人的関係に強く収斂《しゅうれん》し、強力な専制的政治形態が現れる点で西洋の場合と異なること、この点に関連して、日本では、西洋の場合のように、封建的支配者の連盟が身分代表制へ展開する契機が欠けていたこと、などを指摘している。これらの諸点で、著者と評者の見解は完全に一致している。④しかし、両者のとりわけ重要な一致点は、封建制が生じる契機としての文化的統合の意味についてである。古い豊かな文明をもつ中華帝国の模範と儒教の影響が日本の封建制成立に演じた作用は、ローマ＝ゲルマン文化圏において、ローマ帝国の模範とキリスト教が及ぼした影響とまったく同様であったと考えられる。直接的影響にもとづくものではない、このような両者の見解の一致は、その基礎になる認識の正しさを立証するものであろう（訳書六五六〜五八頁）。

3　E・R・アヴォンドの書評要旨

アヴォンドの長い書評については、新原道信教授の抄訳の一部を掲げる。アヴォンドは、一九〇一年生まれ、朝河より二八歳年下であり、『入来文書』の書評を書いた当時、二八歳の若さであった。日本の歴史家の中でも最も信頼すべき朝河の場合などは、まさにヒンツェたちがヨーロッパの封建制に関する定式化を行ったのに匹敵するほどの仕事に成功した。朝河は、ヨーロッパ封建制の研究とも比較しつつ、日本の封建制の基本的特徴の定式化を達成した。朝河は、その論文「日本封建制の諸相」（*the Transactions of the Asiatic Society of Japan*, Vol. XL, No. 1, pp. 77-102, Tokyo, 1918）において、封建制はもはや通常の政治的現象とはいえず、むしろ偶発的かつ変則的な現象であると述べている。そこには、ひとつの「人民」において、原初的な氏族的結合に基づく固有の政治意識と、より進歩した国家形態との共存という前提条件が必要である。たとえば、ヨーロッパにおけるゲルマンとローマの共存、日本における家父長制の共同体と中国式の法制との共存などを想起されるとよい。日本の封建制は、七世紀末には既に始まり、十二世紀の改革を経て、その歴史の中では比較的平和な時期に形成された。しだいに自らの存在場所を確保しはじめた武士階級は、実際の土地耕作者の「脇にいて」、ある一つの庄における土地所有に関する諸権利を貴族から獲得すると同時に、他方で新たな軍人階級の長との主従関係を同時に結んだ。日本の封建制が、主従関係と公吏不入権が絡み合うことを自然な流れとした、官僚的かつ権威主義的諸要素と深く結びついていることを想起せねばならないだろう。想起すべきことは、日本の封建社会は、不自由な農奴や半自由民によってではなく、自由民によって構成されていたという点である（矢吹訳、六六二～六六三頁）。

4　京大教授牧健二の書評

朝河より一九歳若い牧健二（一八九二～一九八九、当時京都大学法学部教授）が *The Documents of Iriki* に対する書評（『法学論叢』第二二巻一九二九年第二号二七四～七九頁）を書いたのは、三七歳のときであった。これは日本語で書かれたほとんど唯一の書評らしい書評であるが、朝河が『入来文書』を編訳したことの意味、『入来文書』が語るものを実に的確に読み取っていて、感嘆するほかはない。牧がオックスフォード大学に遊学中、故ビノグラドッフ教授による中世法制史の演習に参加して、ボーマノアールの史料などに直接接していたこと、牧自身がイェール大学に朝河を訪ねた経験をもつこと、朝河と牧をつなぐ接点として三浦周行《ひろゆき》（一八七一～一九三一）の存在が大きいこと、などが挙げられる。

朝河より二歳年長の三浦は朝河の第一回帰国当時、史料編纂所にいて、面識があった。牧健二は朝河が強調した①庄園とマナーの違い、②封建契約における日欧の違い、③日欧の違いの原因についての朝河の考察、この三つの核心を実に正確に読み取っている。朝河が戦前に獲得したこの水準を戦後の歴史学が無視してきたことによって失ったものは、はかりしれないほど大きい。少し長くなるが、以下に牧健二書評から骨子を抜書きする。タイトルは「朝河貫一氏の英文『入来文書』に就いて」である。

『入来文書』は薩摩の入来院家の歴代の事歴が大部分を占める古文書集である。平安朝の終より明治時代の初まで、封建領主の一家の経歴を表す稀に見るべきよく保存された文書集である。朝河氏は全部を完全に英訳し、付するに各文書に前書をおき、加うるに字句に対する周到なる注を以てした。氏は緒論においては島津庄、島津家、渋谷家、入来文書等をとき、摘要においては、日本封建制度(Japanese feudalism)の起源、発達、関係、制度の四項に関する、欧州諸国の封建制度との比較研究に基づける氏の見解の要点を叙述した。私が先に外遊の帰途エール大学に氏を訪れたときには、欧州中世の封建制度に関する演習を受け持って居られた。今回の業績の中にも、ボーマノアール『ボヴェジの慣習法書』を始めとして、仏蘭西の史料書が各所に引用され、氏一家の大系を以て欧州封建制度を叙述せるものがある。ボーマノアールの書物は、私の在英中オックスフォード大学に於て、故ビノグラドッフ教授が、中世法制史の演習の講読書として用い、毎時間予め指定した箇所を学生に訳述せしめ、次に之に関する教授の意見を述べるのを例とした。私も毎回其の講筵に出席することを許された。恰も日本中世の封建制度に関して、余の従来の研究を整理して居る時であるので、示唆多き此書は余の為には学道の得易からざる先達となった。今其の数ある印象のうちに於て、特に此書の秀でたる見解として推賞すべしと思考したるものを挙げんか。日本の封建制度を知るには日本の農業の特性に留意することの必要あるは、氏がまず第一に指摘したところである。即ち集約的にして個人の労働を多く必要とする水田耕作は、西洋の封建制度の起源及び発達の時代の半牧畜的共産的農業と根本的に異なるものであって、我国の庄園が個人の所有せる多くの職《シキ》の集積となりたることを重視し、且、庄園に於いて領主の作田が僅少なることに注意をむけて、彼における Manor が lord の home farm〔領主〔直営〕農場〕の耕作の為に農民を苦しめたのと大差あることを指摘し、遂に「庄園を以て Manor と同一にはあらず」との見解を示して居られる。封建制度の柱梁たるべき封的契約(feudal contract)に関しては、特に意を用いて彼我に大差あることを指摘した。ゲルマン及びローマンの起源に基づく封的契約の由来を略叙して、フランスにおいて九世紀より一一世紀までの内乱時代にそれが発達したるを説き、英国に之が輸入せられるや遂に大憲章の制度を見るに至ったような重大な結果を生みたるに比するときは、日本に於ては支那流の官僚統治の遺制が封的契約の相互性を妨げ、南北朝及び内乱時代には相互的となりたるも、主君の権力加わるや家臣を圧迫して契約の相互性を抑圧し、秀吉以後の専制政治は益々契約的方面を縮小したることを説いた。結論において、欧州における封的契約は人民をして合意によって自由を獲得すべき一般の慣習を養い、その強き相互性によりて正義の抽象的観念と権利を主張し義務を遵守すべき思想に貢献し、殊に英国に於ては政治的自由の基礎之が為に立てられ、以て人類に多大の貢献をなしたるに対して、日本にては新時代に対する貢献が封的契約より出ることなく、却って武士の忠義心と百姓の富の比較的平均したことによって利益を得たことを述べ、日本の場合は国民に対しては重大なるべきも、其の貢献の到底欧州に於けるの比にあらざるを述べた。此後の方の考察は欧州及び日本の封建制度に対する従来の学説を最もよく整理して、両者を対照せられた点に見逃しがたい価値を存する。以上二つは、此書の全体を貫ける殊に重要なる基礎的の観察である。封建制度完成の過程、長子相続、並びに司法制度に関しても甚だ興味ある比較研究がなされて居る。朝河氏が主力を注がれたるは正確なる文書の翻訳を提供することであって、其の惨憺たる苦心は如何に推賞の辞を費やしてもなお足りないであろう。朝河氏がなされたように、漢字であらわされた邦語の和訓の如きも一々之を吟味せねばならず、加うるに字句に対して外人にもわかるやうな説明をつけることとなると、其の煩瑣なるや到底没我《ぼつが》の勇を鼓するに非ずんば成就《じょうじゅ》せられがたい難事業である。然るに中世史に至っては殆ど之を見ず、況んや封建時代の期間に亘れる古文書の訳出をや。誠に朝河氏の言われる如く、此試みは最初の試みである。それが従来の多数の翻訳と異なって日本人の手によって、甚だ完全になされたこと、朝河氏によって日本人の学問上の責任の一つが果たされたことを信じて、単に喜ぶのみに非ず、亦深く感謝する次第である（『法学論叢』第22巻一九二九年第2号二七四〜七九頁）。

5　米国における朝河研究

5・1　ライシャワー、5・2　ジョン・W・ホールの評価

ライシャワーの評価は冒頭で触れたコメントのほかに、次の論文がある（E. O. Reishauer, Japan, in Coulborn; *Feudalism in History*, pp. 36-37）。ライシャワーよりも六歳若いジョン・W・ホール（一九一六〜九七）は、イェール大学歴史学教授として、朝河貫一の遺品整理にも関わった人物であり、朝河学の創始者の一人である。

ホール John W. Hall が *The Land and Society in Medeival Japan* 荘園研究に寄せた比較史家としての朝河貫一 Kan-ichi Asakawa: Comparative Historian は、朝河史学論の嚆矢《こうし》である。ここではホールの次の

指摘に注目しておきたい。それはライシャワーやサンソムの日本封建制論がいずれも、その基本要素において朝河の「庄園」や「職」についての観念に基づくという明察である。ホールは *Feudalism in Japan: a Reassessment* で朝河貫一の業績を次のように論じている（武田清子編『比較近代化論』、宮本又次監訳『徳川社会と近代化』の両者に所収）。ホールはまず朝河「諸相」を典拠としてこう述べる。「マルクス主義者を別として、西洋において、日本の封建制の概念の使用に学問的な評価をあたえたのは、朝河貫一であった。朝河は、ヨーロッパと日本の両制度にかんする第一次史料を駆使して、ヨーロッパと日本の封建制の比較考察をおこない、首尾一貫した体系的な方法を展開することに成功した。朝河の「日本封建制度の諸相」という論文は、この問題の標準的な解釈としてながいあいだ意義をもっていた」。続けて「ごく最近にいたってはじめて、フランスの学者であるジョアン・デ・ロングレが主として法制史学派の学問的業績を基礎にして、朝河の研究を補足している」として、**Jouön des Longrais, *L'Est et L'Quest*, Tokyo, Paris, 1958.** に言及している。「最後にわれわれは、ヨーロッパと日本の諸制度を比較研究するための手段として設定された、これまでのものに比べて、より具体的な定義にもどることにしよう。それは、朝河貫一の注目すべき定義である。

封建社会においては、①支配階級はいくつかの武士集団によって構成されており、そのおのおのの集団は、相互に奉仕の提供をおこなう徹底した人的紐帯《ちゅうたい》の環によって結ばれている——この紐帯は、きわめて個人的なものであるので、究極的には、それぞれの環は二人の武士の間、すなわち領主と家臣との間の関係として表現される。また、きわめて人格的結合が強いので、一方が他方にたいしてその死にいたるまで忠誠を誓うということになる。家臣の奉公は、一般的には土地の授与による反対給付をうけるが、この場合、この土地は二次的要素としてのみ、この関係に入るのであって、第一義的な発動力となるものは、領主と家臣の間にとりむすばれる「個人的な軍事契約」である。②しかしながら、他の階級に属する人たちも存在するのであり、すべての階級の分化は武士階級もふくめて、私的な土地保有と一致する。この特定の社会における私的な土地保有は、絶対的な所有権を認めるものではなく、たんに一連の相対的な保有にすぎない。③社会全体の一般的な政治のあり方からみれば、これらの私的土地保有を媒介として、公的な権利の行使と義務の履行がおこなわれる。同時に土地の上級所有権は私的に軍事力をたくわえたものの手中に帰する。したがって、この私的な武士は「国家」の公的な機能のすべてを自己のものとする。——いいかえれば支配階級は、軍事力と土地の支配を確保しているがゆえに、公的権利の私的な簒奪《さんだつ》と私的な機関の公的な利用という、きわめて特異な状況をもたらした。すなわち、行政、財政、軍事および司法の諸方面において、公的なものと私的なものの混淆《こんこう》と癒着がみられる」。

この一節をホールは朝河「諸相」から引いて、次のようにコメントしている。「朝河の定義は、ウェーバーやストレイヤーの定義に近い。領主と家臣を結びつけている紐帯《ちゅうたい》と、私的な身分を公的な権威に結びつけている知行の二つを重視している。また明確には述べていないが、農奴制制度成立の諸条件についてもある程度説明をおこなっている。この朝河の定義の最大の欠点は、おそらく支配階級による権威の行使が、公的権利の「簒奪」であると前提したところにあると思われる。「朝河もデ・ロングレも、オマージュの慣行と日本の見参《げんざん》の慣行、恭順の誓約を宣誓するのと、誓紙を読み上げる慣行、フィーフと知行地の、それぞれの間に顕著な類似が存在することを認めている。これらの慣行は、同質性のわれわれの検証を満足させるだけの類似性を、個々の部分においても、またそれらの相互の関係においても、十分にもっているように思われる。しかしなお、日本とヨーロッパの慣行の間には多くの明確な相違点も存在するのである」。「階級間の相対的な閉鎖性は、前近代日本の大部分の歴史過程を通じて存在する共通現象であった。専門的な武力をになう特権的階級の独立も、武家時代に特徴的なものであった。とくに「社会的身分の階層が知行の階層に対応する」状況が一般的となるのは、日本においては一六世紀においてであった」。

ここでホールは *The Documents of Iriki* 序説の一句を引用した。「ヨーロッパに典型的な農奴制と、荘園制の厳密な形態が、日本にあらわれなかったことは認めねばならない。朝河もデ・ロングレも、農民の負担の質的な相違を指摘するのに慎重であった。日本においては、そのような負担は、保有地の生産物に対する割合で支払われるか、あるいは耕作者の所有地から計算された評価額にもとづいて支払われた。領主の直営地での労働、あるいは賦役労働のような特殊な労働負担の規定は、存在しないことはなかったが、まれであった。朝河はこの事実を、日本における稲作農業の集約的形態と、西洋における粗放的な畑作農業の相違という観点から説明している。日本の荘園とヨーロッパのマナーの相違は、朝河によってかなり詳細に論じられている。しかしマナー制度の特殊な細かい点をとり入れるために、われわれの封建制の定義を修正しようとするのでないならば、右で述べたような相違は、封建制モデルを日本へ適用することになんら支障はないはずである」。

ホールは *The Documents of Iriki* 序説から引用した。「一五三〇年代から一五九〇年にかけて、日本をまきこんだ大戦乱は、新しい全国制覇の形成をもたらしたが、かえって日本の社会の各分野から最も典型的な封建的慣行を消滅させるような条件を生み出していったのである。皮肉にも、日本が最初にいわゆる「封建領主」の完全な支配下に入った時、かれら領主そのものが、すでに彼らの支配形態における最も重要な封建的側面をかなぐりすてていたのである」。ホールは *The Documents of Iriki* を典拠に述べている。「歴史家の多くは、徳川期の日本を封建的として完全に特徴づけてしまうことの危険性を認識している。多くの論者は、徳川時代を「後期封建制・集権的封建制・封建的統一国家」という術語で規定することによって、その評価をやわらげようとした。朝河も、徳川体制は「全体としてみても、あるいは部分的にみても、また武士階級においても、農民の側においても、もはや純粋に封建的とはいえない」と注意深く指摘している。「残念ながら朝河は、この見解を、徳川治下の農民の研究を除いては、十分に敷衍することをしなかった」。朝河以来、西洋の研究者は、「いわゆる封建制再編成説、すなわち徳川の支配者たちが封建制から急速に遠ざかりつつあった日本を受継ぎ、それを以前よりももっと厳格な封建的状態にひきもどしたという説」に、同意を示すものがだんだん多くなってきた。

5・3　ジェフリー・P・マスの評価

サンソムからライシャワーまでの世代を初代、ジョン・ホール世代を第二世代とすれば、スタンフォード大学教授ジェフリー・マスは、第三世代の日本研究者に属する。マスの論文集 *Antiquity and Anachronism in Japanese History* には刺激的な朝河批判がみられ、興味津々である。巻頭論文 The Scholarship of John Whitney Hall は、引退する師ホールを送る弟子マスの業績評価だが、いかにもアメリカ人らしい率直さで語られる。曰く「朝河は橋を架けるよりは障害を設けた。朝河はその著作でシキ制度について大いに語ったが、二つの絶対に重要な箇所で間違えた、とマスはいう。第一は、シキshikiが社会階層を決定していること、いいかえれば所有者、管理者、耕作者がそれぞれ他人のタイトルを保有できないことを見きわめなかったことだ。第二は、シキshikiが「無限に分割可能だ」と定式化したことだ。あまりにも魅惑的な観念なので、ホールも含めて誰もがこれを繰り返した。どこが間違いなのか。きわめて重大なのは、朝河が平安時代を通じて武士が上位の貴族に対抗して荘園を集積し始めたとする印象を与え、サンソム、ライシャワー、ホールなどがこれに追随したことである。* ここに時代に固有の階級衝突があり、両者は同じものを切望した。しかし、二つの階級は異なるレベルのシキを要求し、それは利害衝突よりは混合を意味した。私が主張したように、すべての荘園は中央によって所有されており、武士にとってはできることよりもできないことがより重要であったのだ。シキの制約を逃れることができないために、武士は先立って権力を握ることに失敗した。シキの分割可能性についての第二の点は、いくらか技術的なものだが、この問題とかかわっている。この観念を主張することによって朝河は単一の土地から派生する多数のシキという観念に焦点を当てた。彼は個々のタイトル自体が分割できると言ったのではない。より正確にいえば、土地は分割でき売却できるが、シキは分割できず、移転できないものであった。一三世紀になってようやくシキが流通し始めた。

＊ Antiquity, 一七頁。マスはこの本のxii, 2, 8, 15-17, 146, 179, 181-82, 184で朝河に言及している。なお、マスの編著 *The Origins of Japan's Medieval World*, Stanford University Press,1997. でも、三七一頁

注12でこの問題に言及し、サンソムもライシャワーもホールもミスリードされたと再論している。

5・4　オーシロ・ジョージによる文献調査

オーシロ（桜美林大学教授、故人）は「朝河貫一と英語による日本の封建制度の研究」において、次のように朝河の影響を記している（朝河貫一研究会編『甦る朝河貫一』一八一〜九二頁）。「G・サンソム（一八八三〜一九六五、英外交官で日本研究者）が一九三一年に出した *A Short Cultural History of Japan* には朝河の渋谷と島津の荘園についての記述が引用されている」。「朝河とサンソムは一九三六年にも、その後にも手紙のやりとりをして、朝河は「サンソムを教科書に使っている」とも書いている」。「（ただし）サンソムの大著 *A History of Japan* のどこを探しても朝河についての記述がなく、索引や参考文献のリストにさえも含まれていない」。「朝河は一九四八年に亡くなったが、彼が開拓した研究分野は日本でも外国でもその後の一〇年間でめざましい発展を遂げた」。「それゆえ、もはや朝河を引用する必要がなくなったというのがその理由であろうと思われる」。「（ホールの指摘するように）ライシャワーは、近代日本の封建制の重要性を強調する朝河の解釈を踏襲している」。「（しかし）彼の自伝の中に朝河は登場しない」。「入江昭が矢吹晋宛の書簡の中で、自分は、一九五〇年代のハーバード大学の大学院で、仲間達が、朝河の『入来文書』は日本中世史のすべての研究の出発点であること、ライシャワーも円仁《えんにん》の研究では『入来文書』を大いに参考にしたと話していたのを覚えていると述べている（この入江昭書簡は「朝河貫一と日米関係」と題して『甦る朝河貫一』に所収）。オーシロの次のコメントは、朝河論にとって重要だと思われる。朝河は「学問上の後継者を一人も育てなかった」とホールやマスが指摘しているが、その原因は朝河が「優れた教師ではなかった」ことによるものではなく、「日本史の研究に夢中で取り組もうとする学生が当時いなかった」のが実情であろう。「朝河の時代のアメリカの歴史的環境こそが、彼の学問の後継者が欠如した理由である」。これはハワイで生まれ、アメリカで教育を受けたオーシロらしい注意深い観察というべきである。

6　二次大戦後の日本での評価

6・1　竹内理三の場合

松方三郎（一八九九〜一九七三）を委員長とする朝河貫一著書刊行委員会は一九五五年に『入来文書』（新訂版）を出版したのに次いで、一九六五年に遺稿集ともいうべき『荘園研究』を刊行した。この『荘園研究』に寄せた竹内理三の英文論文 Studies of Japanese Feudalism and Dr. Kan-ichi Asakawa（日本封建制の研究と朝河貫一博士）は、朝河の封建制研究の意義を実に的確に描いている。竹内は、朝河より四歳年少の中田薫（一八七七〜一九六七）が法制史の観点からヨーロッパの中世封建制を「恩貸制と従士制の結合」として解釈する見解を『法学協会雑誌』（第24巻第2号、一九〇六年）に発表した後、「この見解は今日でさえも法制史の研究者の間でほとんど原型のまま受け入れられている」事実を指摘したあと、マルクス主義歴史学の横行をこう述べている。彼らは「古代、中世、近代」をそれぞれ「奴隷制、封建制、資本制」によって特徴づけ、「封建社会とは本質的に農奴社会」と規定した。封建社会の特徴は「土地所有制の形態にある」とする、いわゆる「内部構造派」の見解（旧講座派の流れを汲む）が現在の学界で支配的だと指摘した。では「内部構造派」の論理的矛盾はなにか。「荘園の主な単位は名田」であり、「名田は小さな領主によって保有され」、「荘園の小さな農民によって管理され」ていた。名田を基礎とする「荘園の財産は寺社や宮廷貴族によって保有され」ていた。これはいわば「名田の所有」を「封建的土地所有とみる」見解にほかならない。もしこの解釈が正しいならば、「名田の所有者こそが封建領主」にならざるをえない。もしそれならば、「平安の貴族社会こそが封建社会である」ことになり、「鎌倉時代に先立って封建社会がすでに成立していた」ことになる。この結果、「律令制度下の貴族」はみずからの存立基盤を破壊して、「もう一つの封建社会を作った」という自己矛盾に陥ることになった。この矛盾を解くために、「内部構造派」はこう考える。律令制下の土地所有の本質とはなにか。律令国家は奴隷制の国家であるとみる見解が広く行われたことを前提として、「古代（奴隷制）から封建制への移行」の問題を論じようとした。すなわち律令国家は「荘園制度という媒介項を経て封建的土地所有制に移行した」と解する考え方である。石母田正『中世的世界の形成』（伊藤書店、一九四六年）、藤間生大『日本荘園史』（近藤書店、一九四七年）はいずれも「荘園制度は律令奴隷国家を継承したもの」であり、それゆえ「封建制である」とみなしていた。こうして「荘園制度、すなわち封建制とみる見解」が流行し、日本では「平安時代半ばから封建制である」とする主張が行われた。こうして藤間と石母田の仕事は、大部分の荘園研究者に対して、「日本の荘園とヨーロッパのマナーの共通点」なるものを確信させ、「荘園制こそがマナー制であり、封建制である」とみる倒錯した見解を広く受け入れさせるよう導いた。竹内は日本の当時の学界状況をこのように批判したあとで、朝河の見解を次のように紹介した。朝河博士の研究は「ほとんど日本的標準となっていた見解」に反対するものであった。「日本封建土地制度起源の拙稿について」、「中世日本の寺院領」、「日本の封建制度につきて」などの論文で、朝河はヨーロッパのマナーは村落共同体であり、そこでは住民は「マナー領主の強い封建規制」を受けている。これに対して日本の荘園では「領主は弱く、住民は農奴のように扱われてはいない」と指摘した。朝河は荘園のいわゆる作人《さくにん》は「小作人というよりは土地所有者」であり、「荘園自体は fief（封土）ではない」と強調した。日本の封建制においては地頭職《しき》と名主職が beneficium（恩貸地）として武士にあたえられ、こうして「地頭が領主と農民の間に介入した」と論じた。朝河のこれらの見解が受け入れられなかったのはなぜか。竹内はいう。「不幸にして、これらの発見が日本で長らく認められなかったのは、いささか曖昧な邦訳のため、そして日本の研究者側にヨーロッパの方法論の経験を欠如していたため」である。とはいえ一九三〇年代に清水三男（一九〇七〜四七）が『日本中世の村落』（日本評論社、一九四二年）を書いて、庄園は領主のための経済的単位にすぎず、村落共同体ではない。村落は庄園とは別に独自に存在していた。庄園は古代の所有制の特徴を残したものであり、中世の村落は武士による封建所有を単位としていた、と主張した事実を紹介している。その清水はその後日中戦争に出征して、戦後シベリアの捕虜収容所で死去した。この本はいま岩波文庫に収められているが、遺憾ながら清水に大きな影響を与えたはずの朝河貫一について、校注者（大山喬平京都大学名誉教授）はなにも記述していない。校注者による「解説」が説明するように清水は一九三八年に治安維持法違反で逮捕され、三九年以来思想犯として警察の保護観察処分下にあった。一九四二年に出版された『村落』において、交戦中の敵国アメリカに在住する歴史学者朝河の名を引用しにくかったことは、容易に推測されるところであろう。文庫本「解説」における朝河無視は、無知か、故意か、不明であるが、いずれにせよ原著者清水の置かれた境遇に対する省察を欠いている。

竹内は続ける。ヨーロッパのマナーが中世を特徴づけるのに対して、「日本の荘園は明らかに古代的性格を帯びた制度」であった。にもかかわらず、少なからざる研究者が今日でさえも（一九六五年当時）、荘園は封建的土地所有制に基づくと誤解しており、この誤解が日本史研究会史料研究部会編『中世社会の基本構造』の執筆者たちによって継承されている。『基本構造』は「庄園制が封建制に等しい」と直截に主張しているわけではないが、「封建領主制と封建的小農民はともに一〇世紀ごろに現れた」と主張している。一〇世紀は庄園制が急速に発展した時期であるから、これは庄園制が封建制に等しいと主張することに等しい。故清水三男が「庄園的土地所有と封建的土地所有は明確に異なる」が「共存していた」と分析した成果をまったく無視して、多くの研究者はいぜん破産した見解に固執している。「日本史研究会の本はこれを増幅したものにすぎない」と竹内は厳しく批判している。

庄園制と封建制が異なるものであることは、「封建制は一九世紀初めまで続いた」が、「庄園制は一六世紀までには完全に消えた」ことを考えるだけでも明らかだ、と竹内は強調する。竹内は次いで庄園の組織単位とされる「名田を封建的土地所有制の基礎である」と見るのは、根拠がないことを批判する。封建的土地所有を支えた独立小農民による耕作は「名田の解体から生まれた」と見る見解は強くなったものの依然次のような謬論《びゅうろん》も消えない。それは「封建関係の確立は在家制度の拡大に依拠する」という見方だ。在家は人の住む「家の管理」を意味し、「夫役を家に課す」課税制度であり、ここでは「田畠は課税対象とはされていない」。「課税対象は麻織物、絹、木材」であり、これらは夫役から生産される。これは「律令制度下の調、庸《よう》、雑徭《ぞうよう》と同じ」だ。

在家についてのこのような解釈は、牧健二、西岡虎之助、清水三男、竹内理三らによって行われた。しかしながら、石母田正『古代末期の政治過程および政治形態』（日本評論社、一九五〇年）および、永原慶二「日本における農奴制の形成過程」（『歴史学研究』第140号）は、在家を封建制の発展の重要な要素として扱う。彼らは一九五〇年ごろ、「在家とは附属する田畠と屋敷を含む全体である」とする見解を表明し、屋敷の所有者は「田畠のような不動産とともに売り買いされた半奴隷である」と解釈し、さらに「封建制の確立は在家が独立した農民に発展することによって行われた」と主張した。永原慶二はその後、井ケ田良治「南九州における南北朝内乱の性格」や誉田慶恩「東北地方の在家に関する一考察」の分析を受けて前説を修正した。すなわち「在家とは律令制から奴隷制への発展の移行形態」を示すものであり、辺境の農業管理に限られる遅れた形態ではない、と。ただし、永原は在家が国司の支配から自由であり、特別な領主によって統治されていたことには言及しなかった（「在家の歴史的性格とその進化について」『日本封建制成立の研究』所収、吉川弘文館、一九五五年）。要するに、石母田、永原らは、在家が「人力の管理制度である」という根本を忘れ、「人と土地を統一支配するもの」が封建制だとみる俗流の見解に束縛されていたために、「在家と名田の区別」ができなかった。これが竹内のコメントである。

6・2　堀米庸三の評価

堀米庸三（一九一三〜七五）はかつて、こう指摘したことがある。「（朝河貫一）氏は強い学問家気質の実証史家として、一般論にはきわめて慎重である。マルクスに対しては拒否的だったし、ヴェーバーさえときに概念規定などでその名をあげているくらいである」、「マルクスとヴェーバーが氏の問題意識に入っていなかったことが、日本史家とのふれあいを生じさせなかったこと、したがって朝河氏の業績が十分に理解されなかったことの、決定的な理由だったのではなかろうか」（『歴史の意味』中央公論社、一九七〇年）。朝河の封建制度概念は①主従間の忠誠関係（封建関係の人的側面）と、②土地を主体とする知行の授受関係（封建関係の物的側面）のうち、①を第一義的なものとみる。ライシャワーは②に力点を置いている。朝河もライシャワーも、①先行する統一国家ないし集権的統治組織の崩壊、②氏族制ないし部族制の内部に育まれた人的忠誠関係の結合を封建制度発生の必須条件と見る点で一致している。この観点の源流はオットー・ヒンツェ『封建制の本質と拡大』（一九二九年）である。日本封建制の起源について、ライシャワーは「職《しき》の保有関係の変化」を重視したが、これは朝河がとくに重んじた点である。朝河は職をもってまだ「真の知行ではない」とし、「真の知行への転換」を一五〜一六世紀の末年に求めた。これはライシャワーが室町時代の後期に日本封建制の確立をみたことと符合する。朝河によれば、庄園は京都の貴族や社寺などにとっては、経済的基礎であったが、地方に成長しつつある封建武士にとっては権力的基礎ではなかった。この点で庄園は実質的にも機能的にもマナーと異なる。ライシャワーの日本封建制論は、職の理論、マナーと庄園の異同論などほとんどすべてにおいて「朝河の封建制度論の基本的特徴を継承したもの」である。これが堀米の評価であった。堀米がこの論文を書いたのは、朝河遺稿 *The Land and Society in Medieval Japan*（荘園研究）が出版された直後である。

7　朝河史学はなぜ消えたか

マルク・ブロックとオットー・ヒンツェ、そしてライシャワー、ジョン・ホール、ジェフリー・マス、さらに日本の牧健二、竹内理三、堀米庸三らによって、朝河史学の位置づけは確定済みと判断してよい。朝河のライフワークがなぜ歴史の闇に埋もれたのか。その原因を改めて整理してみよう。それは「甦る朝河史学の未来」を考えることにもつながるはずだ。

第一は、しばしば指摘されているように、英語で書かれたからである。しかし英語で書かれた新渡戸稲造著『武士道』や岡倉天心著『茶の本』が版を重ねていることからすると、英語という媒体自体に罪があるわけではない。つまり英語で書かれた「厚い本、読みにくい本」であること、これが敬遠された第一の条件であろう。朝河自身がブロックへの手紙で「たいそう退屈な本」と評し、ブロックもまた「文体の意図的な冷静さや活字の小さな印刷方式と相まって、しばしば読者に読了することの困難さを覚えさせる」と書いている通りである。第二に、朝河は解説書、通説のような一般向けの本を書かなかった。みずからの研究活動にすべての精力を費やして「精進」することを心がけた結果である。私は彼の禁欲主義に敬意を払うが、他方で若干の不満を感じないわけにはいかない。朝河はみずからの学問的成果を分かりやすく説明することにも努力すべきであった（むろんこれは事後の印象である）。第三に、朝河の封建制論に最初に触発された清水三男の早逝が惜しまれる。庄園を安易にマナーと対比した法制史家中田薫の思いつきは、おそらく中田の思惑を越えて害毒を流しつづけた。一連の一五年戦争のイデオロギーとして皇国史観が強制され、これが反作用して、古代的荘園を封建的マナーと混同する時代錯誤の歴史観に対して「一見正しいような仮象」を与えたのであろう。これに警告した朝河の慧眼を的確に受け止めた清水はこの示唆を容れて『日本中世の村落』を書いたが、まもなくして戦地に追いやられ、生きて帰ることはなかった。日米戦争の最中に出たこの清水本に、在米の自由主義史家朝河の名を記すことは、もとより不可能であった。清水は治安維持法の被告ですらあった。しかし、清水の著書は一九九五年に復刊されたが（竹内のような例外は別として）、清水が明記したくとも書けなかった真実を行間から読み取ることはなかった。校注者大山喬平もこの問題に触れなかった。

第四に、朝河の業績を同じ中世史の専門家として十分に評価した竹内理三の二つの論文（復刻版解説および荘園研究解説）もまた英語で書かれた。これに先立って日本語で発表された竹内論文では朝河の名が典拠とされていなかった。竹内は（清水と事情は異なるが）、一九六五年になってようやく本格的な朝河封建制論を書いたのであった（とはいえ、ここでも *The Documents of Iriki* からの引用はない）。

第五に、竹内の本格的な朝河封建制論が発表されたのは、まさにハーバード大学の歴史学教授ライシャワーが駐日大使を務めていた時期に重なる。ライシャワーの日本封建制論が朝河の学問に多くを負っていることは、ホールや堀米の指摘した通りだが、当時の日本では「ケネディ・ライシャワー路線」なる色眼鏡でライシャワーを見る向きが特に学界では、主流であった。このような学界をとりまく政治的雰囲気のなかで、「ライシャワーの評価する朝河史学」、そして竹内が英語で書いた朝河論が正当に評価されることはなかった。

こうして、朝河の著作は、その祖国で三度黙殺されたことになる。すなわち①一九二九年の原書出版時、②一九五七年の復刻版出版時、そして③一九六五年の朝河遺稿 *The Land and Society in Medieval Japan*（荘園研究）が出版された時である。

以上に列挙した事実は、すべて個々の、偶然の現象にすぎないのであろうか。朝河史学が日本の歴史家によって、いな日本国民によって受け入れられなかったことには、もっと深い理由がありそうだ。それは朝河史学の描く日本封建社会があまりにも積極的、肯定的な明るいイメージであったことによるのではないか。「天皇制ファシズム」、それを基層で支えた「半封建制的農村」といったドグマにひどく汚染されていた人々にとって、朝河の封建制イメージは、黒白を転倒させたような史学に見えたのではないか。このような戦中から戦後へかけての特殊日本的な状況が、冷戦体制の終焉を待ってようやく解体され、朝河史学を受容できる条件がいまようやく整ったのではないか。

8　不可解きわまる永原論文の註釈

永原論文に接して、私の疑惑は膨れ続けた。この論文は、実は一九六〇年度の科学研究費を得て、一九六一年四月上旬に入来を実地調査して書かれたものだ。同行者は大東文化大学講師古川常深（入来町出身）、東大史料編纂所員石井進、一橋大学大学院関口恒雄であり、現地において協力を惜しまなかったのは、入来町長松下充止および入来町史編纂主任本田親虎であった。そもそも永原慶二はなぜ入来町を調査対象として選んだのか。朝河貫一 *The Documents of Iriki* を意識していたはずだ。ならば、なぜこの研究についての言及がないのか。一七七頁の註釈（8）には、*The Documents of Iriki*（五五年新版）について、次の記述がある。「編者［朝河を指す］はこの史料について、錯簡を訂正した後、第一紙、三紙の間及び第四紙・五紙の間に脱落あらんと注記している。たしかに第四紙・第五紙の間には人給分に関する一紙分の欠落があったと見られる。現存部の集計一二町七反一〇代《しろ》と文書の計一五町一反三〇代の間にひらきがあるのはそのゆえんであろう。しかし、第一紙・第三紙の間には欠落があったとは考えがたい。なぜなら記載分の実集計と文書の集計がほとんど一致するからである」。

この註釈は、実に奇怪千万である。記述されている内容に問題があるというのではないが、永原と『入来文書（新訂版）』、そして新訂版のもとになった朝河原本との奇妙な関係が紙背ににじんでいるのだ。ここまで注意深く「註釈」を読んでいる永原が朝河版 *The Documents of Iriki* を知らないはずはない。にもかかわらず、このいわば朝河原本についての言及がまるでないのは、どうしたことか。不可解きわまる扱いではないか。朝河貫一の解釈に納得できない箇所があれば、批判すればよい。ただひたすら黙殺する。これは異様な光景ではないか。

9　刊行委員会と永原教授のねじれた関係

調べていくうちに復刻版刊行委員会と永原教授とのねじれた関係が現れた。松方三郎の英文序文には、復刻版の編纂に協力した史料編纂所の関係者が明記されていた。著名な坂本太郎所長は別格として、八名の史料編纂所員、すなわち武田政一（当時助手、第一部第二室長補佐）、永原慶二（一九四七～五七年度史料編纂所在職、当時事務官、のち一橋大学教授）、田中健夫（当時事務官）、今枝愛真（当時事務官、のち所長）、新田英治（当時「教務員」、のち所長）、杉山博（当時事務官、東大職員組合委員長も二期務めた活動家）、菊地勇次郎（当時事務官、のち所長）、百瀬今朝雄（当時「教務員」、のち所長）の名が列挙されている。これはアルファベット順ではなく、五十音順でもない。史料編纂所という事大主義的官僚機構における着任順であろう。この超権威主義的世界においては、教授七名、助教授一〇名、助手一五名、事務官二五名がおり、その下に「教務員」、「事務員」、「技能員」というヒエラルキーであった。ここで列挙された八名の「官職」は「一九五七年度職員録」によると、以上のごとくである。このような上意下達の世界では、親亀がこけると、孫亀までこけるのが通例だ。ここに列挙された八名は、いずれも助手クラス以下の事務官たち（教務員を一部含む）であり、愚劣きわまる改竄方針の決定には参加していないかもしれない。詳細は不明だが、永原が刊行委員会の仕事に深く関わっていたことは、疑いない。この点は『入来町史』からも裏付けられる。入来町の訪問に際して、復刻本を寄贈したのは永原教授であり、『入来町史』には、寄贈に対する永原への謝辞も合わせて記されている。

10　中世史の権威・石井進の回顧談

この調査に同行した石井進は、のちにこう証言している。石井は『日本中世史像の再検討』に寄せた論文（『石井進著作集』第八巻所収）のなかで、一九六一年四月に行われた入来への現地調査をこう回顧している。時に永原三十九歳、石井三十一歳であった。「私が入来院の調査にまいりましたのは随分昔のことで、今からざっと二十数年前になります（入来調査は一九六一年、講演所収本の出版は一九八八年）。荘園の復元的調査研究が学界でまだ始まったばかりの頃、それをリードしておられた永原慶二さんに連れていっていただきました。私には最初の、こうした調査でしたので、今でもなつかしい思い出です」、「数日間の調査を終わりまして帰京後、しばらくしてから永原さんの論文「中世村落の構造と領主制」が発表されました。それは調査の結果を実に見事にまとめられたもので、本当にびっくりした」、「入来院地方の現代の水田を、迫田《さこた》、谷田《やた》と、より大きな川ぞいの低地一帯にひろがる水田の二つに分類し」、「永原さんは後者の、川ぞいの低地一帯の美田の部分は、実は江戸時代になってから薩摩藩の主導のもとに長距離用水路を開鑿することで初めて安定的な水田が開かれた地域で、中世の水田を考えるためには、この美田の部分は消去しなければならないのだと強調されました。したがって中世の水田としては、前者の迫田、谷田こそが重要になります」。「こうして小さな谷ごとに水田が開かれ、一軒、あるいは二、三軒の農家が点在する姿を、永原さんは「孤立農家」ないしは「小村、散居制集落」と規定された」。「この永原さんの学説は、私にも大変明快で説得的で、すっかり感服してしまったのですが、ただ一部分についてはは素朴な疑問を抱かざるを得ませんでした」。「迫田、谷田部分が中世に開かれていたことは確かだとしても、いま一つの美田地帯を全部消去してしまうことは正しいのだろうかという疑問です」。「塔之原の例からみますと、中世の水田が、いわゆる美田地帯に存在しないどころか、かえって地域の支配者である地頭の直営田がむしろこの美田地帯に集中していたことになり、中世耕地は迫田、谷田であったという議論では説明がつかないのではないか。これが永原さんの論文に感心しながらも私の感じた疑問であった」。

「なぜ最初の調査で、平地の美田地帯について中世耕地として低い評価を与えることになってしまったのか。思うにそれは、中世の文書に出てくる地名・人名を手がかりとして、今もそれが残っている場所を中心に調査を進める方式をとったためではないか。こうした方法をとった場合、復原研究がもっともやりやすいのは、中世の地名等が今も多く残っている場所になる」。「上に述べたような調査の仕方では、永原さんのような結論になるのが理の当然である」。「当時の支配者である地頭の屋敷や直営田の集中した場所は、やはり荘園村落の中心地ではないか。そうした事実を正しく評価できないようでは、復原的調査研究法としても困るのではないか」。

11　辺境薩摩の迫田、谷田に「農奴の幻影」を探る

ただし石井は触れていないが、実は永原のこの論文にはもう一つの問題提起あるいは学説の確認があった。論文末尾の「総括と展望」でこう指摘している。「入来地方の在家農民支配が、著しく直接的、身分的性格をもち、それだけに支配力が強烈な形で現れてくる」。「村落共同体の形成が進めば、かげをひそめることであるが、入来の場合ではさけえないものである。このような条件のもとでの領主＝農民関係は、ある面では土着奴隷制的支配と近似した状態を示す」。「封建制下の農民の状態を狭義の農奴・隷農の二段階に区分しうるとすれば、狭義の農奴とはまさしく、このような個別的・身分的支配をつよく受ける存在にその直接的な前提を見出しうる」。「こうみてくると、入来院の領主＝農民関係は、封建的な村落共同体の未成熟という段階に照応する農奴制の前提的な姿を示すものといってよく、特殊な地理的・自然的条件に規定された例外とはいいえない」。「ここにおける集落と耕地の形成過程や領主＝農民関係は、律令制解体過程における中世的村落の形成の姿を、もっとも原理的に示しているといってよい。われわれが薩摩という辺境の一例をとりあげつつ、そこから中世の村落構造と領主制の問題一般を論じうる条件も、まさしくその点にある」。

12　日本の水田は「農奴を生み出さない」

永原が「薩摩という辺境」の、さらなる辺境ともいうべき「迫田、谷田」に視線を向けたのは、「土着奴隷制的支配と近似した状態」を発見するためであった。そして彼は「封建的な村落共同体の未成熟という段階に照応する農奴制の前提的な姿」をそこに発見したという。だが、朝河は、永原の説いたような「奴隷制、農奴制」の存在をそもそも認めない。朝河比較史学の核心ともいうべき「要約」の章でこう指摘している。「日本の小作人は、土地や領地に緊縛されたのではなく、強制労働を課されたのでもない。ローマやフランク王国の奴隷、コロヌス〔小作農民〕、解放された自由民に相当するものではない。小作農民に対して労働を強要する領主〔直営〕農場はなく、その生活の大部分が管理されていたのではない。日本の土地制度はヨーロッパの意味での農奴は生み出さなかった」（矢吹訳『入来文書』、五七七頁）。

13　鳥瞰図と虫瞰図

これは永原にとってたいへん不都合な分析であった。やはり無視するに如くはない、永原はそう考えたのではないか。永原が迫田《さこた》、谷田《やた》という細部に固執し、後進の石井がこれを批判して、より大きな流域の美田の位置づけに言及しているのは、私には日本中世史学界の視野狭窄《しやきょうさく》を示す象徴的な構図に見える。いわば虫の目にとらわれている。朝河は一九二〇年代にイェール大学にあって、主としてフランス封建制と対比しつつ、入来文書の要点を解読していた。いわば世界史を俯瞰したうえでの虫瞰図作りだ。永原は、そして石井の認識も五十歩百歩であり、一九六〇年代から八〇年代にかけて、朝河が何十年も前に否定した「奴隷制、農奴制」のドグマにとらわれている。私には悲劇というよりは喜劇に見える。永原慶二は晩年に『二〇世紀日本の歴史学』（吉川弘文館、二〇〇三年）を書いて、二〇世紀日本の歴史家群像を論評した。しかしそこにも朝河貫一の名はない。永原は終始、朝河を黙殺し続けた。朝河の学問はこうして復刻版出版委員会の「意図せざる改竄」と一部の指導的歴史家たちの「意図的な黙殺」によって封殺され、長い眠りを強いられてきた。そして二一世紀の今、ようやく甦ろうとしている。

（これは二〇二二年一一月および二〇二三年一一月、二回にわたる入来町での講演記録に加筆したものである）

朝河は日本語で書いた短い「序言」で、出版の意図を次のように説明している。「本書の目的」は「薩摩国入来関係の文書を用いて、日本一般の武家法制の性質および変遷を例証する」ことである。ではなぜ『入来文書』を選んだのか。①其の年代の久遠《くおん》に亘りて、②其の種類の著しく豊富なること、③其の背景の広大なること、④其の地域の限定せられたること、の四点を挙げて、これら四点からして、「研究者のために有益且つ便利の条件」を備えているからだと説明している。そのうえで、「(本書は)入来院氏ないし島津氏の家史、または入来ないし旧薩摩藩の地方史の資料たらんことを主眼とせず」、「日本全国に関するこの研究のために代表的局部の材料を提供したるのみ」と説明している。つまり朝河にとって、これはファミリー・ヒストリーやローカル・ヒストリーではなく、日本全体を代表する典型例である」というわけだ。さらに「本書の主体」は、「英文の訳注にある」として、「邦文の文書および解釈、ならびに原文の暗示する法制史的意義、および日本と泰西《たいせい》との法制の比考」は、「英文の部に掲げて、邦文の部に之を反復せず」と説明している。

1　「英文の訳注」こそが「主体」だ

朝河は、このようにはっきりと、朝河版の「意図と方法」を説明したのであるが、この趣旨は日本国内においてほとんど理解されることがなかった。朝河は「英文の訳注」こそが「主体」だと、あえて断ったにもかかわらず、この「英文訳注」はほとんど読まれることがなく、後進たちは、朝河が敢えて捨象した古文書に熱中する愚行を演じたことになる。朝河の日本語による序言の日付は「大正一四（一九二五）年三月」であり、このとき、朝河は東大史料編纂所長の辻善之助に以下の手紙を書いている。辻善之助（当時、帝国大学史料編纂所長）は、原版出版時の経緯を『史学雑誌』（一九二九年一〇月号）によせた「新刊紹介」のなかで次のように証言した。

［一九二五年］朝河君からの来信にいよいよ『入来文書』の英訳並びに註釈ができたので、それの出版について、日本原文はアメリカでは印刷できないので、日本で印刷したいから、その校正方について然るべく取り計らってくれということで、その印刷用紙も欧文のと同質のを用いるために、添えて送って来られた。［一九二九年］朝河君からの来信に、英文出版のことは、何分にも労銀の高いがために、僅か二〇〇部とかを刷るために、数千ドルを要し、交渉が容易にまとまらぬということであった。今年四月の発信に、いよいよ出来上がったから、近く一本を送るといって来られ、［一九二九年］六月初に之を受けたのであった。

2　英文序文に見る朝河の決意

「日本は封建社会の長い経験をもつと大まかにいわれるが、知的なやり方でそれを研究する機会は少ししか与えられていない」。「日本の封建制はどのように生まれたのか。その起源は結局のところ、ヨーロッパ史のそれと対比できるのか。封建制は成熟したあと、どのように実際の生活で機能したのか。時の経過とともにどのように変化し、ついに解体したのか。国家の封建体験はどのような影響を明治の新体制に残したのか」。「人類史において封建制の勃興と成長の必要条件とはなにか、社会生活の通常の発展において封建時代は必要な（あるいは望ましい）段階を形成するのか」、「このように問うのは、この問いが単なる好奇心だけではなく、人間の社会的進歩に対する広い科学的興味からである」。

3　日本封建制発展の資料提示は、初めての試み

「しかしながら、その知識源の性質はなにか、その資料はどのように用いられてきたのか、比較史の見地から日本の封建史の意味のある特徴を発見し評価できる程度に、ヨーロッパの封建制に十分に通じているのか」。「いわゆるさまざまな比較科学は、研究家自身の比較知識が価値をもつ。特に政治制度や社会制度地方豪族や武士の大部分を吸収する知識は、決定的に重要な要因である」。それゆえ「西洋の研究家は典型的な日本語資料を用いてこそ、そこから東洋の封建制の制度的発展を抽出することが可能となる」「もし視野がより限定されるならば、その結果、知識はより詳しく重大なものとなろう。日本の権威者による伝統的で概括的な説明を読むよりも、実際の組織制度のあり方とそれがもたらす問題により直接的に接近する」、「封建制文書のこの本を私が準備するのは、多くの友人が表した疑問に答えるためである。翻訳の形ではあるが、ヨーロッパ制度史の研究者に対して日本の封建制の発展についての資料を提示するのは、実際に初めての試みである」。「この本がうっかり見せてしまうパイオニアの試みにある未熟さにおいて、その証拠を隠すような努力を私は払わなかった。私

が試みたのは、日本の法制史の起源、成長、実際の運用と変化についての文書群を、研究家がより容易に成果をあげる形で利用できるようにするために選び出すことであった」。「実のところ日本の家伝の古文書には、封建制の起源と成熟を研究する資料は少ししかない」。「序論、注釈、付録、言葉や地理学、歴史学のデータも、本文の知的な理解のためには必要であり、選んだものを忠実に訳して補った」。

4　謝辞を捧げられた人々

第一は、入来院当主と紳士たち。「私は入来院重光《いりきいんしげみつ》氏が遺品を研究し外国で編集する特権を与えてくれたことに対して心から感謝する」。「同時に一九一九年夏に私が滞在したときに洗練された礼儀作法で私に応対してくれた入来院の紳士たちに感謝したい」。第二は、東京帝大と京都帝大である。「一九一七年から一九一九年にかけて、東京帝国大学と京都帝国大学の当局が所蔵する、無限の価値をもつ原史料の閲覧を許可されたことに対して謝意を表する」。第三は、二人の日本人である。「私は東京の大久保利武《としたけ》（利通子息）氏が本書に史料を収めることを可能にし、東京帝国大学辻善之助教授が出版許可を得てくれたことに対して感謝する」。第四は、米国の三教授である。「プリンストン大学ダナ・マンロ教授が本書の準備を激励してくれたことに対して、イェール大学のチャールス・アンドリュー教授が出版の成功まで友情ある協力を示してくれたことに対して感謝する」。「教師にして友人の故ジョージ・アダムス教授の生前に間に合わなかったこと」については、「強い遺憾の意を表したい。というのも拙著を同教授に受取ってもらい認めてもらうために、私は全段階を通じて骨の折れる努力をしたのだから」と書いて、英文の序文を結んでいる。末尾の文字は「朝河貫一ニューヘイブン、コネチカットにて、一九二五年七月」である。そして、本書は朝河終生の恩人ウイリアム・J・タッカー（ダートマス大学学長）に捧げられた。

5　朝河の第二次帰国、入来訪問は一九一九年夏

朝河の入来訪問は一九一九年夏であったが、六年後の夏にようやく編集と翻訳の仕事を終えた。日本語原文の印刷は一九二五年中に終えて（おそらくは二〇〇部余が）アメリカに送られ、日本にはその見本が残された。悲喜劇はここに始まるのかもしれない。

というのは、この日本語印刷文を簡易製本し、「普通の紀要のように、本文の紙よりもちょっと厚い」程度の表紙を付したものが作成され、この和文冊子に *The Documents of Iriki* という英文標題が付されたことである。四年後の二九年四月、費用の面から難渋した挙句に朝河英語版が和文と合本して出版されたが、東大関係者でこのオリジナル版の寄贈を受けたのは、辻善之助など極めて限られていた。朝河は三浦周行にも寄贈したが、三浦は当時京都大学に転じており、史料編纂所は兼務であった。牧健二が読んだのは、この三浦本だ。高木八尺（一八八九〜一九八四）は、朝河から直接ではなく、寄贈本の書き込みによると、Editor Charles M. Anderson から贈られ、その日付は一九三三年一一月であった。贈主はおそらくイェール大学出版会の幹部であり、これを高木に贈呈したものと思われる。ちなみに辻所蔵本は戦後史料編纂所に寄贈され、高木所蔵本はアメリカ太平洋地域研究センター図書室（現駒場教養学部図書館）に寄贈されて高木文庫として残されている。

こうして朝河原本の出版から復刻増補版の出版まで史料編纂所の日本史専門家でさえも、原本に接する機会がなかったごとくである。復刻増補本に解説を寄せた宝月圭吾（一九四六年当時史料編纂所職員組合準備委員会委員長、のち史料編纂所所長）、西岡虎之助（一九二八〜五三年度史料編纂官補、五四〜六五年度早大教授）、竹内理三（一九三〇〜四四年度史料編纂所業務嘱託）らが *The Documents of Iriki* を読んだ形跡がなく、言及していないのは、「読んだことのない本だから」であったようだ。

英文の部分を知らない状況のもとで、前掲和文冊子だけを手にした場合、当時まさに入來院家から史料編纂所に到着したばかりの「入来文書」（原古文書部分）と比べて、「朝河版において選ばれたもの」の「数の少なさ」が印象づけられたかもしれない。朝河が「精選した結果」がまさに、調査時間が足りないゆえの「杜撰《ずさん》」と誤解された可能性も否定できない（主として高橋光夫氏の証言による）。

ともあれ、こうした状況において、復刻版の出版方針が決定された。むろん英文の部はそのまま原文復刻であるから問題は生じない。やっかいなのは和文の扱いだ。大量の巻物などの原史料を前掲「和文冊子」と比べると、採録した量が少ないし、しかも一部の文献については、朝河の読み方とは違う読み方も可能だ。朝河が誤読した箇所もありうる。現に朝河自身が「序言」において「幾多の誤謬あるべし。読者冀わくは之を訂正せられよ」と書いているではないか。悲喜劇はこうして起こったのではないか。朝河のテキスト解題と翻訳、その訳注に接することのなかった者が「和文冊子」に収められた文献数の乏しさを感じて、「増補という墓穴」に引きずり込まれたのは、「意識した選択」というよりは、「自然の成行き」であったかもしれない。

天下の史料編纂所がまさかそんなことを、と首をかしげる向きも多いであろう。だが、実際にそのような改竄《かいざん》・愚行が大手を振ってまかり通り、しかもその後半世紀、誰もこの帰結の問題点を批判しなかったのだ。戦中皇国史観の影響下にあった史料編纂所は、まだその後遺症が残り、幾多の悲喜劇が見られた。戦後改革を主張した左翼唯物史観学派、すなわち旧講座派は、皇国史観を真に止揚したものとはいいがたく、単なる裏返しにすぎなかったのではないか。彼らにとっても朝河史学は歓迎すべきものではなく、むしろ「政治上の敵」と映っていたかもしれない。朝河によって日本中世史における「農奴」の存在を否定されてしまったのでは、「農村の半封建制・封建遺制」なるドグマをうまく説明できなくなる。これでは反封建闘争、民主化闘争の闘争対象すなわち敵が曖昧になる。政治テーゼに適合しない史学は軽蔑の視線で黙殺されたであろう。彼らにとって歴史学は「政治の侍女」にすぎなかった。

余談だが、史料編纂所でのちに所長という管理職のトップになる人々のうち、少なからざる者が職員組合の幹部を務めている事実は、単に敗戦後の労働情勢の断面を語るだけではない。日本社会には大きな「身分」格差はあるが、それは「階級」と呼べるものではなく、年功によって乗り越えられるのが当然視されていることは、昔もいまもほとんど変わらない。有能な労組幹部がいつのまにか企業の経営者側に変身する流動性は、ヨーロッパの階級社会ではありえまい。木下藤吉郎が太閤秀吉に出世するような事例も、ヨーロッパ中世にはありえなかったはずだ。このような流動性を絵に描いたような史料編纂所にあって、一方で階級闘争を説き、他方で農奴の幻影を求める必死の努力は、ほとんどマンガ的な図柄に見える。

6　朝河の英文序説

本書の内容を概観するには、朝河自身の「英文序説」が最適であろう。*The Documents of Iriki* に収めた文書の大部分は、封建時代を通じて南九州の小さな部分を相次いで統治した単一の領主家系の全経歴をカバーしている。ここで朝河は「領域と人間については限られている」が、「この資料の実体」は「国家の封建時代全体を範囲としている」と説明する。これは何を指すのか。入来院と島津家の文書を扱うが、これらの文書は京都の朝廷や鎌倉の幕府と深い関わりをもつことを強調している。朝河はいう。「幸運なことに、これらの資料が明らかにした地方制度の発展は、日本全体の封建制の発展のうえで相当に典型的なものである」、「それゆえこれらの文書を通じて研究者は比較的容易に例示された家族の活動領域を跡づけ、同時に日本全体の封建制への立ち入った洞察が可能である」。朝河が入来文書に着目したのは、まさにこの理由からであった。日本の封建制全体を鳥瞰するために、『入来文書』をいわば「虫瞰」したのである。

7　南九州というところ

九州という島は、日本の中央政府よりも「南海とアジア大陸」により近く、つねに「外国の影響を感じ、地方独立の雰囲気」を育ててきた。実際、国家の輸入活動の多くは、そこから始まった。すなわち「大陸文化と仏教の導入、仏教の神道との混交、朝鮮や中国との政治通商関係、私的な武士の成長、自律的な封建国家の発展、南ヨーロッパのローマカトリック国家との接触、そして最後に封建日本を打倒し、新体制を樹立する明治維新の動きである。九州はつねに全日本の次の統治者にとって大きな関心の的であった。とりわけ南九州は三つの国《くに》、薩摩《さつま》、大隅《おおすみ》、日向《ひゅうが》の国からなり、継続して皇室の起源の地であり、熊襲《くまそ》という凶暴な種族の居住地であり、封建時代の日本でおそらく最大の領地を最も長く一つの大名・島津氏が保有したので、全時代を通じて特別に重要な地域である。

8 「大化改新」当時の南九州

本書の主題である入来《いりき》は、この地域の一部であり、長く変化に富む経歴のなかで際立った役割を果たした。伝説にしたがって南九州に住んでいた皇室が日本武尊《やまとたけるのみこと》の東征の三代前にどのように東に移住し、どのように地方の種族を征服し次第に平定し定住し混血したかはさておき、時折の反乱は七二〇年に至っても記録されている。そのときまでに倭《やまと》の政府は一連の急進的な政治改革、すなわち大化改新をやり、それは日本の政治を半家父長支配から人工的に集中した官僚制に変えた。新国家の基礎はすべての自由民と一部の不自由民に対して土地を均分する制度の上に置かれ、水田は登記された。日本の他地域でこの制度が実行されたとき、南九州の人々は慣れていた自由で不均等な水田の個人保有を捨てようとはしなかった。改革が広く受け入れられたのは八〇一年になってからである」。「古い熊襲《くまそ》は大体が同化されるか、あるいは日本人植民者によって圧倒された。この遠く離れた地域は実際には日本人にとって一種の新植民地であったと考えるべきだ。一部は征服し、一部は先住民と混血し、人種間の接触は精力的な独立精神を発展させた。この母体から地方の武士が成長し、東国から定住した新首長の指導のもとで武勇を養成し訓練し、それらを自分たちの誇りとした。

9　水田均分制度の崩壊と庄の成長

大化改新による水田の均分制度は七世紀には日本の大部分で行われ、八世紀中には南九州にも適用されたが、すぐに実行不可能になった。一部は「制度固有の欠陥のため」であるが、主としては荒れ地が継続的に米作水田に開発され、そこでの収穫を私有化することを禁じられなかったからだ。「新《にい》田神社《たじんじゃ》や隣接地は一定の高官や宗教機関の庇護」を求める傾向がますます発展した」。「宗教機関は人頭税や土地税も免除される特権を享受し、それは新田を大なり小なり拡大させた」。私的領地は庄《しょう》という名で知られるようになり、庇護者は本家《ほんけ》や領家《りょうけ》と呼ばれた。これらを本書では領主《りょうしゅ》と呼ぶ。領地領主は庄から収入を得るが、「通常は不在領主」であり、その土地は「代理人が代表した。庄の土地は元の耕作者や、その子孫あるいは任された者、すなわちその土地を「自分の手で実際に耕す者によって耕作された。彼らは領主に対して私的な義務と奉仕を果たした。それは「租税や調」よりは少なく、水田の法的所有権をもつ場合には租税も払わなければならなかった。依頼者からの名目的な役割を果たすことによって、これらの人々は財政的により自由になった。徐々に庄に吸収されつつはあるが、なお公領の管理下にある庄（あるいは地区）内の小作人の耕作権は、庄役人の執行する管理権とともに、土地からの所得と結びついた属人的権利である職《しき》と習慣的に呼ばれるようになった。職《しき》は元来職務を意味し、転じて特別な意味をもつようになり、「土地保有職《しき》、耕作者職《しき》、管理人職《しき》」、そして後年は「領家職《しき》、地頭職《しき》」（一一八六年以後、地頭は守護に変わった）などとなった。職《しき》は自由に分割され譲渡された。そして着実に職の数と流通量が増えた。その一部が結果的に私的な武士の手に入ったときに、封建的発展がついに可能となった。これが最も簡潔な庄《しょう》と職《しき》の説明であり、中世日本制度史の縦糸と横糸である。

10　島津庄について

ここでは入来を構成した庄のみを扱う。入来の庄は島津の大きな庄の一部であり、最盛期には南九州の三国の大部分を含んだ。この庄は大淀《おおよど》上流の谷の堆積土に一一世紀初期に生まれた。大淀川《おおよどがわ》は北へ流れて支流の岩瀬《いわせ》川に合流し、ほぼ東に向かい、日向《ひゅうが》の東端にある現在の宮崎市を越えて海に注ぐ。大淀上流と岩瀬は霧島《きりしま》火山脈で直角に分けられる。島津庄の揺籃はこの高い山々の東南に横たわり、本流に流れ注ぐいくつかの支流によって潤される平原である。この地域は古代から熊襲《くまそ》と日本人の住む南九州の主な居住地の一つであった。七世紀の大化の改新以後、ここで日向の二つの幹道が合流したことが分かる。一つは北東海岸からの道で、もう一つは大淀川の北側の流域を通り肥後にいたる道である。この道はまた南へ行くと国南の港（今の志布志《しぶし》）につらなり、西へ行くと、大隅の首都などへ行く。一〇三〇年の少し前に、博多にあった九州政府の役人平《たいらの》季基《すえもと》がやってきて「占有されていない土地を開墾する」と述べ、それを京都の宮廷における大名任命者である藤原頼通《ふじわらよりみち》（九九一～一〇七四）に寄進《きしん》し、自分は「管理職《かんりしき》」を留保したといわれる。この場所はこうして庄になり、そして藤原の近衛家《このえけ》の世襲地として、租税公課を完全に免れた。これが島津庄の誕生であり、このように名づけられた後、領地の政治的影響力と大名の能力によって、誕生から二〇〇年間にわたって、南九州における地位と条件に支えられて、地方豪族や武士の大部分を吸収することになった。島津庄の主な大名は伴家《ともけ》と冨山家《とやまけ》であり、両者ともに封建時代を通じて有力な武士であった。①伴家は天智天《てんじてん》皇《のう》（六二七〜六七一と不運の皇子大友の子孫を称した。肝属《きもつき》系図によれば、伴兼行《とものかねゆき》は九七〇年ごろに地方官として薩摩に来て、いまの鹿児島北部に住んだ。兼行の孫兼貞《かねさだ》は島津庄の創設・管理者であった平季基の孫と結婚したといわれる。平家には男子がなかったので、その地位を継承した。兼貞の子供たちは、島津や日向の他の地域だけでなく、大隅《おおすみ》南部の肝属《きもつき》と薩摩西北の出水《いずみ》の職《しき》も保有した。そして多くの家族に枝分かれし、それぞれの職《しき》を代表する地名で呼ばれたが、肝属《きもつき》は最も主な強い家系であった。庄の拡大が主として伴一族の影響力と努力によることはほとんど疑いない。②領主藤原は庄の管理に対して立ち入って監督するために、島津に利益代表として一族の役人を派遣した。その人物も藤原の子孫で冨山《とやま》と呼ばれる一族に属していた。一一八五年にその子孫である冨山義良《よしなが》は封建時代の年代記のなかに、新しい宗主 源 頼朝《みなもとよりとも》の直系家臣となった有力な地方武士の名を見出す。冨山はおそらくは一三五二年に庇護が終わるまで領主の世襲大名としてあり続けたか、あるいは島津の定着から少なくとも三五〇年軍事的首長として君臨した。

　広大な庄《しょう》が成熟するまで、およそ一一八五年までの組織を少し検証しておこう。①その頃までは現代の大淀川上流谷の 都 城《みやこのじょう》に近接する領域は、およそ五九五〇エーカーの耕地が、島津本庄《ほんしょう》の中心であった。この部分はまったく租税公課を免れ、それゆえに一円《いちえん》（完全な免税）の庄《しょう》と指定されていた。七三五エーカーは多かれ少なかれ一一三五年ごろに組み込まれたが、隣接する財部《たからべ》と深川《ふかがわ》から大隅《おおすみ》南西まで免税であった。種子島のおよそ一四七〇エーカーも全体として免税であり、新庄《しんしょう》（新留《しんりゅう》）を構成した。薩摩北西の離れた出雲郡《いずものこおり》の千エーカー以上も一円《いちえん》であった。こうして免税地区は三カ国のおよそ九二〇〇エーカーであった。②これらの一円領地《いちえんりょうち》のほかに、三カ国には一万三九〇〇エーカー以上の分散地があり、これらは寄郡《よせごおり》と呼ばれた。これらは半ば免税、すなわちそこからの税は通常は国の政府と庄の役所が半々で分けた。寄郡の大部分は公領の耕地であったものが、あれやこれやで次第に庄《しょう》と認められた。一部は武士平氏の従者から没収され敵方の源氏の子孫に与えられた。課税地域のなかからどのようにして完全な免税地区の庄が創造されたかを推論するための記録は少ない。しかし少なくとも転換を示す一つの文書は指摘できる。一一八七年に薩摩の西海岸伊作《いさく》と日置《ひおき》の寄郡の世襲の地方長官（郡司）がこの地区を庄の領主に一円とするべく献上した。献上者とその子孫の管理職《かんりしき》を留保する条件でそうしたのである。この行為を通じて薩摩にある島津庄の自由な地域はおよそ八〇〇エーカー増加した。③大きな庄を構成した第三種の耕地は、私領《しりょう》と呼ばれ、島津とゆるやかに結びついていた。それは個々人に所有され、それを庄の領主に寄進し、領主の影響力で国の役人の干渉を免れ、そのおかげで義務を軽くしたものである。庄における私領の正確な地租も範囲も知られていない。ともあれ、領主に対する従属は所有ではなく名目的なものであり、庄の統合された一部と考えられることはなかった。④庄園を構成する土地条件がいかに多様なものであったか、どれほど多くの争いや不和がそれを構成する重層的利害関係から生じたかを想像できよう。というのは全体としての際立った地位だけではなく、あらゆる階級と立場の人々の手に分散される形で職が分有されていた。その一部は、庄の大名として領主（あるいは住民）の立場を代表し、土地を実際に保有した（あるいは土地からの収穫の一部を単に受け取った）。他の者は土地の元来の所有者（あるいはその子孫、いくつかのやり方で職を獲得した者）であり、残りは、実際の耕作者集団（あるいは保有から生まれた職の持ち主）であった。庄のどの部分であれ、ある者の社会的条件が保有する職の質を決めることはなかった。というのは、職の特性を特徴づける大きな「分割性と移動性」の結果、真の権利とこれらの庄の異なる部分における大小の利害とが結合して、「人々の社会的地位」と「職《しき》のネットワーク」とが別のものになったからだ。そして両者間には異なった、たえず変化する契約が存在した。⑤最後に、島津庄が三つの国に広く散在したことを忘れてはならない。南九州にも多くの庄と領地があり、その一部はかなりの重要性をもっており、他の領主や寺院、神道の神社に属していた。

土地条件の複雑性のいくつかの局面は、薩摩《さつま》、大隅《おおすみ》、日向《ひゅうが》のさまざまな地区と領地のより大きな範囲とともに、これらの国の政府によって一一九七年に作られ幸運にも保存された土地台帳で研究できる。

こうして島津庄は、私領《しりょう》を除いておよそ三国の一一九七年における耕地全体の五四％を占める。このころまでに庄は最大規模に成長していたと推測すべき理由がある。それ以後、拡大や縮小は守護の家族の政治力の盛衰とみなされた。そして以下にみるように、制度としての庄の運命は、全日本の封建領主に強いられて変化した。

一一九七年までに日本の封建勢力は国家の政府の一部の支配権を獲得することに成功した。島津を含めて全国のあらゆる地域で、耕地にかかわる職の大部分は私的な武士に与えられるか、奪われるかした。そして武士は地方社会における支配的な地位をどこでも獲得していた。そのうえ、これらの武士は、まず平氏その後は源氏という大きな武士一族の従者とともに家臣団の絆で結ばれた。一一八五年の平氏の没落に際して、日本初の真の将軍となる運命にあった源氏の首長頼朝は、彼自身とその一族への支持者への忠誠をよびかけ始めていた。頼朝は彼らに対して叙任（あるいは安堵）の令状を与えて、御家人《ごけにん》すなわち「直属の家臣」とした。頼朝はすでに個人的に支配していた領地の領主であり、いまや領土（あるいは長官の権力）のもとにある公的な地区（すなわち直接的に支配できない領地）の職さえ保有し居住するかなりの数の武士を彼個人の家臣にした。一一八六年初に、頼朝は御家人《ごけにん》を地頭《じとう》や全日本の国を守る守護《しゅご》に任命する権限をいやがる宮廷からもぎとった。地頭は地域や領地の租税を徴収し、国あるいは庄の領地の文民政府に引き渡す責任を負い、そこから費用の支払いに対する収入を得ることになっていた。守護は国の警察と軍事の役割を担って、宗主の領地に住む直接の家臣団を監督した。日本史上初めて全国の大部分の地域において、従者に対する部分的だが有効な管理が可能となった。国の役人と庄の私的領主を置き換えることなしに、同時にそれができた。日本政治の本体に確かな手で楔が打ち込まれ、何世紀も続く封建体制が実質的に始まったのは一一八六年である。

11　地頭・守護としての島津忠久

頼朝からこの地域の「地頭《じとう》と守護《しゅご》」という二つの任命を受け、島津庄の大部分を範囲とする地頭となり、日向《ひゅうが》、大隅《おおすみ》、薩摩《さつま》の三カ国からなる庄の守護となったのは島津忠久《しまづただひさ》であった。忠久はおよそ一一九六年ごろ、現在の都城《みやこのじょう》の北東一マイル以上のところにある祝吉《いわいよし》、それより南の堀之内、最後に薩摩の北西にある木牟礼《きむれ》、出水《いずみ》に滞在した。出水はその後四代にわたって後継者が本部とし、それは一四世紀秋に鹿児島を占領するまで続いた。忠久は将軍が変わるなかで封建時代を通じてこの戦略的領地を維持し次第にその支配を強め、最後には固く掌握した有名な大名の先祖となった。しかしながら忠久の存命中は島津家の権力はきわめて限られたものであった。

12　守護の権限

理論上は守護《しゅご》として三カ国全体に対して罪人を逮捕し秩序を維持する権限を与えられており、在地の御家人を宮廷の護衛として任免し、地方武士をみずからの個人的奉仕に差し出させることが可能であった。しかし実際には、国のより強い武士家族による抵抗にしばしば遭遇した。これらの一部は忠《ただ》久《ひさ》が東国から任命されたとき、長らく侵害し、彼らの頭越しの任命に対する不承認を示そうとした。

13　忠久の弱点

遅れてやってきたことを別としても、忠久の主な弱点は、島津庄の内部においてさえも、主な領地の地頭大名にすぎず、全地域の大名ではなかったことである。土地と職の保有者に対する管理が強められたが、領域を越える地区への守護権はせいぜい間接的なものであった。この範囲内で一一九七年の土地台帳は、郡司《ぐんじ》、郷司《ごうし》、院司《いんし》、弁済使《べんざいし》（勘定役人）、名主《みょうしゅ》の存在を明らかにしている。これらの多くは実際に将軍の直接的家臣であり、その点で忠久と同等である。その協力を得て忠久は地頭としてのみずからの義務を果たした。

14　領主としての忠久の役割

厳密にいえば忠久の領主としての役割は「家臣に対する封建関係」に限られ、土地に対する支配は

「所得の源泉として彼に与えられた範囲」に限られていた。これらの土地はこの庄のさまざまな部分の他の武士の保有物と入り組んでいたので、相互の摩擦と非難をもたらした。これらの面で彼の権力がいかに狭く制限されていたかは、みずから地頭をつとめている庄において、他人の領地を犯す行為を行って将軍から懲罰を受けた事実から想像できよう。忠久《ただひさ》が後継者に残したのは、守護職《しゅごしき》と地頭職《じとうしき》であった。

15　一二四七年、渋谷兄弟の薩摩下向

忠久の死後二〇年以上を経て、島津家の利益にとって不運な出来事が起こった。一二四七年に、薩摩中央部の庄の五つ以上の重要な部分の地頭の役所、耕作地一〇八〇エーカー（四三七ヘクタール）が鎌倉から到着したばかりの強力な渋谷兄弟に渡された。忠久の死後に続く四〇〇年間に島津家が拡張した範囲を見ておく。鎌倉時代（一一八六～一三三三年）を通じて、藤原一族の近衛家の首長たちが島津庄の領主であり続けた。大名としての冨山《とやま》氏、世襲の職保有者の肝属《きもつき》氏、そして総地頭《そうじとう》としての島津領主である。

16　蒙古の役と守護職

島津領主のもつ守護職《しゅごしき》は、軍事的領主としての政治力であった。一三世紀後半の蒙古の役において将軍の命令を受けて特別な軍事的奉仕の行為を監督した。その命令は三カ国の御家人に課せられ、個人的に彼らを戦陣に導いた。この一時的に与えられた権力から封建領主である島津守護としての権威

がどのように強化されていったのかを述べることはむずかしい。一三三三年に鎌倉幕府が倒れたときに、有利な機会がやってきた。その後の三年間に反乱と足利氏による権力簒奪《さんだつ》が行われた。この事件は宮廷の構成員と日本の封建階級を二つの対立する陣営に引き裂いて、南九州でも他の地域同様、直ちに入り乱れた戦争状態に陥った。足利尊氏《あしかがたかうじ》は歴史的都の京都で血縁の皇子を擁して封建日本の将軍になった。これに対して正統的な後醍醐《ごだいご》天皇は大和の吉野山南部に逃れ、北朝（足利幕府）に対して戦うよう忠実な武士たちに呼びかけた。

17　足利尊氏と島津貞久

内戦において薩摩の島津貞久《しまづさだひさ》は将軍の事業を支持し、守護として国の武士たちを導いて戦うべく将軍からお墨付きを得た。大名家の昔からの競争相手たちは双方とも武力に訴えて、権威を武力によって屈伏させようとした。戦闘に戦闘が続き、たえず状況は変化し続けた。運命の女神はどちら側にも決定的勝利を与えなかった。貞久は戦場での繰り返される働きを通じて、みずからの家臣たちの忠誠心を深め、昔からの競争相手に打ち勝ち、他勢力を征服した。彼の権力に対する挑戦者で生き残った者は減少したが、その影響力は前よりも大きく、敵としては以前よりも危険なものとなった。

18　藤原による島津領の終焉

藤原による島津領の終焉は、南北朝戦争期（一三三六〜一三九二年）であった。この初期には将軍は日向《ひゅうが》における庄の部分を掌握し、元の部分の東と北に直接ねらいをつけた。一三三九年には後者でさえも大部分は貴族の領主から離れ、その大名は追放された。ある者は逃れ、他の者は幕府の日向における代理人畠山直顕《はたけやまなおあき》に投降した。

19 島津庄の終焉一三五二年

一三五二年におよそ八五〇エーカー（三四四ヘクタール）の土地が将軍尊氏《たかうじ》から島津資忠《すけただ》に与えられた。以前は一三世紀の輝かしい荘園領主であった近衛恒忠《このえつねただ》は吉野南朝と連合したので、この遠い領地は尊氏の獲物となった。一三五二年に恒忠が死ぬと、領主権はすみやかに消滅した。創設から三〇〇年後に近衛家の島津庄《しまづのしょう》は消滅した。近衛家の分家は今日まで維持されてきたこと、そして島津庄《しまづのしょう》のい方は一五世紀末まで文書に用いられてきたが、しかし庄本来の制度的意味は終焉した。その管理は武士領主の手に渡され、近衛家（あるいは他の非封建的領主）に戻ることはなかった。

20 「貴族の庄」から「大名の庄へ」

庄の規模を見ると、いくつかの封建領主に分割された。「貴族の藤原」から「大名の島津」にそっくり引き渡されたのではない。実際、貞久《さだひさ》は大領地の一部を把握できただけであった。こうして庄の引き受けによって、豪族島津は「文官貴族としての地頭」ではなく、「領地をもつ封建領主」となった。これは領地の意図と目的からして「将軍のもとにある封土」であった。新しい知行は、古い島津庄の広大な部分から切り取られた一部であったが、その後二百年間のうちに、旧島津庄よりも大きくなった。結果的にこのように拡大したのは、島津家の首長たちの能力によるだけではなく、まさに時代の産物でもあった。

21　一六世紀後半に領地を集中

一六〇〇年に徳川家康によって再統一されるまで日本全土を巻き込んだ長い戦国時代に、島津家は領地を争う勢力との間で継続的な厳しい闘争に巻き込まれた。一族の生存そのものがきわどい均衡に依存していた。まったくの忍耐強さと生来の能力によって、暗黒時代に通例の頻繁に変わる政策に助けられて、豪族島津家はしだいに古くからの競争相手たちに優越したのは、事件が相次いだ一六世紀後半であった。突然、軍事作戦の現場が南九州を超えて九州全体に拡大された。第一四六号、一四七号文書に見られるように、一五七七年から八七年までの一〇年間に、島津領主はすでに古い島津庄のすべての領地を集めていた。

22　秀吉に忠誠を誓って島津が得たもの

新しい軍事的最高領主豊臣秀吉が南方に進出したことも、同様に劇的な迅速さをもたらした。島津は秀吉の専制にあっさりと屈伏して忠誠を誓い、そして朝鮮遠征に忠実に参加した。秀吉が島津の領袖たちに加えた一撃は、「姿を変えた幸い」であった。彼らの不自然な野心をうちくだき、適度な勢力範囲に戻した。これによって、主君の手による一定の範囲について「完全な自主権をもつ正統的な知行」を、彼らは新たに受け入れた。これらの境界はその後わずかに修正されたが、つねに島津家に有利な形で処理された。他方領地内のすべての地方族長は、これ以後島津家臣となり追従し、気ままに動かされた。気がかりな日々と不安定な敵対関係は過去のものとなった。

23　徳川体制下の島津藩

知行と家臣に対する島津の管理は徳川幕府（一六〇〇〜一八六七年）のもとで、さらに厳しいものとなった。この長期間を通じて島津家のしきたりは、徳川が全日本に対して設けた特有の体制の九州における忠実な模型であった。この体制のもとでは幕府の「封建的な力」と「集権的な力」がたがいに巧みに均衡していた。平和な二五〇年の間に離れた九州で倹約してきた島津の人々は、一九世紀後半に、その精神力と物力によって国家的動乱の指導権をとり、徳川支配を打倒した。維新から最初の段階における帝国体制下の政治を指揮した。

24　渋谷兄弟が島津庄寄郡の新地頭に任命

一二四七年に、五人の渋谷兄弟が薩摩中央の島津庄寄郡《よせごおり》の新しい地頭に任命された。これは日本の封建時代の夜明けを意味した。鎌倉では摂政《せっしょう》の北条家が幕府事務を管理し、京都では九州の昔からの庄領主である近衛家の兼経《かねつね》が宰相の地位を復活していた。南九州では島津の二代目忠時《ただよし》（一二〇二〜六四）が地方の優越性を求めては、領主の大名や庄の内外に確立された数多くの族長から妨害されていた。

25　渋谷氏を迎えた島津氏の不安

この時点で有名な武家である渋谷家《しぶやけ》の分家の屈強な五人が薩摩の中心に突然派遣されたことは、島津の若い一族を極端に不安にするものであったにちがいない。渋谷氏は近親の千葉《ちば》氏、三浦《みうら》氏、畠山《はたけやま》氏などのように、有名な武士一族であり、平氏の支族を形成し、桓武《かんむ》天皇の流れをひいている。桓武の曾孫《そうそん》は天皇家の生来の特権を自発的に放棄し、平氏という新しい姓を受け入れ、東国上総《とうごくかずさ》の地方役人となった。彼の子孫は増えて、箱根山の東部に広がる国や庄の役人となり、さまざまな支族は主な領地の名を姓とした。国の役人であれ、私的な庄の大名人であれ、これらの移住者たちはすべて武士の族長であり、天皇の政府あるいは文官や宗教人の領主のもとで働いてはいても、これらの強力な一族たちは家臣の絆で軍事的領主と結ばれ、彼らのうえに貴族出身の平氏《へいし》と源氏《げんじ》がいて、そして下には大地に根ざした地方武士がいた。渋谷氏は平氏の川崎一族の子孫である。初代基家《もといえ》は、領主源《みなもと》への軍事的貢献により現代の東京と横浜の間にある武蔵国《むさしのくに》の渋谷、六郷、川崎、本牧の管理職《かんりしき》を与えられ、それがのちに家名となった。基家《もといえ》の孫重国《しげくに》の代になって、この一族が渋谷の家族名をもつようになったのが記録にみえる。

26　武蔵渋谷と相模渋谷

渋谷氏について地方の歴史家の書いたものには、混乱が見られる。その名をもつ地域はそれぞれの近隣である落合《おちあい》、戸塚《とつか》、和田《わだ》などとともに武蔵国《むさしのくに》と相模国《さがみのくに》の双方に見られるという混乱がある。武蔵渋谷は基家《もといえ》とその子孫たちの世代で維持される一方で、彼の孫の重国《しげくに》とその子孫は相模渋谷の庄司《しょうじ》であった。入来文書がさらに明らかにしたものは、相模国南東の吉田は渋谷上庄《かみしょう》と呼ばれており、その職《しき》は重国の子孫によって保有されていたというあまり知られていない事実である。一族の異なる支族が三地域でたがいに関連しているのは、ありそうなことだ。その多くは同じ渋谷という家名をもつか、あるいは同じくらいに少数派の名前落合、和田などを持つかである。一部は武蔵に住むものから、一部は相模に住むものからの流れを汲んでいる。*The Documents of Iriki* では相模渋谷《さがみしぶや》氏にのみ関心を寄せる。君主たる領主であり平《たいら》という大きな武士一族の本家の首長清盛《きよもり》が流星のように権力についたのは、渋谷重国《しげくに》の若いときであった。ライバルであり同じように皇室から派生した源氏を一一六〇年に打倒して、清盛は七年後に日本の最高位（太政大臣）に昇格した。清盛の庇護のもとに渋谷の者たちは、地方の長としての繁栄を極めた。源氏の一派たる近江《おうみ》の佐々木秀吉が没落し、財産を処分して相《さが》模《み》に流浪したとき、勇ましい重国は領主の敵の勇気を称讃してこの他国の人とその従者に隠れ家を与え、一一八〇年までの二〇年間庇護した。この間重国《しげくに》は佐々木が若い頼朝《よりとも》と連絡をとることに対してはいかなる邪魔もしなかった。頼朝は清盛によって伊豆に追放され、そこでひそかに反乱を準備した。この時代の他の武士たちと同じく、重国は公的事務を少ししかやらない私的な従者とみなされていた。大氏族間の敵対関係はゲームであったが、名誉をもつ者の個人的な関係は永遠の真実であり、政治党派の分脈につらなった。重国は非凡な武家の客人として接するかもしれないし、しかるべきときには野外での戦闘に直面しなければならなかったであろう。頼朝が佐々木を通じて支持を求めたときにも彼の行動には同じ精神が認められる。重国は同意せず、裏切りもしなかった。頼朝がついに決起したとき、重国は大庭《おおば》景親《かげちか》の軍にしたがい現在の小田原南部の反乱軍を攻撃してそれを粉砕した。頼朝は海を越えて安房《あわ》に逃れ、佐々木は箱根の山に身を隠した。景親が重国に対して佐々木を捕らえ、一族を監禁するよう求めたときに、重国は露骨に拒否している。信頼すべき年代記によれば、重国は佐々木を拘束することはできないと、景親に対して率直にそれを述べている。彼らが主君のもとで合流したとき、尊重すべき友に対して不誠実な行為を犯したとがめられた。佐々木四兄弟のうちの三人が仏教僧侶によって渋谷に連れてこられたときに、自分の娘と結婚した四番目がいないのに気がつき若い兵士たちの躊躇を理解して重国は密かに彼らを匿った。重国は家臣たちに命じて山中から彼を探しだし連れてくるように命じた。運命は源頼朝に味方した。二〇年前に権力をのぼりつめた平氏は一一八〇〜一一八五年に頼朝に打倒された。渋谷庄《しぶやのしょう》の南に位置する鎌倉に本拠をもうけて、頼朝は日本史上初めての幕府を開いた。頼朝の速やかな成功は主としてこの一帯に地方首長として居住していた先代の多くの家臣たちの支持を得たからである。彼らが頼朝のもとに馳せ参じたのは、平氏の専制的な領主に不満であり、頼朝を助けるか、あるいは頼朝に降伏した。これらの兵士たちに対して頼朝は寛大な扱いをして、世襲的家来と同様に、御家人《ごけにん》として自由に彼らを受け入れた。したがって一一八四年に平氏の権力が取り返しのつかないほどに打撃を受けたときに、渋谷重国《しげくに》とその子たちが頼朝側についたのは驚くことではない。それ以後、重国らはすべての戦争において際立った功績をあげて平和時には初代将軍頼朝とその後継者に奉仕した。

27　鎌倉幕府の実権は執権の手に

頼朝は一一九九年に死去し、二代目にして最後の後継者実朝《さねとも》が二〇年後に暗殺された時、源氏主流は絶えた。幕府は宮廷あるいは藤原の血統の名目的な将軍のもとで一三三三年まで続いたが、鎌倉政府の実権は執権《しっけん》の手に移され、平氏の別の流れである北条《ほうじょう》氏がこの地位を占めた。

この間、渋谷家の幸運は傾いたように見える。一二一三年にこの一族の者たちが執権に対する和田氏の反乱に巻き込まれ、渋谷の八名が滅びた。かつては華々しかった渋谷はいまや鎌倉時代の終わり一二六五年には将軍あるいは執権の直属の従者として言及されるだけであった。一族の物語はその後、封建日本の中心から離れた上野《こうずけ》、伊勢《いせ》、美作《みまさか》、そして薩摩に散見される。そこで渋谷の者たちは、永らく居住した。初期における頼朝の特別の愛顧にもかかわらず、平清盛に仕えたときほどに影響力はなかった。領主の愛顧はおそらく環境による減退を考慮して与えられた。頼朝の死後、子孫への領地の相続を繰り返す過程を経て、相模の主な所領はますます削減された。一二六一年に武重《たけしげ》は先祖のそれと比べて余りにも小さくなったことに対して深い概嘆をした。年代記には意図的な調子ではない形で佐々木の口から漏れたと書かれている。所領を子孫に分ける習慣が鎌倉の昔からの一族を弱めたわけではないが、佐々木の場合は被害を蒙った一例である。執権北条氏は平氏傍系として渋谷氏とは遠い縁続きであったが、渋谷氏の広範な利害に公平であることは期待できなかった。北条時頼《ときより》は父泰時《やすとき》と同様に、正義のためには、自己や近親の利害にとらわれない、慎重かつ公平であり自己抑制のきいた行政官であった。常に厳格に公平たらんとして、すべての確立された法に対して厳格であった。主として執権が柔軟性を欠いていたために、犯罪に対する寛大さは期待できなかった。平氏の他の流れである三浦氏と千葉氏は、一二四七年七月に一連の不運な反乱に突き進んだが、彼らは真に置かれた状況について何の弁明もせずに、戦って死ぬか、あるいは自滅するかの道を選んだ。その数は数百に及ぶ。

28　千葉氏の没落を機に地頭職を得て薩摩へ

千葉氏という親戚の没落が渋谷氏に対して、枯渇しかけた資源を遠い九州の島津で増やそうと考える機会を与えたといえよう。庄の五つの寄郡、すなわち川内《せんだい》川流域の高城《たき》、東郷《とうごう》、入来院《いりきいん》、祁答院《けとういん》と西海岸の甑島《こしき》は、引き続き千葉介《ちばのかみ》の地頭職常胤《つねたね》（一二〇一年没）とその孫秀胤《ひでたね》のもとにおかれた。一二四六年に秀胤は、執権の不興《ふきょう》を招き翌年の反乱で死去したので、五つの寄郡の地頭職は甑島を除いて、渋谷光重《みつしげ》の五人の若い息子に与えられたようだ。この贈与についての直接的証拠はないが、この推論は三年後に執権によって公式に認められた事実からして説得力がある。

29　行為のあとで執権の許可を得た

五人兄弟は任命なしにやってきて専断的に四つの領地をとったのではなく、行為のあとで執権の許可を得ている。新しい地頭は、自らは東国にとどまり「代理人だけを派遣した先任者たち」とはちがっていた。居住する地頭として薩摩に移住したが、同時に相模《さがみ》、伊勢《いせ》、美作《みまさか》、上野《こうずけ》などあまり重要ではない職を手放さなかった。加えて蒙古《もうこ》来襲以後、北九州の新しい土地が加えられ、少しのちに甲斐《かい》と阿波《あわ》の小さな領地も加えられた。渋谷太郎と呼ばれた長兄重直は相模の先祖の地にとどまり、主な所領を維持した。

30　五つの地頭職を兄弟間で配分

薩摩の四つの寄郡のうち祁答院《けとういん》はこの機会に二つの地頭職、鶴田と小さな祁答院に分けられ、その結果五つの地頭職は兄弟間で次のように分けられた。次男実重《さねしげ》＝東郷、三男重保《しげやす》＝祁答院（旧大祁答院）、四男重諸《しげもろ》＝鶴田村（旧大祁答院の一部）、五男定心《じょうしん》＝入来院、六男重貞《しげさだ》＝高城《たき》郡であった。地図を一瞥すると、これらの地域は薩摩最大の川内《せんだい》川下流とその流域に位置していることが分かる。日向と肥後、そして大隅を分ける高い山脈のふもとの資源をもって、川内は昔からの谷間の西側に位置し、薩摩中央の人口稠密地区を三回曲がりくねって走り、源流から一〇〇マイル以上離れた京泊《きょうどまり》の港に流れ込む。渋谷兄弟が定住した五つの地区は、川の下流のほとんどすべてを覆っていた。この川の大部分の流れは手こぎ舟による航行が可能であった。この流域の土壌は堆積土で、水稲耕作に適していた。ここは畠に恵まれず、馬のための広い牧場はなく、川口と祁答に四つの場所があっただけである。川《せん》内《だい》のすぐ北の高城《たき》東部や東郷《とうごう》西部は、封建前の時代には薩摩の行政の中心を形成していた。

31　斧淵の東郷宅が渋谷一族の中心

歴史的な仏教寺院国分寺はこの近くに建てられた。重要な神道神社新田八幡《にいたはちまん》は古代の敷地を占めており、そして城にかかわる伝統、および後者の武士と県長の戦争当時、南からくる二本の街道が交差するのはここであった。ともあれ東郷の地頭職《じとうしき》は渋谷五人兄弟のうち最年長者の手に落ちた。次男実重はしばらくは弟たちから首長のように見られ、東郷の斧淵《おのぶち》の居宅を薩摩におけるすべての渋谷家の勢力の中心とみていた。この近くには伝説によれば五人の兄弟が建てた伊勢《いせ》、八幡《はちまん》、春日《かすが》、賀茂《かも》、武智《たけち》、五つの神体に捧げられた神社が立っていた。高城重貞《たきしげさだ》の居宅は、国分寺から遠くない川内の属国で高城の西部の麓にあり、高城一族後年の主な城になる。三男重保《しげやす》の祁答院の家は、主流沿の現在の宮之城の麓にあった。四男鶴田一族の中心は川を遡り、幹線道路と接したところであった。

32　武士であり、農場の管理者

この時期の地方の首長は武士であるとともに、農場の管理者であり、その居宅は通常、戦時においては十分な防衛力をもち、平和時においては農場に行き易いところであった。主な武器は弓と矢であり、戦闘は概して個人間のものであったから、農場の近くに実質的な木造の家を建てれば十分であった。周囲が二、三の小川や濠で囲まれた広い平地（あるいは高い丘）であった。五カ所とも農場近くの居宅であった。首長はまた、故人の霊魂や一家の繁栄を見えざる不思議な力に頼ろうとした。その時代の宗教慣習にしたがって、居宅のそばに神道神社と仏教寺院を建てた。五人の武士は地頭の立場と将軍の御家人という「二重の立場」をもっていた。

33　地頭の立場、御家人の立場

①「地頭としての渋谷」首長は、国政府と庄《しょう》役所に従い、寄郡《よせごおり》の徴税に責任をもった。一部の事例では、農場関係者すべてにとって年ごとの収穫の差異にかかわらず一定量の生産物を地頭に差し出すのが常であった。耕作しようがすまいが、地頭は国と庄に対して財政的義務の限りで責任を負った。

しかし彼は幕府側の人間なので、知事も領主もその者が「義務を怠った」としても、鎌倉幕府の干渉なしには正してもらうことができなかった。幸運にもこの時期、幕府は家臣のいかなる行動にも正義をおこなうよう注意していた。その奉仕に対して地頭は評価され、責任を負う土地に対して特別の手当を受けるとともに、自分の領地から離れたところにある土地からも手当を受けた。それらは自由に開発し処分してよく、通常は耕作者にまかされていた。②「御家人として地頭」は、他の同階級の地頭と同様に、鎌倉幕府での仕事に責任を負い、首都京都の宮廷警備も担当した。国の守護に対する関係としては、単独で居住したことも注目される。すべての御家人と同様、地方の治安が乱れたときは守護の直接的指示のもとで警察の役割を演じて戦時には戦場に行った。両者ともに鎌倉幕府の直属家臣の身分であった。島津が不安を感じたのは、これが主な理由であった。渋谷の各地頭は自分の領域では、島津の守護が国との関係で体験していたのと同じ困難に直面していた。地頭はそれぞれさまざまな地頭と領域内の他の武士の首領の妨害と対抗しなければならなかったが、地頭渋谷は郡司《ぐんじ》、郷司《ごうじ》、名主《みょうしゅ》を長とする地元の一族たちによってしばしば抵抗を受けた。地方武士の多くは他の場所にも類似の職をもち十分に強かったので、場合によっては地頭を無視した。彼らが認める管理の大きさは徴税人としての立場を厳密に条件づけていた。領地の所有者は御家人であった他の土地保有者と同等であった。彼らは過剰な権力行使を避けないだけでなく、あえて領地内に侵入しさえした。

34　領域内に寄郡に加えられない土地あり

さらに悪いことには、少なくとも高城《たき》、東郷《とうごう》、入来《いりき》では、寄郡に加えられない土地があり、それは他の領地に属していて、島津庄とその役人と公式な関係のない大名によって管理されていた。これらの土地は明らかに地頭の領域の寄郡の部分とまじっており、「地頭の土地」は「他の武士の所有物」でもあった。状況の複雑性は、みずからの職を子供たちに分ける支配的な習慣によってますます継続的に加速された。守護《しゅご》と地頭《じとう》、そしてすべての職保有者《しきほゆうしゃ》は習慣的にこの手続きに従った。誰もがこの権利を疑わず、幕府は相続におけるそれぞれの分け前を認めた。もし直属家臣ならば、新しい認可状か安堵状を与えた。

35　女性への職相続

この条件のほかに、日本におけるもう一つの歴史的条件たる「女性への職《しき》相続」が加わった。地頭《じとう》職《しき》でさえも、結婚後は細分化して彼女の子供たちに分けた。その帰結はたえず変化する分割と結合であり、複雑さと不和をふやす原因となった。家族は着実に枝分かれしたので、彼らの職は対応して分割され、細分化への傾向は結合よりは当然に支配的に見られる現象となった。内乱継続の衝撃がしだいに日本に封建武士の惣領を生み出したのは、のちの時代のことであった。

有力な一族のなかで敵意をもって渋谷を迎えたのは、以下の人々であった。東郷の冨山の一員は、島津庄《しまづのしょう》の世襲大名であり、祁答院《けとういん》の斑目《まだらめ》は有力な橘《たちばな》氏の枝族であり、執印《しゅういん》、権執印《ごんしゅういん》、国分《こくぶん》は高城《たき》近辺で勢力をもっていた。これらの一族との摩擦は、渋谷が一二四七年に薩摩に到着したときから始まった。書かれた証拠は乏しいが、高城の三大家族は苦い、長い抵抗を続けた。在国司《ざいこくし》として知られる大前が何代にもわたって東郷の渋谷と血なまぐさい争いを行う伝統は続いた。特に有名なのは、一二世紀後半の東郷重親《とうごうしげちか》であり、彼は大前の勢力を破ることが出来ず、自ら穴に入り自決した。二三歳で鎧甲冑《よろいかっちゅう》に身を固め、鬼のように敵に復讐した在国司領主《ざいこくしりょうしゅ》の名は一四世紀初頭の南北朝戦争期の東郷と祁答院の文書に現れ続ける。

36　五つの家族は、多くの小家族に分かれた

渋谷の五つの家族は、しだいにますます多くの小家族に分かれた。これらは寄郡の一部を保有したが、それは世代ごとに分裂し若い一員に渡された。枝分かれしたものはすべてそれぞれの家族名をつけて、彼らが戦略的地点に建てた城で守った。この分化過程と並んで、各一族の本家首長の権力はゆっくりだが着実に増大した。その帰結として連合した武士家族の一つのグループが形成された。しかしながら五つの本家を集める整合的な枠組みはなかったし、いわんや互いに協調的であったのではない。「各グループは自立」しており、「共通の危険」にさらされた時、あるいは「共通の野心」を抱いたときにのみ協力した。そして優れた特質を証明された一族の指導者を盛り上げた。こうして一三世紀末から一四世紀初めには、年長の四家族のうち影響力が最も大きかったのは、最も若い指導者をもつ高城《たき》氏であった。その理由は、一つは管理した土地の規模にもよるが、主としては三代目領主重郷《しげさと》の個人的能力による。重郷は九州の武士首長のなかで、島津をいくらか上回っていた。一二八六年の鎌倉からの二つの命令によって重郷《しげさと》は、三人の他の領主少弐《しょうに》、大友《おおとも》、薩摩《さつま》とともに、九州全体で広い司法権力を与えられた。命令の文言は次のようなものであった。「（九州の者による訴状については）さまざまな守護がこれを決定することは、すでに指令の通りである。しかしながら地頭、御家人、別当、

そして寺院と神社の神主《かんぬし》、供僧《ぐそう》、神官《しんかん》は名主と九州の別の場所の庄役人同様に、鎌倉と六波羅《ろくはら》に訴訟をもちだしてきている。これ以後は関東と六波羅に、特別の命令によるもの以外は持ち出してはならない。国にとどまり外敵からの守りに備えよ。もし争いがあれば、少弐入道《しょうににゅうどう》、兵庫入道《ひょうごにゅうどう》、薩摩入道《さつまにゅうどう》、そして渋谷河内権守入道《ごんのかみにゅうどう》がともに協議し、調査し、処理せよ。国における解決が困難な件があれば報告せよ。なおその申し立ては調査して報告せよ。関東駐在者は鎮西の者への訴訟があればそこへ提出し、そこで判決だとして関東で判決してはならない」。

37　一六世紀半ばに入来院が一族の中心になる

一三一九年に重郷《しげさと》の孫重雄《しげお》は、薩摩中央全体の将軍の執行代理人として行動していた。その後渋谷一族の指導的役割は、いつしか入来院《いりきいん》に移り、時には東郷《とうごう》へ、もっとあとには祁答院《けとういん》へ移った。そして入来院がふたたび権力の高みに上り、一六世紀半ばにかけて影響力のピークに達し、他を圧倒した。一四世紀以後の関係氏族間の相互のトラブル例は欠けているが、入来院領主は、高城・祁答院・東郷を囲い込み、三者とともに鶴田を攻撃して打倒した。その時代にあっては、敵対関係は頻繁に家族間を分裂させたのであり、一六〇〇年に終わる戦国時代に闘争から完全に免れていた家族を見出すことはむずかしい。

38　領地を失う（鶴田一四〇一年、高城一四二一年、祁答院一五六五年、東郷一五八七年）

もし島津内部の分裂がなかったとしたら、島津はその資力を動員して比較的早い段階に渋谷氏を支配することができたはずだ。祖先の領地を失ったのは、最初が鶴田の一四〇一年であり、次いで一四二二年に高城氏が領地を失った。祁答院は一五六五年に追放され、東郷の追放は一五八七年であった。そこで失われた領地はすべて結果的には島津の手に帰した。入来院だけが一四世紀末には一時消えたものの、その後領地を回復し、短い中断を除いて日本の封建時代の終わりまで保持しつづけた。

39 地名としての入来院と姓としての入来院

入来《いりき》の初代領主・渋谷定心《しぶやじょうしん》は相模のいくつかの世襲的家臣を伴って一二四七年に入来に到着し、そこが含まれる島津庄寄郡にある地頭役所を引き受けた。ここは兄弟たちが同時に住み着いた入来近隣地区よりも戦略的には確かだが、経済的には恵まれていない場所であった。入来院は川内《せんだい》川とその支流たる久富木《くぶき》川に沿って北にあり、回りを山で囲まれ、歩きにくい小道だけがあった。南には八重《はえ》山《やま》（海抜二三二二フィート）があり、冠岳《かむりだけ》（海抜一六九二フィート）が入来院と満家《みつえ》院、伊集《いじゅう》院を分けている。八重山の頂上は回りの国を眺めわたし、南の海を展望できた。山の東側を横切って津瀬戸《つせど》小道が走り、主な街道は鹿児島に至る。一四〇年後に渋谷武士が島津の退却軍を悩ましたのはこの小道である。入来院の南東の境界は鷹子と他の頂上によって記され、それを越えると蒲生《かも》地区である。東は舟見《ふねみ》岳の側面に位置し、藺牟田《いむた》との西側の境界をつくる。西側は丘の隆起があるがどれも一二〇〇フィートを超えない。それを越えて高城と山田に至る。これらの山と多くの分枝は入来院の大部分をカバーし、人間の居住できる土地の三割未満が残されただけである。この低地は清色《きよしき》川と市比野《いちひの》川の盆地である。その早い流れは樋脇《ひわき》を形成し、小舟が航行でき、最後には川内に流入する。入来院の経済生活全体はこの小さな川の体系で潅漑される狭い土地にうち立てられた。一一九七年の土地台帳によれば、入来院の全面積が一一九六町で耕地は九二町二反、すなわち全面積に占める耕地の比率は八パーセントであった。

渋谷定心が半世紀後にここに到着したときに、もっと多くの土地が開拓されていたかもしれない。続く開拓もおそい速度で続いた。しかし寄郡は静態的にとどまり、そのようなものにとどまった。他方、領地は広い川と入り組んだ山々によって囲まれていたために、戦争の主な武器が弓矢《ゆみや》であるかぎりは、すなわち刀《かたな》と槍《やり》の使用が一四世紀後半に始まるまでは侵略に対して有効であった。そのうえ、島津が鹿児島に本部を樹立したときには、鶴田の同盟軍中心と川内《せんだい》近隣をつなぐ主な街道は入来院に通じていた。この戦略ルートが敵に管理されるならば、島津の勢力は西への回り道をとるほかなく、その場合にはさらに北の敵に導かれた。特にむずかしいのは次のような状況であった。その後かなりの期間続いたように、大部分の渋谷が団結して島津の敵に対して出水《いずみ》、菱刈《ひしかり》、球磨《くま》における島津の敵と連合したときである。薩摩中央や北部での和平は入来の譲歩に依存したように見える。入来院を横切るルートの政治的重要性と領域を灌漑した川のシステムの経済的重要性についていえば、渋谷がルートと主な川が交差する地点清色《きよしき》に本拠をおいたのは意味のあることだ。ここで幅の急流の内側には、地面よりも二〇〇フィート高く、およそ二マイルの基地があり、水は十分あり、容易に防衛できた。これが入来院の歴代の領主が居住し防衛したところである。清色城はのちに副田《そえだ》、市比野《いちひの》、樋《ひ》脇《わき》村などに一族がしだいに移り住むようになってからしだいに副次的な防衛の場所となった。入来院が当時の武士階級と共有した支配的な宗教感情は、彼らが清色《きよしき》などに建設したさまざまな仏教寺院と神道神社に現れており、これらの機関を研究すればこの人種の宗教心理の興味深い特徴を明らかにできるが、われわれの好奇心をその分野に向けている余裕はない。時々出所不明の文書から一一世紀初めに藤原頼高《よりたか》が入来院の土地を管理しその一部を高城の新田神社《にいたじんじゃ》に寄進したといわれるが、その家族の子孫についてはほとんど知られていない。しかしながら仏教寺院とそれに関連する五大院《ごだいいん》が入来の市比野村《いちひのむら》に若干の水田を少なくとも一三世紀半ばまで保有したことは確認された事実である。川内流域の楠元《くすもと》村と中村の北方でさえも一四世紀初めまではそうであった。大きな大蔵家のメンバーが世襲の職を新田神社《にいたじんじゃ》のこれらの小さな領地に寄郡自体のより大きな職を管理するほかに弁済使として管理したのであった。塔之原《とうのはら》の肥沃な平原は、本書が多くの文書を含める清色からさらに川を下ったところで、そこにも入来院の家族がのちに樹立し、強い武士の大前と伴の一族が重要な職を保有しつづけた。職は分割され、弱体化していたのではあるが、少なくとも一四世紀初めにまでは、権威に抵抗し、新渋谷地頭とその後継者の侵略を受けていた。

市比野の小さな領地の職保有者も同様にしたたかであった。これは主として名目的に高城にあった国分寺とその連合した神社、天満宮に属していた。これらの状況が明らかに示しているのは、薩摩における他の渋谷の首長と同じく、日本史の鎌倉時代（一一八六～一三三三）を通じてそうであった。彼らは知行として地域全体を保有し、すべての地方武士を管理するものではなかった。院の一部を構成した島津庄の寄郡の単なる地頭にすぎず、はるかに小さな地域を保有し、一握りのものを管理したにすぎない。一歩進めると、封建的首長としての地頭の本質的に過渡的性格は、まだ不完全な日本の封建制を示している。

封建制度は何世紀も経て私的にゆっくりと形成された。ついに一一八六年に、当時の最大の封建領主源頼朝が朝廷から国家の支配を分けもつことが認められた。命令を下す封建制度は未熟であり、その管理を越える非封建制度はまだ広範で力強かったので、守護と地頭の制度を改善することは、日本の政体を封建体制とする楔《くさび》であった。制度全体は社会的にも政治的にも、私的にも公的にも若かった。鎌倉時代の封建勢力は封建階級自身の家族、財産、個人的関係など私的権利と制度に対して行使したのと違って、中央地方政府の軍事力と財政力に対して大きな力を行使したのではない。封建主義の公的私的側面は並行して成長する過程にあった。注意深く制度をみずからの利益に合わせて調整し、国家に対するみずからの意思をより完全に主張しようとしていた。最後の勝利は、これから見るように、一四世紀前半に起こり二世紀以上にわたってますます激しくなった内戦が終わってからやってきた。炎と刀の長い訓練を経て初めて封建制は成熟し、他の要素に代替して日本の政治を支配したのであった。

40　入来院が島津に屈伏するまでの六〇年戦争（一三三三〜九七）

この時期の終わりと入来院が島津の大名（一三三三〜九七）に屈伏する間には六〇年にわたる活発な戦争があり、これは日本の他の地域でも行われたように、全九州を巻き込んだ。この混乱した武力衝突を通じて歴史的島津庄は、ついに統一した領地となり、次の時代に占領することになる封建領主にとって注目すべきものとなった。先代の領地《りょうち》を分割し、職《しき》を子供たちに分割する習慣から、次第に長《ちょう》子相続《しそうぞく》の要素が発展した。そして土地の権利と利益をまとめたものから、大名による統一的な管理が起こり、家臣《かしん》に知行《ちぎょう》を与える位階制的組織が生まれた。入来院がこの地区の大きな部分に対して管理を固めたのはまさにこの時期であった。そして他の渋谷家との土地の交換を通じて、さらに島津家から祁答院《けとういん》南部東と山田西部の土地を与えられて管理を固めたのであった。

41　島津の三回にわたる清色攻撃（一三九五〜九七）**で、入来院が屈伏**

入来院と島津の歴史的ライバル関係は一四世紀末には決定的な論点となっていた。一七年間の対峙ののち、『高城郷由来記《たきごうゆらいき》』によれば、異なる田畑で守護が指揮して一三九五年から九七年にかけて三回にわたって清色を攻撃した。このとき七代入来院重頼《しげより》は、ついに降伏し自らは逃れた。彼の世襲領地は征服者のものとなり、他人に与えられた。しかしながら南九州における島津の立場はあまりにも不確かであり、入来院の歴史的威厳は大きかったので、島津が薩摩の他の知行と同じように入来院を得たことは正当とはみなされなかった。入来院領主は清色に戻り、一四〇六年には歴史的家族を再興している。名目的には島津家臣だが、実際には島津側は重頼《しげより》とその子孫が守護島津一族の不和を利用して、西部へ拡張し、再復活することを恐れていた。

42　入来院が不在領地（相模、上野、美作、伊勢、九州北部）**を失う**

封建日本全体を巻き込む内乱は、時とともに深まり広がった。普遍的動乱の時代にあって、入来院は日本の他地域に保有していた領地を、鎌倉時代にすべて失ったが、そこには九州北部の領地も含まれていた。全国どこでも不在領主所有の分散領地は、地方大名の知行のなかに吸収された。しかし入来院の場合、これらの損失は薩摩で新たに得た領地によって補償された。

43　一五三九年山田と郡山を征服し、入来院領地は倍増——政治力のピーク

島津はさまざまの方角の敵との相次ぐ闘争に巻き込まれ、入来院に対しては、暗黙の同意か、容認を表明していた。そこで入来院領主は、一五三九年までの数年にかけて、山田で大きな征服を行い、山田山から西海岸まで延びる近接領土五〇平方マイル以上を併合した。これに郡山から南東までを一時的に与えられ、近年に獲得した領地は、これまでの領地の二倍以上に増えて、その政治力はピークに達した。これらの無政府的「暗黒時代」において日本封建制は、私的にも公的にも、社会的にも政治的にも最後の段階に到達したが、その過程は『入来文書』ではっきり跡づけることができる。渋谷と島津が地頭としての歩みを始めた庄とその領主権は、急速に断片に分散された。職《しき》の古い特徴と、領主と国司の分業管理は忘れられ、家臣を基礎とした新しい関係にとって代わられた。

44　本領と新恩の区別

「元来の」領地と「贈与された」領地との区別は維持されていた。すべての領地は知行となり、上は領主に保有され、下は家臣に分けられた。守護《しゅご》、地頭《じとう》、名主《なぬし》は、御家人《ごけにん》とともに、空虚な用語となり、かつての複雑な意味を失い、国の新組織と置き換えられた。民間の宗教的領主はほとんど消滅し、将軍の権威はほとんど忘れられ、古い守護は大領主となり、他の領主をしたがえ、武士は位階制的封

建関係のもとで家臣と家来と段階的な知行を保有した。大名制全体は京都室町の足利将軍の影の忠誠のおかげで自律的な単位であった。大名の家臣は忠誠状を書き、知行と贈与を受け取った。まったく同じ原則によって家族内も入来院領主間も律せられた。

45　自由相続から長子相続へ

相続はいまや長子相続となった。領主は一族の首長としてのまとまった権力を主張し、成員の保有物に制裁を加え、一族の若者が元服すると命名の権利をもち、奉仕に対しては一部の知行を与えたが、それは大名から自分がもらう知行と同じ関係の縮図であった。「恩賞としての知行」は原則として「不安定な贈与」であったが、実際には「世襲ができ知行として与えることも可能」であった。これまでの議論からして領主としての一七代入来院重通と大名としての一六代島津義久はほとんど同時に成熟した。重嗣《しげつぐ》とその親・一二代重朝は自主権をもつ支配者として薩摩中央で頂点に登ったが、義《よし》久《ひさ》はもはや入来院側の「名目的な忠誠」に不満を示した。一三九七年以来、島津・入来院双方の立場は独立し、相対的にも大きく変化していたが、このとき初めて入来院は島津に屈伏した。双方ともにいまや限りなく強化されていたが、大名島津の領主入来院に対する影響力は、一七五年前と比べて圧倒的なものになっていた（一五七〇年には重嗣《しげつぐ》とその親戚東郷一六代重尚《しげなお》は、獲得したばかりの大部分の領地をあきらめざるを得なかったのだが）。しかし島津義久の立場からすると、入来院領主の権力は十分に削減されてはおらず、無害といえるものではなかった。島津一六代義久《よしひさ》は入来院一三代重嗣《しげつぐ》の後継者一四代重豊《しげとよ》とその家臣に懸念を提起していた。重豊は歴史的な入来院の外側に保有するすべての領地を自発的に差し出して、大名島津に受け入れてほしいと示唆している。島津大名の穏やかだが厳しい外交のもとで、入来院家は栄光を奪われ、古い門の内側に押し込められた。将来起こるかもしれない財産のさらなる削減に対して、もはや抵抗する力はほとんど残されていなかった。

46　入来院は一五七四年に島津家臣になる、島津は秀吉支配を受入れる

大名島津が一三九六年に武力をもって達成しようとしたものは、一五七四年には「時代の波」によって達成された。ついに入来院は真の島津家臣となった。以後入来院領主は、戦時も平和時も大名島津に奉仕し、いつわりのない忠誠心を示した。家運を傾けるもう一つの決定的な段階は、島津が秀吉の支配を受入れ、一五九五年に「手中の領地を返却されたとき」であった。ここで受け取った広大な領地は課税能力を徹底的に調査された。それは島津が「家臣に対して知行として与える」うえで、最良の機会となった。渋谷氏の世襲領地でさえも取り上げるほどに強くなった大名島津は、これを自由に扱うとともに、いまや入来院を含むより強い家にまで手を伸ばし打倒し、あるいはよそに移しかえるようになった。

47　重高の清色帰還と誇らしい清貧

入来院一五代重時《しげとき》は川内上流の大隅湯之尾《おおすみゆのお》に移されたが、一六代重高《しげたか》は幸運にも前の領地を回復できた。しかし重高の一六一三年の清色帰還は、口実を設けて次から次へと知行を削減される状況からの脱出を意味した。入来院は島津家との間で、結婚と養子縁組の絆によって結ばれ威厳を回復し、不

満の声はしばし沈黙した。入来・清色の側は「誇らしい清貧」に甘んじたが、日本の封建体制は一八六八年に突然終焉を迎えた。入来院領主もその家臣もこの国のすべての武士階級と同じように、世襲の土地を失い、生きるための道を求めて世界に漂流することになった。新時代は入来の若干の息子たちを外の世界で積極的な人生を送るようよびかけたが、他の多くの者は、代々の領主が六〇〇年以上も守ってきた川と岡のループに囲まれた古い共同体にとどまった。今日清色古城は、その跡地のみが記憶され、周辺には学校と村役場が建っている。かつて独特の魅力で周辺の村人をひきつけた多くの寺院は、一八七一年にすべて破壊された。というのは薩摩藩にとって、みずからの努力と犠牲によって切り拓かれた新時代は、すべてのライバルを倒し、旧時代が残したものは邪魔扱いし、永遠に過去のものとしたかったからだ。入来にいまも残るわずかの神社は淋しい姿で建っている。入来院と共同体の他の家族の現世代は、子供のころに両親から聞かされた話によってのみ、封建体制の最後の日々を知っている。とはいえ、入来という土地は、依然として「際立った過去の匂い」を残している。時代を通じて自然の恵をたえず与えてくれた清色の流れは、国をとりまく田園生活全体と同じように変わっていない。伝説と記憶および青々としげる植物によって覆われた丘と平原は、現代の性急な開発によって汚染されてはいない。入来村は街路と家々の様相を失っていない。麓《ふもと》は徳川時代のものを残している。道の両側には低い胸壁《パラペット》の上に生垣か簡単な垣根を付した家が並ぶ。そこには古い武士の藁葺き平屋がある。どの家も開かれているが、前向きにではなく、道と並行に開かれ、そこから出入りする。防衛のためであることは疑いない。垣根の横から入る二つの門には、第二の出口の前に、直角に垣根がある。訪問者にとってもっと魅力的なのは、武士の子孫達の簡明だが洗練された方言と、簡潔だが礼儀正しく威厳をもった理想的な作法である。これらは無意識かつ生来の、人々の生活にしみこんだ、長い時代の文化を示す象徴である。それらは朝河にとって、入来との短い接触のあと、絶対に忘れがたい印象を残したのであった。

48　朝河の入来訪問一九一九年

朝河は一九一九年六月に入来を訪問したときに、『薩藩旧記』に収められた手稿一〇一巻に含まれる『入来院文書』を含む三つの国の文書をすでに研究していた。そこで朝河が発見したのは、家族が所有する二五〇余の原文書が素晴らしい状態で、すなわち注意深く一六巻と一つの紙挟みに収められていた姿であった。これらの文書のうち多くは「言及されるのみで書き直されたことはなく」、それゆえ朝河にとって目新しいものであった。家族はまた『清色亀鑑《きよしききかん》』と題した「手稿一二巻」も所有しており、そのなかには朝河が見たかぎり、最も正確に参照される原典拠が書かれていた。参照される原資料はすべて原資料が失われたものを除いて、四〇五頁あり、すべては入来院家と入来院の領地にかかわるものであった。これは日本に存在する家族文書のなかで「最大のものではない」が、いくつかのまれにみる条件があった。それは①資料の多様性、②文書から跡づけできる制度的発展の代表性、③文書がカバーする時間的長さ、である。これらの条件に着目したのが朝河の慧眼であった。文書は「比較的限られた領域のもの」である。朝河の経験によれば、研究者をいつも「見知らぬ場所に連れて行く」文書（膨大な島津文書群に対する皮肉であろう）を通じて「制度の発展」を分析するのはむずかしい。与えられた資料が「単一の領主家系」であり、「小さな領域」のほうが調査はより容易である。これらの条件からみて入来文書は理想的であった。加えて入来文書に体現された制度的事実は、朝河によれば「言葉の真の意味で日本封建制度史全体を支配したもの」として「典型的かつ代表的なもの」であった。朝河は日本の「封建制発展の真実」を世界にもたらす「願望の文書を発見した」と書いている。

49　朝河は二五三文書を選び、一五五までの通し番号を付した

大量の資料のなかから、「ほかでは得られない資料」として朝河は二五三文書を選んだ。それらを英訳し、注釈を付し、一五五までの通し番号を付した。内容リストを一瞥すれば、誰しも文書の書かれた時期、書き手、形式、性質が広範囲であることに気づく。一部は性質からして私的なものであり、他は公的なものである。「半ば私的、半ば公的なもの」もある。私的なもののなかには、販売、贈与、降伏、和解、真の職《しき》にかかわるもの、私信、遺贈、証言の行為が見られる。半公的・半私的な文書には、個人や機関の領主とその代理人に対する陳情が含まれる。公的文書、あるいは公法にかかわる文書には勅令、朝廷の部局の命令、皇子の命令、国の郡司のもの、将軍の幕府から出された命令、任命、判決、確認が含まれる。私的であれ公的であれ、封建制度に直接かかわるものとしては、誰かへの寄進、領主と家臣の誓約、家臣の保有物の認可のような家臣にかかわる文書、将軍・大名・領主・家族の首長から出された領地あるいは知行に関する書信、徳川将軍下の大名組織の記録、贈与の差出し、人質を要求する文書などである。出陣の呼び出し、到着報告、戦時の論功の報告、称讃し褒美を約束した手紙、兵士動員割当ての記録などを含めて、ほとんどが戦時における文書である。このほか

に、土地保有、土地調査、課税にかかわる大量の文書がある。

50 漢文で書かれたもの、かなで書かれたもの

より公的な文書は封建時代に用いられた特有の中国語で書かれている。用いられた漢字はまったくの中国流表意文字であるが、それを選択し結びつけて句をつくるやり方は独特であり、構文は訛った文法にしたがうので、教養のある中国人にとって読めない文書が多いであろう。全体あるいは大部分が「かな」と呼ばれるもので綴られたものもある。これらの一部は、文体は口語に近く、方言あるいは誤読、あるいは筆者の無知のゆえに誤りを含みがちである。そのうえカナで書かれた初期の文書は判読がむずかしい。一部は濁点半濁点などが付されていないためだが、概して同音の中国語に由来する語彙のためである。音声としてかかれるときには違いがきえてしまう。中国語であれ、カナであれ、古文書学と制度史をともに学んだ研究者だけが完全に解読できる。ほとんど非識字者によって書かれた漢字と句を含む文は、正書法における気まぐれのごとくだ。発音における地方的歴史的気まぐれは広範な比較と推論をまつことなしには完全に理解できない。原本の研究者は次の時代に繰り返された用語によって迷わされるのではなく、しだいに意味が変化することにいつも注意しなければならない。ここで数え上げたむずかしさは文書を原文で読む場合のものであり、翻訳においては必ずしも気づかない。

朝河は二つの言語の間に大きな差異のある場合は、さまざまな筆者によって無視されている文化の程度における際立った差異とともに、原文のニュアンスを保持しようと努めた。翻訳に見出される荒

っぽい箇所は、朝河の英語の欠点というよりは、原文に可能なかぎり近づけようとした結果である。朝河は力量の及ぶかぎり、正確に慎重に制度的意味の核心をとらえようと努力を払った。この本質における成功の程度は、東西の比較制度史に対する翻訳者自身の知識に主として依存している。朝河がみずからの欠点を非常に強く感じていることを記録したいのは、まさにここである。

51　英訳について

①仏教の寺《てら》を temple と訳し、神道の社《じんじゃ》あるいは宮を shrine と訳す、通常の翻訳は、賢明とは思えない。寺は church あるいは monastery である。temple よりは状況に応じて church あるいは monastery がふさわしい。ところで神道の shrine は temple に似ている。これらの理由から編者は「寺・院」を church あるいは monastery と訳し、「社・宮」を temple とあえて訳した。②徳川時代の藩をクラン（clan）と訳すのは容認しがたい。藩は封建領主、あるいは大名の領地であり、それゆえ本質的に領地の性質をもつ。時には国と共存して帝国の行政区画になっている。人的な側面についてみるとすべての封建社会において世襲と固定した身分を意味したことは確かだが、封建社会の社会組織の基礎以上のものではない。藩は実質においてはすでに社会発展の純封建時代を越えているのであり、武士階級は家臣としての絆で領主に従属している。その大部分は統治機構であり、経済組織であり、藩の人口はもはやポスト封建であり、実際に社会生活の氏族の段階から一〇〇〇年も経ているのだ。英語の書き手の間で clan の使用が共通しているが、日本でも外国でも、誤解しやすい用語は藩と同格の語を選ぶべきである。われわれは原語を用いるか、あるいは知行あるいは大名制と訳した。③日本語原文

をそのまま用いるのがよいと考えられるいくつかの技術的用語がある。あまりにも簡潔で頻繁に用いられ、その意味を学ぶことは容易ではない場合か、あるいは独特の制度的性格が正確な英語にしにくいものである。なによりもまず庄《しょう》と職《しき》がある。大きな意味をもつものとしては田と畑がある。同様に、領域の単位としては「国、郡、院、郷、村」があり、役所と地位では、「守護、地頭、名主」などがある。説明は適当な箇所で行った。④重さと長さの単位も英訳されていない。土地面積の単位は「町、反、歩、代、丈」である。十進法の乾糧は「石、斗、升、合」などがある。貨幣単位は「銅貨の貫、文と銀貨の両、匁」がある。

さてここで、本来であれば「入来」という地名で始まり「大政奉還」で終わる文書、朝河が精選し封建制度が形成される過程を明示する資料となった入来文書を精読したい処だが、一般読者には余りにも煩雑となり、かえって本題を見失わせる懸念のあることと、本書の紙幅の制限から割愛する。関心のある方は拙訳『入来文書』(柏書房、二〇〇五年)を参照されたい。

第五章

朝河の職 shiki を誤読した米国ジャパノロジー

第一節

朝河貫一史学に対するジェフリー・マスの批判

ジェフリー・マスが反面教師としてその克服を狙った朝河史学に対するマスの批判を見ておきたい。マスの伝統的史観に対する不満は、直接的にはイェール大学院のメンターであったジョン・ホールに向けられる。というのは、ホールが祖述してマスの批判を受けた論点は、まさに朝河の主張であったからだ。「ホールの学業」（The Scholarship of John Whitney Hall）の節で、マスはホールの欠点が朝河に由来するものと認識しつつ、「ホールはエリートが頂上を独占して調整する土地保有の階層性である〝職制度の役割〟を強調した。繰り返すが、朝河はここで〝橋を架けるよりは障害物を設けた〟のだ。朝河はこの主題について論述したが、二つの決定的な点で間違えた」*。

* In explaining this extraordinary survival, Hall properly emphasizes the shiki system, that modulated hierarchy of landed titles with its summit monopolized by the elite. Yet it would not be unfair to suggest that Hall did not take advantage of all the implications here. Once again, Asakawa provided more of a barrier than a bridge. Never far from the shiki system in his writings, Asakawa had provided chapter and verse on this subject. Yet on two absolutely crucial points hid been wrong.

「第一に彼は、職が社会階層を決定づけること、すなわち土地の所有者、管理者、耕作者が〝相手側の職を保有できない〟ことを見失った。そして第二に、職は〝無限に分割できる〟という観念を定式化した。これはあまりにも魅力的な観念なので、ホール教授も含めて誰もがそれを繰り返した[*1]」。二マスの朝河批判は続く。「朝河は平安時代を通じて武士が庄を集め始め、上位の貴族に敵対した。二つのグループが同じ土地を求めたことが時代の階級衝突の源泉であったかのような印象を残した」、「だがキリーが書いたように、〝異なる階級は異なるレベルの職を求めた〟のであり、利害の衝突よりはむしろ大きな融合を意味する。庄の土地は中央政府が所有しており、〝武士は土地を所有できなかった〟。土地所有のできなかったことがより重要だ。〝武士は職の限界を越えることができず〟、権力をもつに至らなかったのだ[*2]」。

＊1　First, he failed to see that shiki were also definers of social levels-----in other words, that proprietors, managers, and cultivators could not possess each other's titles. And, second, he formulated an idea that shiki were "infinitely divisible"— a notion so seductive that it was repeated by everyone, Hall included.

＊2　What was wrong with these two constructions? Most signify, Asakawa (followed by Sansom, Reischauer, hall, and others) left the impression that, over the course of the Heian period, warriors started to accumulate shoen, which set them against their courtier superiors. Here was the source of the era's inherent class conflict — two groups that came to desire the same thing. Yet as postulated by Kiley, the separate classes aspired to different shiki levels, which meant a greater melding as opposed to conflict of interests. Or, as I have put it, since all shoen were centrally owned, what warriors could not do was more important than what they could do. Unable to escape the constrains of the shiki system, warriors failed to seize power prematurely.25 Warrior

Government, chap.2 1974.

これは朝河史学に対するとてつもない誤解が見られる。その一部は、多分英語世界で朝河を引用したサンソム、ライシャワー、そしてホールらの誤解であろうが、マスは朝河を直接読んでいるはずだから、ここではマスの誤解を扱うことにする。

論点は①職の分割性と②職の階級間流動性である。①職の分割性を語る場合に、これを「土地の分割性」と「土地から生まれる生産物（上分）の分割性」とに着目しなければならない。領主階級と地頭階級とが争い、両者間で「下地中分」したのは、下地すなわち耕地自体を中分したものだ。では下地に対する上分（年貢、公事などの得分物）はどうか。日本の場合、水稲耕作が中心であり、米は何表や何石と体積・重量で量られる。この場合、無限の分割が可能である。土地の場合は、町・反・畝までが通常の測り方だが、『入来文書』には、畝の下の「勺」（〇・〇九㎡）までが計量単位として使われている（9号文書の注1。矢吹訳、九八頁）。②一二世紀の十分に成熟した庄では、三つの職が成立していた。すなわち従来の領主職に象徴される一土地保有職に対して、その土地保有から分化して二管理人職（たとえば庄職）が生まれ、さらに下部からは、耕作に従事する農民のもつ三耕作者職（作職、作人職）が生まれ、さらには豪農から私的な武士が成長し地頭職を得た。

いま指摘した①と②とが朝河の説いたものだ。要するに朝河は一土地の分割と二上分《じょうぶん》（すなわち米俵あるいは石高）の分割、両者を説いており、特に重要なのは、土地自体から切り離された②の分割であり、これは無限に分割可能だ。この意味での分割性は同時に現代経済の株式にも似て、分割とともに集積も可能である。ここで「分割の過程」を経て、武士階級が生まれ、武士階級が分割された「米を集積して地頭に成長した」事実を把握するうえでの概念装置として、朝河は職システムを提起した。要するに、朝河は職というシステムの発生により、農民や武士がそれぞれの階級的基盤を把握できるようになった事実を「職システム」で説いたわけだ。これは必ずしも複雑な論理ではないが、朝河は誤読され、職システムは解体されてシステムの構成要素であるかのごとく誤解された。すなわち、一方では土地の無限分割性に矮小化され、他方では、諸階級間の流動性のレベルまで拡大解釈され、武士や農民が庄職を買収して領主職を獲得できるといった誤解が行われた。このような誤解に基づく朝河批判は、妥当ではない。

マスは朝河を追悼してホールとともに共編した『中世日本』（一九七四）第7章下地中分論の1節で、地頭側が京都の領主権力を一歩一歩簒奪していく過程を要旨次のように書いている。

領主と地頭間の権力の分担の節（同書 *The Division of Authority between Central Owners and Jito* の節）でマスは、租税の配分、役人の任命権、逃亡者や犯罪者から没収した利権、米以外の農産物の徴収物の分け方を論じている。徴税官は年貢の一部を手元に残した。しかし、地頭に関わる次の例が示すように、対領主の力関係が作用して均分へ傾いた。年貢は長らく、京都の庄所有者の特権であった。一三世紀半ばに安芸国小早川領では、本領三分の二対新領三分の一、あるいは本領五分の三対新領五分の二に分けた（安田元久『守護と地頭』）。土地調査の結果は、地頭対領主間で生産物をどう分けたかを明確に示している。課税地の大部分では地頭対領主間の配分率とそれぞれの取り分が明記されている（安芸、小早川家文書）。庄の役人層については、地頭が合法的に公文や総追捕使を任命できた（たとえば関東下知状一二二七年七月七日付）。一一九三年薩摩国では地頭と預り所間で、庄役人の任命権と解任権が争われている。この争いでは、下司と名主ポスト一つが預り所のものとされ、他の三つの名主ポストおよび神主、公文、田所ポストは、地頭のものとされた（関東下知状一二九三年一月一三日）。領主と地頭の配分比率は、領主三分の一対地頭三分の二、あるいは両者で五分五分とされた。朝河の『中世土地と社会』には牛原庄に対する関東下知状一二四三年七月一九日付が紹介されている（報恩院文書）。山川叢沢の産物の標準的な配分は五分五分であった（関東下知状一二八七年一一月二七日）。これらの例示から、地頭対預り所の対抗関係が分かる。地頭は軍事力を背景に幕府権力に依拠して年貢をとり、他方は中央京都によって認められてきた保有権を建前として、地頭の取り分以外のものを徴集した。

一三世紀半ばには「和与」という名の妥協策が行われ、「坪分け中分」という形で庄の生産物を分け、最後には「下地中分」という形で、土地自体を分ける形態に発展した。これらはすべて明らかに地頭という新勢力が拡張し、中央の庄所有者の側が退却あるいは譲歩した姿を示している。京都側の所有・保有権はいまや受け身で防衛する立場に陥った――。

マスはここで、新興の地頭側がまず年貢米の一部について、管理権を口実として獲得し（「坪分け中分」等）、やがては耕地自体を切り分ける（「下地中分」）ことによって地頭の取り分を確かなものとした過程を見事に描いている。これこそが朝河の説いた「地頭職」の形成過程にほかならない。地頭職は立ち入って細部を見ると、庄下司や名主などの「管理人職」および農民の獲得した「耕作者職」に分けられる。朝河が『入来文書』序章で「職は自由に分割され、譲渡された。そして数と流通量を着実に増やした。その一部が私的な武士の手に入ったとき、封建的な発展が可能となった。これが庄と職に対する最も簡潔な発明であり、中世日本の制度史の縦糸と横糸である」*と書いたのは、このことだ。この一句を文脈から切り離して解釈し、「職の無限分割性」や無制限の「階級間流通」などと解して、さらには、領主職と地頭職との「入れ換え可能性」を意味する等々は、ほとんど曲解というほかない。朝河の序論は部厚い『入来文書』の導入にすぎない。朝河が職をどのように詳論したかは、本文を読むことによって理解しなければなるまい。

＊ Shiki were freely divided and transferred, and tended steadily to increase in number and in circulation. When some of them eventually passed into the hands of the private warrior — another independent and partly illegal product of the age — eudal developments became at length possible. Such is the briefest possible outline of the sho and the shiki, the veritable warp and woof of the institutional fabric of medieval Japan. The Documents of Iriki, p.3.

第二節 ジェフリー・マスの頼朝・鎌倉幕府研究の到達点

ジェフリー・マスの頼朝・幕府研究の到達点は、スタンフォード大学出版会から出された『頼朝と最初の幕府の創設——日本における二重政体の起源』（以下『頼朝一九九九』と略す）＊において展開されている。四部構成から成る。

＊ *Yoritomo and the First Bakufu: The Origins of Dual Government in Japan*, Stanford Univ. Press, 1999.

第1部一一八〇年以前の日本（1平氏事件 The Taira Moment　2消えた頼朝 The Missing Minamoto）、第2部源平合戦（3東国が動く The East on the Move　4守護と地頭のイメージ Shugo and Jito Imagined）、第3部二重政体（5朝廷・鎌倉・守護・地頭 The Four Corners　6陽の当たる場所 A Place in the Sun）、第4部警察と管理者（7全国の守護 A Shugo in Every Province　8地頭の紀律無視 The Indiscipline of Jito）。序文で曰く、二五年前に本書の初版が出たとき、西側では一六〇〇年以前の日本史がほとんど知られていなかった。一九七〇年代初期から博士課程修了者による仕事が現れた。複数の著者による『中世日本』（*Medieval Japan: Essays in Institutional History*, 1974）がそれであり、新書のなかには私の『日本中世初期における武家政権』（*Warrior Government in Early Medieval Japan: A Study of the Kamakura Bakufu, Shugo, and Jito*, 1974、以下武家政権、と略す）も含まれる。本書『頼朝』はこれを全面的に書き直したものだ。

私の目的は第一に日本の当代の歴史家による研究（マスの指す「日本の当代の歴史家」のなかに、*The Documents of Iriki* を読んだ者は皆無である。しかしながら、マスはこの事実を知らないように見える）を踏まえて執筆すること、第二に、日本の最良の歴史家たちの仕事に私の旧作を改善して並べること、第三に、米国での一六〇〇年以前の研究の潮流に貢献すること、であった。一九七四年の旧作では鎌倉幕府を日本発の「武家政権 warrior government」として、鎌倉時代を「中世初期 early medieval period」と規定した。当時はこれら二つのキーワードは、異論を呼ぶものではなかったが、今日では再考の余地がある。頼朝の幕府が地方エリートの体制ではなかったとか、武家政権ではなかったと主張するのではないが、それがどのように理解されて、どのように機能したかという角度から見ると、軍事的役割を過度に説明したように見える the military emphasis now seems to explain very little。いいかえれば、今回は軍事力の代わりに、調停や説得、手続きを強調している。鎌倉幕府は判決の記録や工夫された裁判手続き、最終判決から驚くほど強圧的ではなかったことが読み取れるのだ。ある意味では鎌倉時代は暴力に対して「ことばによる戦争 a war of words」を行ったとも言える。鎌倉時代の司法のあり方を調べたのち、私は「武家政権 warrior government」と呼ぶことに違和感を抱き、それが古代の秩序、旧政体を守っている側面を強調する必要を感じた。こうして鎌倉の目標は政権の軍事化とは反対であり、地頭の事務所でさえも、その本質は軍事的なものではなかった。新書の核心は源平合戦とその帰結、頼朝時代（一一四七〜九九）とは、独特の朝廷と幕府の二重政体だとするものである。

有名な頼朝像は、米倉迪夫「源頼朝像——沈黙の肖像画」によれば、頼朝ではなく、その一五〇年後の足利直義のものだ。本書は内容とその強調点において旧著とは異なる。特に頼朝が一一八〇年代に達成したものは、その制約条件と障害に妨げられた、控え目な成果にすぎなかった。別な角度から見ると、頼朝は偉大な人物であったために、やろうとすればできるにも拘らず、何もかもやろうとはしなかったのだ。ちなみに前著を書いた一九七二年には『鎌倉遺文』は刊行され始めたばかりの時期であった。いまや五〇巻が読者に開かれている。当時は日本語史料の誤読や参照頁や人名の誤記もあった。謝辞では、特にイェール大学院の John Whitney Hall（一九九七年死去）、日本では、瀬野精一郎教授（当時は東大史料編纂所、のち早稲田大学）が特記されている。

庄内部の生産物の分け前に関わる概念は、歴史家が職制度（shiki system）と呼ぶ新語によって表わされるようになった。この主題を西側の読者に示したのは朝河であり、朝河の論集『庄園研究』

（*Land and Society in Medieval Japan* 矢吹晋訳、柏書房、二〇一五年）に収められている。職とは基本的に、社会的に異なる階層の人々に属する「所有物」（belonging）であり、それが諸階級を効果的に切り離していた。このようにして、貴族と僧侶たちは、それを願望する中間階層を排除して、所有権を独占してきた――。ここでマスは正当にも米国における日本中世史研究が朝河に始まることを的確に記している。

「初期の歴史家たち」の見解とは異なって、農村では武士たちが単に占領できるような権力の空白は存在しなかった。いわんや封建制度《フューダリズム》が現れて京都の没落の予兆となるといったものではなかった――。マスの注記9によれば、彼はここで朝河、ライシャワー、サンソムを想定している。そして一九七〇年代以降に出版された著作はすべてこれに対して批判的であり、その嚆矢は多分、マスの『武家政権』だとしている。ここには朝河史学に学びつつ、その限界に挑もうとするマスの問題意識がほの見えている。

皇室と平氏との同盟は、二人の主役の死後も続いた。鳥羽上皇（一一〇三～五六）と平忠盛（一〇九六～一一五三）は協力関係を新たなレベルに引き上げることに成功した。忠盛は父清盛のように、中部と西国九カ国の国司となった。その上、忠盛は、庄内部においても活発に活動した。彼は一一三二年に越前牛原庄に関与し、翌年は九州の神崎庄の管理人を引き受けた。両者ともに典型的な皇室の領地であった――。ここでマスは牛原庄が白河上皇によって一〇九〇年に設けられ、忠盛が一一三二年に越前国司としてこれを保護したことを醍醐時期雑事記の官宣旨（一一三二年九月二三日付）に基づいて解説し、その訳として朝河の *Land and Society in Medieval Japan*, P.42-46 を挙げている。

平家貞と平盛俊は、九州の諸国で活動した。家貞は清盛の父の時代から活躍し、九州全体の主な代理人となった。家貞の息子もこれを引き継いだ。盛俊は九州の北部と南部で活動し、一一八〇年以降に中央に現れた――。マスは九州の活動について、『入来文書』九五頁を挙げているが、ここでは朝河の訳した前越中守平盛俊の花押のある文書4号の背景解説が参照されている。

頼朝はこうして朝廷の代理人としてのみ発行できる種類の命令に自分の名を書いただけではなく、諸国の土地と租税制度に対する特権も主張した。当時は誰も十分に認めることはなかったが、その後繰り返される先触れとなった。後知恵からすると、強奪のように単純だが、委任されざる権威の実行が一一八〇年の革命であった――。ここでマスは、朝河の英語文献における最初の論文「源頼朝による幕府の創設」（一九三三、二六九頁）で、朝河はより秩序だった扱いの前に、初期の不法な事柄の存在したことを強調している。朝河のこの指摘は、よく取り上げられるが、頼朝が企てていたことが異常に新しいものであったことに対する評価は十分とは言い難い、とマスは注記10でコメントした。

源平合戦の初期に京都における平氏の守りは堅いと見られたが、怒りの潮流が大きくなった。平氏の将は中部と北陸道へ繰り返し派兵したが、軍事的成功を得ることは少なかった。そのうえ、これらの地域からの税と地子とは減少しつつあり、越前では納税が停止したとさえいわれた。この描写をマスは、朝河の『庄園研究』11節から引いた『醍醐雑事記』（一一八二年一二月一四日付）に基づいて記述している――マス注33は『醍醐雑事記』で、朝河『庄園研究』和文11を参照している。ここで参照されているのは、牛原庄からの年貢が東国における混乱のために醍醐寺に届かなかった事実である。

地頭という語彙が初めて職と結びつき、それから平氏によってどのように職が用いられたかについては、二つの論争点がある。論争の要点は、庄であれ公領であれ、地頭を遡る系図の初代である。伝統的見解は庄から生まれたというものだが、初期の英語著作に基づいている。すなわち朝河、ホール、キリーからすると、鎌倉時代の庄における地頭の突出は明らかで、それを起源と想定することに疑う余地はなかった。マスはその根拠として朝河の『入来文書』三、九一、九八頁、およびホールのGovernment and Local Power, p.113、そしてKiley, "Property and Political Authority," p.198～200の記述を挙げている。

地頭職にかかわる最も早い引用は、朝河の『入来文書』2号史料（一一四七、二、九）、九一～九三頁に見られる。こうして地頭は平安期に深い源流をもつという見解は、単なる例外扱いされた。朝河は彼の指摘した地頭が記録に残るかぎり最も古いことを知らなかったので、実際よりも古い時期に地頭を想定していた。この点は上横手の『地頭源流考』一九頁に書かれている――。マスが言及した上横手論文は、職称としての地頭の最古の例は、まさに朝河の選んだ入来院文書所収の一一四九年「入来院弁済使別当伴信房解」であると指摘している。ちなみに入来院の祖渋谷光重が息子たちを薩摩に下向させたのは一二四八年であり、「弁済使別当伴信房解」に現れる地頭とは、鎌倉政権の派遣した地頭に先立ち、平氏によって設置された地頭であった。

一一四七年に島津庄における在庁官人であった伴信房が自らの所有権を求めたのに応えて、藤原の首長は二つの村レベルの地頭職を認めた。件の村は、租税と地子をもち、それぞれの国の庄における一部であるとみなされた――。マスは注41で、庄と公領の入り交じった土地（これは「一円の庄」に対して「寄郡」と呼ばれる）について、朝河が『入来文書』九二頁で記述していることに注意を喚起している。

この文脈で地頭に対する平氏の積極的な政策の具体的な証拠の欠如は、確かに現実を反映したものであろう。こうして吾妻鑑の想定によれば、前の地頭は平氏ではなかったのであった――マスは『入来文書』4号史料（島津庄別当伴信明、一一八三年八月八日付）を参照せよ、としている。

ここで巧みに表現された概念は、一一八五年半ばの成熟を示唆するものだが、これらは一一八五年全体の書類だけのことだ。その年における島津忠久の他の任命によれば、京都からも、いわんや鎌倉からも遠い薩摩の下司の地位は、所有者の命令にしたがうものであった――マスは朝河の『入来文書』一〇〇頁、6a文書の頼朝下し文一一八五年八月一七日付に基づいてこれを記述している。

義経が死去するはるか前、京都ではまだ解決の交渉を求めていたとき、頼朝はすでに五カ月間、軍事作戦を決定していた。作戦は実際には七月一九日に始まった。次に南九州は奥州から見て他のどこよりも遠かった。それゆえ喚問は真に全国規模の作戦を象徴するものであった。さらに、召集する対象は、もと源系というよりは、巨大な島津庄における諸官全体であった――マスはここで島津庄には、薩摩、日向、大隅が含まれ、広い領域であることに触れつつ、朝河の『入来文書』九八～一〇三頁の解説から理解するのがよいとしている。

鎌倉家臣のネットワークの形成と通常見なされているのは、一一九二～九九年である（田中「鎌倉―若狭」一七〇頁）。若狭と薩摩のリストは、長らく歴史家を悩ませてきた内容を含むが、この分野で最も明解な史料だ。若狭リストには三四名の御家人が掲げられ、これまでは若狭国の御家人名簿と見られてきた。たとえすべてが史料に書かれた通りではないとしても。一一九六年六月の日付で書かれ、源平両家の若狭におけるリストであり、同国の指導的人物のリストにほかならない（『東寺百合文書』若狭国注進状案一一九六年六月、『鎌倉遺文』854号文書）。頼朝にしてみれば、この中から誰を永遠の御家人に選ぶかという問題が残ることになる。というのは、第一にこの文書には「御家人」という用語は用いられていない。第二に最も有名な人物は三カ月後に追放されている。薩摩のリストは一一九七年以降のものだが、実際には三個のリストがあるが、その訳は朝河の『入来文書』で訳されている（『入来文書』一〇四〜〇七頁）。第一のリストは、薩摩、日向、大隅国の御家人全体のものである。朝河はここで日向、大隅を削除して、薩摩だけを挙げている（マス注記78）。薩摩の部には三一名が含まれるが、朝河の解説によれば、これは「五〇〇年後」に編集された記録である。第二に、一一九七年以降に、薩摩国の土地台帳から列挙されたものには七〇名が書かれている。第三に、同じ一一九七年に京都の宮廷警護勤務表には二四名が含まれる。これは朝河の『入来文書』一一一〜一六頁に訳されている。大番役の名で知られる宮廷の警護役にはすべての御家人が在職者リストに加えられ、誕生しつつあった守護役にとってカギになるものだ――マスはこの問題を第7章で論じている。

しかしながら、不幸にしてここでは元来の動機が説明されておらず、事態が明らかになっていない。たとえば一一八五年に九州にいた千葉常胤は島津庄入来院の地頭に任命されており、後年には総地頭に昇格している。われわれが想起するように、惟宗忠久はこの時期を通じて島津の「総地頭」であり、少なくとも書面上は「三段階の地頭」、すなわち①入来院地頭、②入来院総地頭、③島津総地頭が存在した。常胤のポストは、その死まで続いたように思われる。島津庄への常胤の関与は一一八六年に郡司となったことに始まる（『鎌倉遺文』150号文書）。総地頭ポストは一二五〇年の文書に記されており、これは『入来文書』一三二～一三三頁で朝河が訳している。なお常胤は一二〇一年に死去した。

一一九七年に日向、薩摩、大隅で行われた調査によると、元来の本地頭を含めて数十名の地頭は、ほとんどが一一八〇年以前は地頭の肩書を持たなかった。地元の者が地頭になったものだ（朝河の『入来文書』一〇四～一一六頁を見よ）。

こうして日向、薩摩、大隅の調査によると、「没収庄の地頭」は本地頭との対比で「没官《もっかん》」という用語で呼ばれた（朝河の『入来文書』一〇四～一一六頁）。これは平氏の滅亡により、没収された領地に派遣される源氏側の役人の意である。

いつものように頼朝は妥当な均衡点を求めて、役人のネットワークを実験していた。忠久への命令の発出三カ月後に、頼朝は忠久の派遣を命じたが、これは頼朝自身への警護の必要のためであった。これは『鎌倉遺文』九五四～五六号文書から分かるが、朝河は『入来文書』一〇七頁で、関連史料中、一つだけを訳している。

最も古くからの東国の在庁官人たちは地頭に任命されることはなく、源氏の核心を形成したことを意味している。その地元国で責任を担うことを求められていた千葉、三浦、大山のような豪族は、東国以外では御家人の概念と関わりがなかったように見える。一一八五年に九州の地頭に任命された六十八歳の千葉常胤は、数カ月地頭を務めただけであった。朝河は、彼が現地に赴任したのではなく、鎌倉在住であったと見ている――『入来文書』一一〇頁注47では、鎌倉に幕府の本拠を置くよう頼朝に進言したのは、千葉常胤であった。

新たに地頭の肩書を得た者たちは、最も混乱の生じている地方へ派遣された。「謀叛」の用語（大番催促および殺人と並び、大犯《だいぼん》三カ条の一つ）で知られる集団的暴力の状態下では、一貫した、法的な基礎をもつ任命といった観念とは相容れないものであった。謀叛は多義的に用いられる。朝河は『入来文書』九五頁で「武装した人々により、平和が脅かされること」と解説している――マスによれば、この用語は吾妻鑑で一〇〇箇所以上記述されている。

第三節　ジェフリー・マス流「のっぺら坊二重政体」論の欠陥

1　天皇と将軍の実力と権威について

朝河は一九三三年に発表した「源頼朝による鎌倉幕府の創設」を次の一句から書き起こしている。「日本全体の封建領主として、将軍が存在したことはよく知られている。将軍は、天皇の裁可の下で権力を行使した。あまり知られていないのは、両者の法的関係である。天皇は普通法＝ラント法（Landrecht）と封建法＝レーン法（Lehnrecht）双方の裁判官ではなく、普通法だけの裁判官であり、将軍が封建法のトップであった。日本の封建法は普通法から直接的に生まれたものではなく、その起源は庄園法＝ホーフ法（Hofrecht）から育ったものであり、すでにしっかり形成されていた。しかし庄園法＝ホーフ法自体は、旧普通法＝ラント法の適応による慣行から生まれ、そこから広く自由になったものだ」*。朝河はここで日本の封建法、たとえば御成敗式目（一二三二年）は庄園法＝ホーフ法から生まれたものであり、普通法＝ラント法から直接生まれたものではない事実を強調している。

＊ It is commonly known that there existed a supreme suzerain of all feudal Japan, popularly called shogun; and that this shogun was not the same person as the sovereign of the nation, tenno, but, on the contrary, wielded his powers under the sanction of the latter. What is less known is the juridical relation between the two. The tenno was not like the German emperor of the Middle Ages, the Richter of common law, Landrecht. Japanese Lehnrecht had not, however, been born directly of Landrecht, but had in its origin been nurtured by Hofrecht, the law of the private domains of land, which had already been well formed; but the Hofrecht itself, had been created by custom by an adaptation of the old Landrecht from which it had then largely freed itself. The Landrecht was the mother from whose womb the Hofrecht sprang, and the Lehnrecht was a grandchild nourished by the Hofrecht., "The Founding of the Shogunate by Minamoto-no-Yoritomo, "Land and Society, pp.269. 矢吹訳『朝河貫一比較封建制論集』柏書房、一八〇頁。

普通法から庄園法が生まれ、その庄園法から封建法が生まれたと系譜を説き、封建法から見ると、母は庄園法であり、普通法は祖母に当たると敷衍している。この普通法→庄園法→封建法という継承関係を冒頭に特記している。すなわち封建体制下においては、天皇は普通法のみの裁判官にとどまり、将軍が、天皇の裁可の下で、封建法のトップとして権力を行使した、と天皇対将軍の「法的関係」に注意を喚起している。ここで日本の封建法の母胎となった庄園法は、普通法を直接適用できない「不輸・不入特権をもつ庄園」において、普通法を「慣行により修正して適用する過程で生まれたもの」と認識されている。朝河によれば、ここから「天皇の地位」と「将軍の地位」に関わる特殊な法的関係が生まれる。すなわち将軍は「天皇の裁可の下で」「封建法のトップの地位に立つ」建前である。

しかしながら、普通法＝律令の適用される領域が封建法の適用される領域によって逐次駆逐される時点で、「天皇の裁可」という建前が「将軍の実力による強要」に転化する事態は見やすい道理であろう。ここで将軍制が天皇制自体に代替する政治革命は一つの解決策だが、日本史においては、そのような革命形態を選択しなかった。その代わりに天皇制は、「権威としての天皇制」に転化して、現実の権力を幕府の将軍に委ねる形——「権威と権力の分担体制」を選んだことは、周知の通りである。鎌倉幕府の成立から徳川幕府の終焉まで、朝廷の「公」と幕府の「武」とが時に緊張関係をはらみながら、「公ー武」関係を維持してきたことは、誰もが認識する通りである。[*]

＊ この核心部分については、小稿の末尾で堀米庸三および今谷明が優れた解釈を行っている事実に触れる。マスがこれを単なる二重政体論で説くのは、ほとんど説得力を欠いている。

さて、頼朝を二つの顔をもつヤヌス神にたとえ、「保守的革命家」と呼び、「公武二重政体」と呼ぶ鎌倉幕府に対する見直し論は、ジェフリー・マスを旗手として、米国日本史学界を席捲しつつあるように見えるが、これは方法論を忘れた史料実証主義に陥ったものと評しないわけにはいかない。頼朝は本質的に革命家と規定すべきであり、頼朝の朝廷に対する立場を「保守的」と形容することは日本史における天皇制の評価を読み違えたものであろう。その評価の系になるが、頼朝の役割が朝廷権力を弱めたのではなく補強した、足利幕府に至り、幕府権力が革命的に強化されたと見るような中世史観は、皮相な二重政体論であり、頼朝に始まる封建制への移行を読み違えたものと評すべきであろう。

マスはつぎのように分析する。

ひとまず京都の天皇政権に対して鎌倉の武家政権によるクーデタを想定したものの、公による武への籠絡作戦も十分にしたたかであり、この視点から見ると、頼朝は朝廷権力を弱めたのではなく、実は補強したにすぎない。朝廷権力に決定的な打撃を与えたのは足利・室町政権である。この意味では、頼朝による鎌倉幕府の創設ではなく、鎌倉幕府の崩壊後に成立した室町幕府こそが真の中世の幕開けを告げるものと解すべきだ。これがマスたちの見直し論の核心であろう。庄園の封土化の全国的展開や幕府と朝廷の支配力の強弱といった事実認識についていえば、そのような見方にも根拠があることは確かである。しかしながら、日本史研究の伝統を踏まえて、朝河が比較封建制という学問を踏まえて提起した頼朝論は、マス流の見直し論によって乗り越えられるわけではない。普通法の適用範囲外として成長した庄園と庄園法の内部に封建法が生まれ、それを体現するものとして頼朝の鎌倉幕府が成立したことを論証した朝河の「頼朝による幕府の成立」は、マス流の批判によって色あせるものではない。

2　平清盛と源頼朝の役割は、どこが違うか

マスは天皇の裁可を受ける将軍として清盛と頼朝との違いよりは類似性、共通性を強調する。なるほど両者には外見的に強い類似性が見られる。しかしながら、朝河は両者の違いを直視する。朝河曰く、土地制度の進展は、封建法の急速かつ広範な成長の過程にある。すなわち、律令体制と庄園法の上に、頼朝が封建法の部分的導入に成功できたのは、概して「天皇の裁可を通じたもの」とはいえ、頼朝が「国家の官僚として」行ったものではなかった。その結果が特有の幕府体制であり、それは非封建的権利をより一層支配し、日本封建制の基本的要素を形成した。その後永続する体制を初期に力強く樹立したのが、頼朝であった。

頼朝以前は平清盛でさえも、領主として、天皇の裁可を得て三つの法（律令に基づく法、庄園法、封建法）において、かくも広範に権力を集中することはなかった。なるほど清盛の領地は大きかったが、頼朝よりは小さく、全般的な公的権威づけを欠いていた。清盛による庄園法の利用は、所有者の私的な了解によるか、あるいは所有者への専横な侵害にすぎなかった。清盛も「公的権力を広範」行使したが、純粋な「封建領主として行使した」のではなく、清盛とその家臣たちが天皇制度の中で保有する「官職を通じて行使した」のであった。清盛とは対照的に、一一八六年以後、頼朝が地域そして領地で警察代行・徴税のために家臣を雇ったのは、朝廷によって認められたものではあるが、「京都の政府役人として」公務を執行したのではない。鎌倉の領主に責任を負い、その領主から封土という恩恵を受け、領主に奉仕したのであった。さもなければこれらの家臣たちは、その将軍（領主）も同じことだが、律令体制においては小官の地位しか得ず、真に行政的なものではない名誉職的な肩書を預かるにすぎまい。というわけで、日本政治において「封建的支配の創始者」とは、頼朝に帰属させるのが妥当である。朝河はこのように、日本史における中世は頼朝の鎌倉幕府に始まったことを清盛の役割との比較において論じている。似て非なり。これが清盛と頼朝の違いである。

3　頼朝の目的は何か、家臣と東国政府の獲得である

朝河曰く、比較封建制の研究者にとって興味のある、日本の封土の注目すべき規則のいくつかが、ゆっくりと形成されたのは、領主が庄園法をうまく保護できるようになったあとの時期のことであるにすぎない——しかしその前に、領地の慣行への全般的な干渉に先立つより秩序立った発展過程が、

頼朝によって第一の法なき時期に確立されていた。そのときに始まったものは、それでもなお庄園法の犠牲において、後に決まった形で続いた。法制度は自らを宣伝し、変化させる内在的決定力を持たないことを、研究者は忘れてはならない。人為的制度を発展・崩壊させ、その性質を変えるのは、いつも変わりつつある社会的需要と人間の動機なのだ。頼朝が二、三年のうちに、持続し成長した日本特有の封建制の基礎を確立した驚くべき事実を理解することがわれわれの目的であるから、われわれにとっては、いかなる封建的要素を頼朝が扱いやすいと考えたかだけでなく、いかなる需要と動機がこれらの法的要素を、頼朝の追求したやり方で用いさせたかを検証しなければならない。一一八〇年からの三年間、頼朝が敬虔に献身すべき朝廷を断固として無視したことを、どのように解釈すべきか。みすぼらしい流刑者であった頼朝が、一一八〇年に提起された二つの選択肢の内、より困難なものを大胆に選んだことは明らかだ。すなわち、わずかな友人の与える乏しい支持に依拠して残りの人生を無為の拘束の中で送るか、それとも全盛の平氏の権力に挑戦して立つか、という択一である。この決定について、彼は自らが受け取った以仁《もちひと》王の命令に激励されたし、他の特別の環境にも強制された。とはいえ、この決定は頼朝にとって重大なものであった。というのは、彼の選んだ方向には成功か死か、それ以外にはあり得なかったからである。

成功の可能性ありとすれば、彼は地方武士を個人的家臣とし東国の政府を支配することしか可能性のないことをはっきり認識していた。これら二つの試みの内、前者は表向き許されておらず、後者は以仁王の命令ではいささかも想定されていなかった。頼朝は当初から、これや他の特権を、与えられたものと主張していた。そうした主張は疑いなく、彼の祖先がこの地で得た小規模の類似のものを得ることに、頼朝の希望があったことを示している。ここでは平氏との戦争が主な目的であり、家臣と東国政府を獲得することは、二つの必要条件であった。

この間、以仁王とその徒党は叛徒として亡び、頼朝は国家の大敵の地位を継承した。そこでわれわれの問題はここに帰着する。いかなる正当的理由によって、さもなければ非常に忠実な奉仕者たる頼朝は朝廷政府をかくも断固として一貫して無視する態度をとったのか、である。殺された反乱者・以仁王の不法な命令は、空虚な口実にすぎない。この問題の解決のためには、単なる推測に落ち込む必要はない。というのは頼朝と源氏の他の者によるいくつかの宣言、なかでも行家と頼朝による伊勢神宮への祈禱があるからだ。これらの文書に表れた観念は、源氏以外の者によっても繰り返されており、頼朝の事業を正当化する一般的考え方を証明できる。要するに、件の祈禱者源氏は平氏とまったく同じように皇室の子孫であり、両家は何世紀にもわたって宮廷と国家を防衛する軍事力であった。源氏を現在の悲しみの状態に落としたのは、戦争という先の読めない運命である。しかもこれは、不当にも復讐心を持つ平氏によって与えられた苦痛なのだ。

4　頼朝の行動の根拠はなにか

平氏が一一八三年に西国に退却した時に、頼朝がどこまで進撃すると考えていたかは分からない。しかしその日付以後、ラント法とホーフ法の援用解釈の下に頼朝が一つ一つ採った実際の行動は、すでに述べ、そしてこれからも述べるように、誰もが予見できなかった多くの出来事に主として決定づけられている。一貫していたのは、頼朝の不屈の意思力と、それに直面した時の驚くべき能力であった。頼朝の行為を導いた「動機」について言えば、少なくとも一一八三年に至る成功までは、東国を保持するため、であった。彼の権力のこの堅い基礎に基づき、西国の平氏征服をも含めて①国家の保護者となり、②朝廷の命令の執行者となることであった、これらの大仕事を平氏のように国家の大臣としてではなく、純粋に③封建領主の資格でやろうとした、と推定したい。上記の三点の内、初めの二つはのちの項で記述するが、最後の点についてはここで一言加えておく必要があろう。頼朝の見るところ、自身の組織と伝統を持つ京都は、彼の封建紀律の厳格さを曖昧にする勢力に見えたに違いない。彼は宮廷文化のある局面の恩恵を受け入れて、有職故実に慣れた者の助言を熱心に聞こうとさえしたが、頼朝は結局のところ武士の首長であること、彼に適した活動範囲は自らの家臣と同じであることをよく知っていた。彼らの倫理基準と人生観は、強い個人的名誉の感覚と原則への忠誠に基づいていたが、概して形式的で考え方において非倫理的であり、頼朝らの影響で決定的に元気を失っていた京都の洗練ぶりとはほとんど協調できなかった。家臣が朝廷から任命される官職を自由に受け入れることでさえ我慢できなかった頼朝は、宮廷の役所を自らのために利用しなかったし、さらには彼ら自身の活動範囲内で廷臣と付き合うことはなかった。彼は封建政府の所在地を変えることはなく、京都の直接的影響からはるかに離れた、父祖の地の中心たる鎌倉に滞在し続けた。

5　むすび

ピゴットによる「マス追悼論文＊」において言及された三つの論点を検討したい。

＊　ピゴットによるジェフリー・マス（一九四〇〜二〇〇一）追悼論文のタイトルは、Navigating

Kamakura History: Perspectives on the Last Work of Jeffrey P. Mass, *Currents of Medieval Japanese History*, 1999.

第一の論点は、マスが「頼朝と封建制」で「世界の中世史家の問題提起」を受け止め、feudalismというキーワードを特定の歴史的文脈で用いることの困難性に着目した、とされる論点である。ピゴットによれば、マスが「フューダル」という用語を用いなかったのは、スーザン・レイノルズの名付けた「メガ・パラダイム」と呼んだ多義性に着目してのことであった。その代わりにマスは、領主（lord）、首領（chieftain）、家臣（vassal）、従者（follower）という用語を用い、さらに封土fiefを避けて、御家人を（houseman）、地頭を（military steward）と訳した。

第二の論点は、日本史における中世の始まりをどこに比定するか、である。論文「頼朝と封建制」においては、マスはまだ封建制という用語法を捨ててはいないが、「将軍頼朝が封建制の発展にとって重要だとみなす見解をすでに退けている」。マスは、頼朝による鎌倉開幕ではなく、鎌倉幕府の崩壊、足利氏の室町幕府の開幕を中世の始まりと見なすに至った。公武二重政体内部の権力関係の強弱を見ると、足利期以降に幕府権力が一段と強化された事実は明らかに読み取れる。しかしながら、朝河は、庄園法を母胎として生まれた封建法による秩序の開始を古代の終焉＝中世の始まりとみなしており、この時代区分のほうが歴史の転換期の認識枠として、より強い説得力をもつと評者は考える。マスは朝河史学を基本的に無視する石母田正や永原慶二の所説にひきずられて史料の海に漂流したのではないか。日本の中世史史料の豊富さは世界に冠たるものがあるが、明確な方法意識を欠如するならば、方向性を見失い、史料の海に漂流する結果となる。東大史料編纂所が朝河編『入来文書』を解体し、「入来院文書」集のなかに埋没させた愚行は深刻な反省を迫るものだが、日本史学界ではこの愚行について少しの反省も行われていない。マスは「広く読まれた朝河……」と記述しているが、それは米国内日本史学界の話であり、日本では *The Documents of Iriki* はほとんど読まれていない。マスはそのような日本史研究者との交流過程で、朝河離れに至ったものと矢吹は理解している。

　第三の論点は、日本封建制とヨーロッパ封建制の比較可能性である。ピゴットによれば、「日本封建制の発展が、ヨーロッパ封建制と類似している」とする見解をすでに退けている。日本封建制とヨーロッパ封建制との間にはそもそも大きな壁がある。鎌倉期や室町期の史料には、そもそも封土 fief の用語は登場しない。領主と家臣の関係もヨーロッパ封建制とは相違点が多いであろう。にも拘らず、朝河はヨーロッパ中世史を特徴づけるキーコンセプトの内実を一つ一つ検討しつつ、『入来文書』の原史料のなかに、共通するキーワードを発見した。これによってヨーロッパ的近代を育てたヨーロッパ中世史の骨組みがもう一つの東アジアの視点によって相対化され、逆に日本史は、もう一つの基軸によってその展開を位置づけられることになった。これは世界史の再構成にとってきわめて大きな出来事のはずである。

　二〇世紀二〇～三〇年代に、西のマルク・ブロックや東の朝河によって、それぞれ別個に探り当てた枠組みこそが「比較封建制研究」という史学方法論であるとみてよい。ここで浮かび上がる重要な論点は、天皇制とヨーロッパ王権との異同、あるいは日本天皇制の位置づけである。「公武二重政体」というとき、日本天皇制の特異な役割を十分に認識せずに、単なる二重権力ととらえ、その相対的力関係を分析するだけでは、日本史研究にとって致命的な誤りを犯すことになるのではないか。第二次大戦後の象徴天皇制を用意した日本史の発展を再把握するには、鎌倉期以降の公武二重権力の構造を的確に分析する必要がある。この問題意識を欠如するならば、中世史研究は迷路に陥るほかない。ポスト冷戦期の世界史の激流のなかで、政治主義的失敗を重ねた俗流唯物史観学派が崩壊するのは必然だが、その崩壊潮流に紛れて、比較封建制という史学方法論まで投げ捨てるならば、それは盥の水とともに赤子を投げ捨てる愚行に等しいことを認識すべきであろう。マスは「広く読まれた朝河貫一」と書いているが、日本ではほとんど朝河の *The Documents of Iriki* は読まれなかったのだ。イェール大学で朝河の著作に導かれて博士論文を書いたジェフリー・マスが日本に来て、本格的に日本中世史の研究を始めたとき、彼は多くの研究者と交流したが、史料研究においては竹内理三やその弟子瀬野精一郎から史料の読み方を教わったが、研究内容については石母田正、永原慶二等、日本の中世史研究の主流にあった唯物史観学派＝旧講座派系の研究者との交流が多かったようだ。そしてマスは、木を見て森を見ない史料実証主義に陥ったのではないか。

網野史学、そして近年の潮流

1　網野善彦の反省

網野善彦（一九二八〜二〇〇四）は、晩年にマルクス主義史観のドグマへの懐疑を率直に表明した。いわく「僕はいまや奴隷制度、封建制度、資本主義、社会主義といった概念は、全部再検討の対象になると思っています」。『網野善彦著作集』（2巻、序章）で、網野は朝河史学について、次のように言及している。朝河は「中世日本の寺院領」で、マナーと荘との相違を強調し、「職《しき》」が「土地より分けとり得る分離した権利もしくは利益」である点に着目しつつ、荘そのものは封建的領土ではなく、「職」を破壊したところに封土は初めて生まれるという見解を明らかにしている点にも注目しておかなくてはならない。この見方の背景には、日本における牧畜の欠如、水稲耕作の特質など、いわば民族学的ともいうべき朝河の独自な観点があったこと、それがこれ以後の研究にほとんど生かされていないことも、十分考えておく必要がある点であろう。しかし当面注目すべきは、「職」を基礎とする荘園制と、封建制とは異質、とする観点がここに入ってきたことであり、このとらえ方が牧健二によって、さらに体系的なものとされていったのである。

牧は名著『日本封建制度成立史』において、「職」の官職的・公法的側面に注目し、「職」の所有よりも「下地」の所有を一歩進んだ段階としており、「職」に基礎をもつ荘園制を克服することによって、主従制＝封建制が発展してくると主張した。そして荘園制に足場をおく初期封建制においては、いずれの階級に属するものにも土地所有権の観念が強くなかったという、まことに注目すべき指摘を行った牧は、「下地」の知行の進展によって、それが本格的な封建制に移行していく時期を、鎌倉末・南北朝期と把えたのである。この見方は、ごく最近の荘園制・封建制に対する見方に、なお決定的な影響を与えているといわなくてはならない。

2　氏族生活の記憶と国家政治の経験との同時的存在

――朝河の主張は、西欧と日本にあらわれた封建制を「氏族生活の記憶と国家政治の経験との同時的存在」という、世界史における「ごく僅少の人種のみが享有した幸福な変則」から生まれたものとする点にあるが、一方で、その両者を比較し、牧畜を欠き、水稲耕作を基調とする日本の封建制の場合、西欧と異なり、農民の土地保有は強靱で、村落共同体を欠如する、と説いている。ここには、すでに地理学ないし民族学的な観点からの立論がうかがえるのであるが、興味深いのは、日本の「正統的」アカデミズムの基礎を築いた黒板勝美が、朝河の説は多くを中田薫に負っていると批評したのに対し、朝河が自らの独自性を主張した点が、まさしくそうした面にあったという事実である。そしてまた、戦前にほとんど顧みられなかった朝河の仕事を、いちはやく評価したのが、（中略）清水三男の『日本中世の村落』（一九四二年、日本評論社）であったという関係も見落とすことはできない。

3　網野が理解した朝河史学の核心

網野はここで朝河史学の核心を見事に理解しているとみてよい。第一は、庄そのものは封建的領土fiefではなく、「職《しき》」を破壊したところに封土fiefは初めて生まれるという見解である。すなわち「庄が封土に変化する」ことによって封建制が生まれるのであり、この移行過程を実証することこそ朝河が自らに課した課題であることを的確に認識した。第二は、「牧畜を欠き、水稲耕作を基調とする日本の封建制の場合、西欧と異なり、農民の土地保有は強靱で、村落共同体を欠如する」と指摘して、日欧の最も大きな差異が乾地畠作農業と水稲耕作の違いにあることを、これも堀米にしたがって、的確に理解している。そこから「農民の土地保有は強靱で、村落共同体を欠如する」という認識が生まれる。ヨーロッパの村落共同体におけるいわゆる共同体規制とは、三圃制に典型的に見られるように、領主による土地利用の強制的な割替えである。その決定権をもつ領主とそこで従属的立場で農作業に従事する農民との関係が隷従的にならざるを得ないのは、容易に察せられる。ところが水稲耕作の場合は、水の配分について一定の協調が必要だとしても、それは三圃制における規制とは明らかに性質が異なる。

第三に、これは第二の特徴から生まれる系だが、マナーにおいては、領主農場が全農地の少なくとも三分の一あるいは四分の一程度を占め、その農場における農作業は農奴的な体制にならざるをえないのに対して、水田における「小作人はあたかも地主のように積極的に」その水田の経営を行った。そこで収量を増やすことが直ちに自らの利益に直結したからだ。そこから「農民の土地保有の強靱性」が生まれる。総じて日本の小作人は、マナーの農業労働者と比べてはるかに大きな自由を享受していた。このような農民像に着目せず、マナーの農民が農奴であるからには、日本封建制下の農民はますます農奴的に違いないと類推したのがマルクス主義史観であった。網野がすでに紹介した自己批判を踏まえて、ドグマから解放された豊かな中世社会像を提示したことはよく知られている。

4　荘園公領制の提起

網野は一九七三年に書いた「荘園公領制の形成と構造」で、「荘園公領制」を提起した。――「荘園制」という規定は、本来、私的大土地所有の体系としての土地制度を表現しているが、それだけではかたづかぬ一種の国家的な性格を、この時期の土地制度はもっている。未熟な用語をあえて使うのは、その点を考慮にいれたからにほかならぬ。といっても、荘園を私的土地所有とし、国衙領を国家的土地所有と規定し、そのいずれかに土地制度の基準を求めようとするわけでもない。少なくとも一二世紀以降の荘園と公領は、もはや異質な対立するものではなく、本質的には同質といっても過言ではない。従って、いま私的といい、国家的といった性格は、荘園・公領の双方に、それぞれ貫徹しているとみなさなくてはならない。網野によるこの問題提起は、私的大土地所有＝荘園制の展開という伝統的な観点を厳しく批判し、荘園と公領は「本質的に同質であり、一種の国家的な性格をもつ」と説いた。朝河は「初期の庄」と「一二世紀以後の十分に発展した庄」とを峻別して、同じ庄の名で呼ばれるが、一二世紀以後の庄は、もはや封土に変化したか、あるいは封土への転化過程にあると分析した。分かりやすくいえば、まずは東国に生まれた鎌倉幕府がしだいに全国的に権力を行使するようになるからだ。

では、鎌倉幕府はどこから生まれたのか。庄のなかで武士が成長し、そこから東国の政権が生まれた。この地方政権の権力・財政基盤は庄であり、これを従者に対して恩給として与えたときに、庄は封土に転化した。これが封建制誕生の物語だ。この東国政権が京都の天皇の認知を得て、全国的政権に成長したことは、「庄以外の土地すなわち公領」もまた「封土に転化した」ことを意味する。鎌倉幕府が誕生した時点では、庄のほかに公領が存在したので、この過渡期において庄と公領とが並行して存在することは明らかだ。しかしながら、鎌倉幕府が全国的政権に成長するとは、すなわち旧公領もまた、幕府権力のもとに掌握され、封土に転化することと同義である。図式化すれば、①鎌倉幕府の成立＝庄の封土化の開始、②庄園と公領の過渡的併存、③幕府の全国的政権への成長＝公領を含めて全国土の封土化、④網野流「庄園公領制」併存の終焉、すなわち封建制への移行の完成、である。

5　高校教科書が採用した荘園公領制

木村茂光は『展望日本歴史八～荘園公領制』の序文で次のように記した。――荘園公領制概念の提起とこの間における研究の進展は、高校日本史の教科書に荘園公領制が採用されたことが象徴的に示すように、中世社会像の究明に大きな役割を果したことは明らかであるし、今後の研究の深化が大いに期待されている。――荘園公領制の内部構成を総合的に全体的に把握しようとした網野の分析方法の影響があることも指摘しておく必要があろう。

網野史学が「荘園公領制」なる「未熟な用語」（網野自身の表現）を提起したのは、マルクス主義のドグマから解放されるための過程としては、重要な一歩だが、単なる「並列表記」にとどまったことの限界もすでに明らかであろう。網野がもう少し深く朝河史学を読んでいたならば、庄と公領を単に並列して、①私的土地所有と②国家的土地所有の間で、行きつ戻りつして核心から遠ざかる混迷を避けることができたはずである。すなわち①私的土地所有と②国家的土地所有との間に、③封土 fief というキーワードを媒介すれば、④私的土地所有の封土化によって、地方政権が成立し、この政権が全国的政権に成長することによって国家的土地所有（非私的土地保有）の封土化が完成し、網野流の荘園公領制が終焉を迎える構図である。

朝河史学を敬遠し、十分に学ばないことによって、日本史研究は大きな損失を蒙ったと評さざるをえない。これはいうまでもなく日本史学界の責任だけではなく、西洋史および東洋史学界の責任でもある。あえていえば明治以降の、網野のいう「正統アカデミズム」が歴史を日本史・東洋史・西洋史に分断した結果でもある。切り離してはならない歴史を三分割したことによって史学界のすべてが未熟、発育不全に陥った。ひとり朝河史学のみがこれを克服していたにも拘らず黙殺された。網野史学の限界は、荘園と公領の並列にだけみられるのではない。①庄の封土化という変質が旧来の庄の本質を変えたことに対する認識が十分ではない。これが第一の欠点である。②武家政権が全国的支配を強化する過程で、庄を除く「公領」も封土化して fief になった。この公領の封土化の論理を把握できていない。これが第二の欠点である。こうした二つの認識の欠如のゆえに、庄と公領は単なる併記にとどまり、公領の封土化によって、封建制が全国的に樹立されるにいたる論理を説けなかった。そこで網野は封土に対する考察を断念し、職人や芸能民など、農民以外の非定住の人々である漂泊民の世界の分析に取り組んで成果を挙げた。百姓身分に属したものはすべて農民ではなく、商業や手工業など多様な生業に目を向けること自体は肯定してよい。だが、それをもって、最も基本的な生産手段である水田の分析から逃避するのは許されまい。矢吹の解釈では、網野は同門の先輩永原慶二（一九二二～二〇〇四）の挫折を身近に観察しつつ、これを積極的に批判することを避けて、「農民以外の非定住の人々からなる漂泊民の世界」に逃避したのではないか。繰り返すが、戦後の日本史学界において俗流唯物史観学派を代表する研究者の一人である永原慶二の代表作『日本封建社会論』の第三章のタイトルは「農奴制＝領主制の生成」である。冒頭にいわく「古代末期の内乱が奴隷制の矛盾の展開であることはうたがいないにもせよ、それは古代権力の終局的没落と封建制の形成を意味するのではなく、奴隷所有者の階層内での権力の割譲、移行といった性格をなお強くもつものであったのである。したがって、この新たな政治史の局面の展開によっても、奴隷の農奴への進化は直ちに権力によって保証され、体制として確立されたのではなく、なお長期の過程を通じて、奴隷自身の闘争としてかちとられてゆかねばならないのである」と。

6 網野史学の限界

筆者から見て特に問題なのは、以下の文である。「一二世紀の末葉以降（鎌倉以後）の歴史過程は、かかる意味では、奴隷の農奴への進化のための不断の闘争と、奴隷所有者の三階層――庄園領主・古代的在地領主・名主層――の封建的土地所有権把握をめぐる武力的闘争によって彩られているといってよい」。永原の場合、初めにドグマ＝公式ありき、であり、ドグマに合わせて史料を読む作風に見える。網野は永原の挫折を見て研究を進めたので、この種のドグマの虚妄性からは解放されていたが、ヨーロッパのマナーには農奴がいたが、日本の庄には領主農場がなく、農奴を産みだす条件がなかった、と説く朝河史学を十分に受け入れるには、あまりにも強く俗流唯物史観の影響を受けすぎていたように見える。これが網野史学の限界であろう。

『朝河貫一と日欧中世史研究』(吉川弘文館、二〇一七年)を読む

海老澤衷論文批判——「鎌倉幕府の成立と惟宗忠久——朝河貫一研究との関連で」

海老澤氏曰く「矢吹晋氏は忠久論を〝陰画〟としてとらえているが、中世国家成立史全体の研究からすれば、ポジとネガは逆転し、渋谷(入来院)氏の活躍は〝陰画〟であり、惟宗《これむね》(島津)忠久の動向こそが〝陽画〟である」。海老澤氏のような理解が日本史学界の常識だ。その根拠は「鎌倉幕府成立史を究め、いまでもそのスタンダードの位置を失わない石井進『日本中世国家史の研究(岩波書店、一九七〇年)などで、惟宗忠久の動きが随所で考察され、守護および地頭研究の一原点となっている。その後の研究においても、東国では特に「守護・地頭」に関わる歴史事例が乏しく、鎌倉幕府成立期に生きた島津忠久は全国的に見てもこれらを研究する貴重なモデルとなっている」からだ。海老澤論文を要約すると、次の四カ条になる。①惟宗忠久は「文治・建久期の「地頭・守護・図田帳」について、自己の持ち場で懸命にそのあり方を追求し(中略)幕府中枢部に受け入れられ」た。②朝河は「島津忠久の出自に世界的に見ても希有な伝承体系を見出し、客観的に分析することを目指した。し

たがって、西南雄藩に対する個人的感情や「真偽を明らかにする」といった初期的実証主義は克服されていた。③朝河の「関心事は、伝承がどのような事実の上に構築され、長い時代の中でどのように有効性を保ち、取捨選択されていくかである。執筆過程でマルク・ブロックの「王の奇蹟」が意識されていたことは十分に考えられる。④朝河は「日本の「文明開化」や「近代化」の裏に潜む特異な系譜意識に関心を持った（中略）その論旨構築の方法自体が（一九三〇年代の日本史学界では）異質なものであった」。歴史学の門外漢として朝河を読んできた矢吹の印象は、海老澤の基本的な認識と相当に異なる。

朝河はこの忠久論（島津忠久の生い立ち）を「書きたくて書いた」のではない。朝河からすると、このような小品は、もし書かないで済むならば書きたくなかったエッセイだが、日米開戦必至を予感して、日本ナショナリズム弾劾のためこれを書いた。私が『入来文書』を歴史の本流を描いた〝陽画〟と呼び、『忠久の生い立ち』は〝陽画〟を補完する〝陰画〟にすぎぬと呼ぶ所以だ。同時に〝陽画〟（『入来文書』）と〝陰画〟（『島津文書』）に見立てる。島津文書の史料的価値は入来文書に及ばない、この史料評価が〝朝河史学の核心〟だ。質的にも量的にも『入来文書』は『島津文書』の付録にすぎない、とみる常識に挑戦した労作が *The Documents of Iriki* なのだ。松下重資『島津創業史』の忠久論は、朝河から見て二重、三重に誤謬の拡大再生産だ。そもそも朝河は島津久光が重野安繹に命じて調べさせ、根拠を発見できないにもかかわらず、訂正を怠る『島津国誌』への不満を抱いていた。あまつさえ〝以仁王《もちひと》伝説〟を加えて、対皇室関係を偽造する工作が日本の排外ナショナリズムに何をもたらすか、朝河の危惧は深まる。盟友・三上参次が巻き込まれた正閏問題に同情してきた朝河は、島津藩史の〝偽史作り〟が皇国史観に流れる日本社会の風潮を加速すると危惧した。海老澤は「世界的に見ても希有な伝承体系」と評し、朝河の風刺を誤読しているように見える。〝忠久を頼朝の落胤とする説〟の流布を必要としたのは、忠久が元来〝帰化系〟で近衛家警護を担ってきた家柄であり、頼朝の「敵対側にいた人物」だからではないか。とはいえ、忠久はその経歴と個人的能力のゆえに国際情勢の分析や権力の所在には敏感だ。東国の鎌倉に幕府が樹立され、この権力が京都の公家勢力を呑み込むのも時間の問題と見極めた忠久は、頼朝の権力と和解する道を模索した。現実の幕府対公家勢力との権力闘争の帰趨は、後鳥羽上皇の決起が失敗し一二二一年隠岐島に流されたことで決着した。〝院政下の庄〟に光を当てた朝河の庄研究は、牛原庄に始まり水無瀬庄をもって終わる。後鳥羽上皇の配流と水無瀬庄の終焉＝庄の封土化完成は、経済的現実が政治的帰結を導いた史実を象徴する。幕府創設の一一八五年から一二二一年隠岐島配流までわずか一二六年にすぎないが、この間の権力交代期にあって、忠久側は幕府側との接点を必死に求めた。その苦闘の結実が〈頼朝落胤説〉にほかならない。他方、入来院側は相模国から薩摩に下向した時点からすでに幕府の御家人であることは天下周知の事実だ。朝河は忠久の横顔を次のように結論づけている。忠久は自他の称した通り惟宗氏で、その名に忠の字があるのもそのためであろう。父母については徴すべき確証がない。生れたのは一一六五年よりやや前だ。多分もとは純粋の京紳で、若い時から藤原氏殊に近衛家の所従であり、その恩顧によって兵衛、衛門の尉となり、検非違使となり、一時は賀茂祭主を務めた。近衛を仰ぐことから島津庄に重要な庄職を宛て行われた。少なくも一一八〇年まで在京し、然る後、頼朝の御家人となった（矢吹訳『朝河貫一比較封建制論集』四三七頁）。忠久は、鎌倉からみると、二つの意味で重要な役割を果たしうる人材だ。一つは、摂関政治を担う近衛家を通じて公家勢力の動向をつかむ役割。もう一つは、近衛家の財政を支える島津庄の管理人として、九州全体における幕府権力と旧公家権力との決戦において重要な役割を果たす可能性。こうして鎌倉側の取り込み思惑は、忠久の旧政権崩壊意識と重なる。鎌倉東国政権が全国政権に成長するためには、忠久の協力は必須で、忠久はこの期待に応えた。海老澤のいう「前半生における謎」が消えて次第に『吾妻鏡』で存在を大きくするのは、以上のような経緯ではないか。一言でいえば、忠久落胤伝説は必要性があって創作され、それは明治維新まで続いた。しかしながら、忠久＝島津藩は、古代日本の中世日本転換史においては、脇役にすぎない。主役の座は頼朝と頼朝を直接支えた御家人たち、たとえば地頭としての入来院なのだ。私が『入来文書』を〝陽画〟に、島津忠久の活動を〝陰画〟と見立てる所以だ。神奈川県大和市の高座「渋谷」は、中世の「渋谷庄」の名残りだ。その渋谷一族のうち、相模渋谷氏は一二四七年に薩摩国入来院に地頭として派遣された。渋谷氏の上野、伊勢、美作などの領地はその後他人の手に渡ったが、薩摩には、その倍以上の領地が戦国合戦の恩賞（恩給benefice）として与えられた。一時は島津を恐れさせる勢力を誇示したが、やがて島津の軍門に降り、明治維新を迎えた。この武家屋敷に残された『入来文書』を解読して、朝河は武士社会の誕生から明治維新による終焉までの細密画を描ききった。

結論を急ぐ。①日本の庄をヨーロッパのマナーになぞらえるのは、時代錯誤である。庄は古代的なものだが、その土地が封土化して、日本の封建時代が生まれた。封土化した新型庄こそがマナーと対比できるのであり、庄一般をマナーに比定するのは、古代と中世を混同した時代錯誤だ。②ヨーロッパのマナーには農奴がいたが、日本にはいなかった。日本の小作人あるいは下人、所従などと呼ばれた農民は、土地を所有する領主あるいは地主から土地を借りて耕作し、地代として年貢を収めた。ここには経済外的強制はなく、小作人たちは自らの意志で巧みに水田を耕した。この自主性、主体性はヨーロッパの農民と大きく異なる。③ヨーロッパの三圃制農業と、日本の水稲耕作には大きな違いがある。水稲耕作は水が肥料をもたらし、土壌を保護するので、連作が可能であった。千年以上にわたって連作しても、連作障害は生じなかった。これに対してヨーロッパの乾地畑作農業（dry farming）は連作に限界がある。地力を養うために、しばしば休閑地を必要とした。食用の冬麦と飼料用の春麦の輪作からなる制度が完成したあとでも、地力回復のために休耕・放牧による畜糞の供給が不可欠であった。ヨーロッパの農業にとって「土地の割替え」はたいへん大きな事業であり、領主がその役割を担い、農民に耕地割当てを強制した。農民の大部分はまた領主農場において、領主の直接指揮のもとで農耕に従事し、いささかの自主権も持たない農奴であった。これに対して日本の農民は小作地を借り受けて、自らの経営判断で、あたかも自作農のごとく働いた。日本では領主の直営地で働く農民の比率は限られており、人格的に従属する関係にはなかった。要するに、三圃制の耕地割替えと直営農場での労働を主体とするヨーロッパの農民が農奴的身分に陥るほかないのに対して、定められた小作料を支払ったあとは、余分の収穫を自らのものとできる日本の農民は、マナーの農奴と比べてはるかに自由を謳歌していた。この実像を俗流唯物史観学派は把握できなかった。④武士階級の内部をみると、ヨーロッパの封建契約では領主と臣下が対等であったが、日本では大名と御家人の関係で、後者の立場が弱い。代表的なフランスの場合、戦国時代が長く続き、領主と家臣の関係はときには家臣の立場が強い局面さえ少なくなかった。つまり長引く戦争では、強い家臣をどれだけ臣下に集めることができるかが勝敗を決した。そこで強い騎士は、強い立場で領主と交渉して、その立場を強めた。⑤では日本はどうか。朝河は日本では御家人の立場が弱く、領主（大名）の立場が強いことについて二つの理由を挙げる。戦国時代が短かったために、武力に優れた家臣がその立場を強める間もなく、信長・秀吉による天下統一が進んだ。加えて日本では、大化改新以来、中国の集権的政府（大一統）のイデオロギーを受け入れてきたので、大名と御家人が平等であるとする観念が育ちにくかった。⑥総じて朝河の日本封建制論の際立った特徴は、水稲耕作のもつ意味を徹底的に考え抜いたこと、そこに着目して農民の地位が同時代のヨーロッパよりもはるかに高かったことを指摘したことだ。

ずばり言えば、日本の小作農は農奴であるどころか、まさにその水田の経営者であった。この文脈で、日本の農民の社会的地位はヨーロッパの農民と比べてはるかに高かった。しかしながら、日本史家はヨーロッパ事情に疎いために、農奴的なヨーロッパの農民よりも、日本の農民はもっと奴隷的だとする間違ったイメージを抱き続けた。封建的という形容句はこの文脈で用いられ、日本の中世史研究は、封建制（feudalism）理解を、二重、三重に間違えた。この混乱を克服すべき二一世紀初頭の現在、もう一つの過ちが繰り返されようとしている。それは〈封建制〉の三文字を日本史から追放する「新たな逆流」である。封土 fief という共通のモノサシを失うことによって日欧の歴史対話はますます混迷に陥るであろう。

入来文書は島津文書の付録ではない――近藤成一論文批判

近藤成一「朝河貫一と日本の歴史学界」を読んで深い失望を禁じえない。朝河と黒板勝美との論争を紹介し、その論点を整理した「封建制の起源と庄の起源」の紹介は的確であり、さすがに専門家の分析だ。また朝河が強調した職shikiの紹介も要点を外さない。だが、これで終わり、とは腑に落ちない。初期の論文で、黒板の理解をはるかに超える斬新な封土論を提起した朝河は、その後、*The Documents of Iriki* で論点を整理し、さらにその後も封建制の性質について思索を続けたのであるから、朝河の封建制論はその後、どう発展したのか、それを追求することは、この時代を専攻する歴史家の当然の課題ではなかろうか。朝河の「封建制の起源と庄の起源」（一九一四〜一五年）は初期朝河の成果である。マナーと庄の異同についてようやく朝河なりの一つの結論を得た時期の作品だ。その後、朝河は日欧封建制の比較研究に没頭し、一九二九年に *The Documents of Iriki* を公刊し、一九三一年にセリグマン編『社会科学百科辞典』に「日本封建制」を執筆した。朝河の比較封建制研究を見てくると、朝河史学は、*The Documents of Iriki* を経て、飛躍的に内容が充実したことは誰の目にも明らかだ。

近藤が飛躍的に豊かになった朝河史学に取り組まないのはなぜか、解せない。日本史の同じ時期を研究対象とする近藤論文が初期朝河で終わるのはどういうことか、まるで理解できない。近藤がこれまで執筆してきた何冊かの書籍は朝河史学とどのように関わるのか、もし見解が異なるとしたら、どの点でどのように異なるのか。それを明らかにしてほしい。朝河と同じ時代を扱う定年教授の分析に期待した私としては肩すかしを食わされた気分である。初期朝河はその問題提起に際して、慎重のうえにも慎重な言葉を選ぶので、専門家にもわかりにくいことは黒板勝美の誤解が端的に証明する。しかしながら、朝河の思考もその後成熟し、*The Documents of Iriki* を経て日欧比較史の分析は、一方でより深く、他方でより簡明な説明に発展してきた。私が網野善彦史学批判に際して要約した内容は過度の単純化という大方の批判を予想しているが、専門家ならば、門外漢の私よりも的確な解説が可能だと信ずるので、あえて苦言を呈しておく。放送大学のテキスト近藤著『日本の古代中世』をめぐると、『島津家文書』の付録程度にしか『入来文書』を扱っていないように見受けられる。これは朝河史学に対する根本的誤解を意味する。

　一例を挙げよう。近藤は鎌倉期の庄について、領家方と地頭方の「相論」（紛争）を解説し、それを解決するために「下地中分」が行われたと薩摩日置北郷の図を解説した。そのあと、渋谷家初代定心から十代重豊までの土地の相続を解説し、分割相続が物理的限界に達して長子相続制（惣領制）が成立したと説いた。これでは鎌倉幕府成立の意味を説けないのではないか。論理が倒錯している。相模国渋谷庄を本拠地とした渋谷重国の孫・定心は、一二四七年の宝治合戦を闘い、恩賞（恩給）として薩摩の（のちに入来院と呼ばれる）所領を与えられ、地頭として赴任した。この経歴から明らかなように、渋谷一族は恩給として封土 fief を与えられ、赴任した。これとは対照的な生い立ちが島津一族である。島津忠久が頼朝によって島津庄地頭に任命されたのは一一八五年とされており、渋谷氏下向の六二年前になる計算だが、時期については疑問も多い。朝河は忠久の地頭就任一一九七年（三十二歳）、守護就任は一二〇三年（三十八歳）とみている。島津庄は、由来摂関近衛家を領家とする庄であり、京都の朝廷勢力と縁が深い。近衛という強い領家によって任命され、領家のために下司として働いていた忠久を頼朝はそのまま地頭に任じた。忠久が庄の下司から頼朝の地頭に変身したといっても、どこまで鎌倉殿に忠誠を誓うかは保証の限りではあるまい。これが南九州における鎌倉幕府初期の影響力の限界であった。

だからこそ幕府側は信頼できる御家人渋谷氏をもう一人の地頭として、島津庄のすぐ近くに派遣し、島津側を困惑させた。鎌倉幕府の影響力は当初は東国に限られていたが、その後、九州や畿内を含めて全国的政権として強化されていった。地頭が設置された当初は、領家が地頭戦の停止を要求し、地頭による下地支配を「濫妨《らんぼう》」とみなして領家側が訴えるケースもしばしば見られたが、「泣く子と地頭には勝てぬ」と言われるほどに、武力を背景として地頭の地位が強化されてくると、領家側は地頭の「非法」を訴える作戦に転じ、幕府の法廷も双方の主張を聞いて裁定するようになった。幕府などが与える恩給に対して、有力寺社などへの寄進という方法で、一定の年貢を支払い、保護を求める動きも活発化し、「下地」（土地そのもの）とその「上分」（稲絹などの収穫物）をめぐる紛争はますます複雑化した。そこで成立したのが下地中分という和解案だ。水田や畑を分けて領家分・地頭分として、分割された田畑から収穫される稲絹などを領家分・地頭分の年貢とするやり方だ。やがて複雑な分け方をやめて、年貢すべてをわがものとする集約化が行われ、一円領と呼ばれた。これは領家方と地頭方の紛争の解決策である。

近藤は「下地中分」を説いたあとで、『入来文書』から、初代から一〇代に至る「譲状」を調べて分割相続が家督相続に至る経過を解説している。総領による家督相続に収斂した理由として、田畑が再分割できないほどに細分された事実を挙げている。なるほどこれは重要な条件だが、このほかに、戦争において兄弟が敵味方にわかれて戦う局面が現れたことへの反省や、また一族郎党を率いて武具を調達し大部隊を作り、戦闘を有利に進めて戦功を挙げ、恩給を得るといった封建制特有の事情も大きな要素として朝河は挙げている。

要するに近藤の分析からは、『入来文書』が生まれながらに封土fiefとして時代の推進力を果たしたこと、ここに『島津家文書』の欠落を補う『入来文書』の意味があり、朝河が着目したのは、まさにこの一点である史実が見えない。島津一族は、当初摂関近衛家を領主とする庄であったが、隣接する入来院という封土fiefとの対抗関係のもとで、（島津）庄が中世の封土（大名領地）に転化していく過程が読み取れない。

最後に〈帝大アカデミズムの限界〉について蛇足を付す。近藤氏は東大史料編纂所教授を定年まで勤めた。東京帝国大学に国史学科を創設したのは、朝河が指摘するように薩摩藩出身の重野安繹であり、その非実証的作風は朝河が婉曲に批判した通りだ。もう一つ。東京帝国大学に東洋史を創設したのは、白鳥庫吉である。彼は一九一〇年、日韓併合の年に、邪馬台国＝九州説を唱えた。併合の主体日本の帝国の御先祖が〝鯨面文身〟のタトウ（入れ墨）では具合が悪いと考えて、畿内から九州に追放した。江戸時代までは邪馬台国をヤマトと読むのが常識であった。白鳥庫吉は日韓併合のイデオロギー攻勢のために奇怪な学説を提起した。この帝国主義史学もいまだ克服されていない。

保立道久や似鳥雄一は、朝河史学に敵対する

似鳥論文は「はじめに　1朝河の牛原庄研究　2牛原庄の再検討　おわりに」の四項からなる。はじめに、で保立道久『歴史学をみつめ直す――封建制概念の放棄』（校倉書房、二〇〇四年、一六〇頁）から驚くべき引用を行う。「現在の実際の研究において、封建制という学術用語が生産的な意味をもって使用されているかどうか、それが本当に必須の範疇なのかについて、そろそろ現実的な判断が必要になっている」。この引用を受けて似鳥曰く、「指摘されているのは、封建制という概念の限界性である。要するに、そこに封建制があったのかどうか、ということを指標あるいは価値基準として、日本・ヨーロッパ・東アジアの歴史を比較することや、古代・中世・近世といった時代区分を考えることは、すでに困難になっているというのが歴史学の現状であろう（四二頁）。ここで似鳥は日本中世史史料で封建の二文字はきわめて限られていること、「日本中世にとっては時間的にも空間的にも隔たりのある言葉」、「当時の社会をイメージする上でなじまない言葉」といった印象を述べ、高校の日本史教科書で封建が登場するのは一度だけだという。しかも「前段の文章との脈絡が読み取れない言葉として唐突に現れ、しかもその後はなんら言及されることがない」。これが封建の実状だという。

日本史学界の混迷は深いとかねて見てきたが、ここまで来るともはや「混迷」の域を超えて「頽廃」と呼ぶほかない惨状であろう。率直にいえば、これは朝河史学を黙殺してきた必然的帰結である。ヨーロッパ史の feudalism の概念を厳しく点検しつつ、その定義に基づいて日本史を解釈することが

朝河のライフワークであった。保立や似鳥のような状況認識で feudalism（封建）概念を日本史から追放しようとする潮流に同調したいのならば、朝河研究など止めるべきだ。

これは朝河史学の根幹を否定する立場である。そのような立場に立つならば、朝河史学はそもそも理解できないのだ。「朝河のみた牛原庄」のなかで、「近代歴史学が日欧の類似性を探求するなか、むしろ相違点を明確に主張したその姿勢は、特筆に値するものといえよう」（四八頁）。これは一知半解ではないか。

朝河史学を誤読する似鳥論文

似鳥は矢吹編訳『中世日本の土地と社会』三六頁の表1の計算について、朝河の解釈を批判し、「少なくともこの牛原庄の史料を使用して、朝河のように直営地の性格を論じることは困難である」と書いたが、これはきわめてミスリーディングな書き方だ。朝河がここで論じているのは、ヨーロッパのマナーにおいては、直営地が領地全体の三分の一、可耕地の四分の一近くを占めるのに対して、日本の庄では、たとえば牛原庄のように、一五〇分の一を占めるにすぎない。この違いの原因を直営地の経営条件と小作地の経営条件との比較から解明しようとしたものだ。直営地と小作地の経営効率はどうか、それらの農地は誰の労働によって支えられているのかを分析して、日本の水稲耕作の特殊性のゆえに、小作地の経営が主流であり、直営地の規模は、小作経営を前提としつつ成り立っていたと分析したものである（『中世日本の土地と社会』三六頁）。

表1　小作地と直営地の経営効率比較

矢吹編訳『中世日本の土地と社会』(36頁の表1) より

(a) 小作地（直営地を除く）から受け取る庄の収益
――農民が納める年貢、庄が受け取る年貢

小作地約460町から収められる年貢米 （460町×10段×0.5）（段当たり0.5石＝5斗）	2,300石 α
1石につき8升（8%）の延べ米、追加徴収（2,300石×0.08）	184石
小計	2,484石
［差し引き］徴収コストと俵代（1石につき8升＝0.08石＝8％）	△529石
庄が小作地から受け取る年貢（a）	1,955石 a

(b) 僧院が得る実際の年貢（直営地を含む）
――僧院の受け取る年貢から見ると

小作地約460町から（段当たり1斗＝町当たり1石）	460石
直営地３町から(段当たり16斗＝町当たり16石） 直営地延べ米分（48石の８％）	48石 3.84石
直営地　小計	51.84石
百姓15戸の年貢、特別に与えられた小作地分 （段当たり６斗×その15戸分×1戸当たり1/3段＝3石）	3石
上の年貢計	514.84石 β
控除する種子と肥料分、およそ	△10石
僧院の年貢（b）およそ	505石 b

(c) 小作地の管理費用、仏事費用、輸送費用
――年貢高から、庄レベルの費用（管理費、寺社支援、輸送費）を控除した残りは、

<table>
<tr><td>（a）－（b）1955石a－505石b＝約1450石</td><td rowspan="2">庄から僧院まで届くのは年貢のわずか18%のみ。8割が庄役人と仏事に用いられる</td></tr>
<tr><td>実際の徴収高は計2,815石（小作地2,300石α）＋（僧院が得た515石β）のうち、実際に僧院収入になるのは、約500石のみ。500石を徴収高で割ると、500/2315＝17.7%</td></tr>
</table>

朝河の史料解読は、残された断片から、いくつかの欠落の推定や書き違いと思われる箇所の合理的訂正に基づいて作成した表である。当然、そこには読み違いや誤解もありうる。それゆえ、上の表について、個々の訂正はありうるかもしれない。それは専門家の仕事だ。しかしながら、「この牛原庄の史料を使用して、朝河のように直営地の性格を論じることは困難である」と似鳥が書くのは、過度の一般化であり、朝河史学への無知を示すものと断じざるを得ない。マナーにおける直営地比重の大きなこと、日本の庄における直営地比重の小さなことは、ほとんど常識であり、他にいくつも例示を示すことができるはずだ。百歩譲って、この表の項目解釈や計算方法に間違いがあったとしても、マナーと庄の大きな違いを示す一例としては、十分な証拠力をもつ。似鳥の指摘はほとんど言いがかりに近い。

これに続く次の記述はいよいよ奇怪な論評である。似鳥曰く、「また朝河説の問題点として、中世農民の生産・経営について考えるさいに、稲作のみで議論を構築しているという点も挙げられる。もちろんこれも朝河個人の資質というより、学界全体の風潮に責を帰すべきであろうが、現在の研究状況から考えれば、畠作を初めとするその他の生業を無視して中世社会を論ずることはもはや不可能であろう」(五三頁)。

朝河は果たして「稲作のみで議論を構築している」のか。

一、国司が徴税した八丈絹百五十疋四丈を庄に返すべきこと邦訳一一頁。

二、前任の国司顕能朝臣が任期中に、予告なしに突然八丈絹三十疋分を徴集した。そのため、その年の租税の半分以上が延滞し、納税は完了しなかった(絹一疋は稲五十束に相当。稲は輸送に便利な絹に替えて納税された）。他方、現任国司は、前任国司の不法行為を模倣して、先月十日に八丈絹百十五疋四丈（着物二三〇着分）を責め取った。一一頁。
三、前任国司顕能の徴税は、絹三十疋（着物六〇着分）にすぎなかったが、現在はすでに四倍（二四〇着分＝一二〇疋＝三〇〇石）に達している。それだけの絹があれば、牛原庄の人々は、数年の年貢を払えると申している。//もし件の絹がただちに返却され、僧の衣服に割り当てられるならば、現在の悩みはただちに消え、今後の不当行為も永久に阻止できよう。一二頁。
四、［年貢三〇〇石のうち］一〇〇石は領家成通の求めにしたがい、残りの二〇〇石が円光院に差し出された。これは代絹換算ならば五〇疋（一疋当たり四〇石）に相当する。二一頁。
五、［越前留守所への命令］ただちに絹の引出物を牛原庄に返還せよ。二四頁。
六、造東大寺司への年貢は、首都への輸送に便利なため、稲を絹に交換して納めた。一一八頁注62。
七、絹十二匹、価格六石（疋当たり五斗）、右の絹は水無瀬御庄の過去三カ年、未だ進上せざるものなり。一六二頁。
　以上の記述から絹織物が稲の代わりに租として、あるいは調として納められていたことが分かる。また悪徳国司が引出物として、予告なしに不当に提出を命じて、その結果、租の滞納が生じたケースもある。一二〜一三世紀の発達した庄においては、「稲と絹」が二大商品作物として、一定の交換レートのもとに流通していた。その現実を朝河は史料に即して丹念に分析している。「畠作を初めとするその他の生業を無視して中世社会を論ずる」といった似鳥の論難が何を根拠としたのか、不可解である。実は似鳥は、五六頁中程で、「引出物として徴集された絹をめぐって国司と醍醐寺が争った文書」を引用している。「絹の徴集事件」を認識しているのだ。にもかかわらず、庄園の経済生活における絹の役割を正しく認識できないらしい。「畠作を初めとするその他の生業を無視して中世社会を論ずる」などと語るので、ますます訳が分からなくなる。似鳥はこのように、矢吹から見ればおよそ見当はずれの朝河評を書いたあと、牛原庄の庄域の変遷を解説するが、これは矢吹が作成した四枚の地図で尽きるのではないか。（出所、『中世日本の土地と社会』四頁）

似鳥が「複数の河川が並流する氾濫原にあって、最初は洪水の危険性の低い山裾に近い土地から耕作が進められ、やがて河川の間に存在した不安定な耕地へと開発の手が伸びていった、というモデル」に至っては、あまりにも当たり前の話である。朝河が「現地の景観や環境」に言及していないことを「気になる点」として挙げる学問方法論の無内容性を暴露しただけではないか。「おわりに」を読むと、似鳥の矛盾・混乱が一目瞭然だ。

第一のテーマ。「ひとまず現時点では、封建制のような概念の構築を目指す議論はいったん先送り」（七〇頁）と提案するが、これは朝河史学の根本を否定することを意味する。この議論を否定して、朝河史学を語ることができるという妄想から自由にならなければ、そもそも朝河史学のＡＢＣさえ理解できまい。

第二のテーマ。「朝河が用いた史料を現在の研究水準に即して読み直し、中世初期の牛原庄について新たな知見を得ること」。似鳥の「現在の研究水準」なるものが意味不明である。「牛原庄についての新たな知見」なるものも、どこが新しいのか、まるで分からない。似鳥は、朝河がなぜ牛原庄を研究対象に選んだのか。「この疑問に対して現時点では明確な解答が得られていない」「たまたま史料とめぐりあっただけなのかもしれない」と書いた（五四頁）。

語るに落ちた、とはこのことだ。一二世紀に十分に成熟した庄が、内部に武士を育て、職（shiki）の再編成を通じて、封建制を基礎づける封土 fief に成長していく過程を裏付けるために、最も典型的な発展を遂げた庄を分析した。この主題を朝河は繰り返し語り続けている。封建の二語を棚上げしようなどと妄想する者には到底理解しがたい構図を朝河史学は説いている。

保立道久著『歴史学をみつめ直す――封建制概念の放棄』（校倉書房、二〇〇四年六月）の迷走

本書は、書名からして、羹《あつもの》に懲りて膾《なます》を吹くということわざを象徴する書物である。筆者が繰り返して批判してきた俗流唯物史観学派の破産を示す。「封建制」の語を忌避する逆流である。著者の主張によれば、「平安時代から室町時代まで続いた荘園制的社会構成は、その都市的・国家的な性格からみて「封建制と規定することはできない」」。あるいは、「封建制とは、ヨーロッパに独自の社会構成であって、日本の前資本制社会は、封建的社会構成であったことは一度もない」とまで言い切っている。このような逆流について、中世史家の今谷明は、〝封建制〟濫発の時代を経て紆余曲折の結果、「日本に封建の制なし」といっていた重野安繹の論調に戻った錯覚を感じる（今谷明『封建制の文明史観』ＰＨＰ新書、二〇〇八年、二四九頁）と評している。

嬰児を盥の水とともに流す、というが、過度に政治的な文脈で〝封建制〟の三文字を弄し、あげくの果ては三文字追放を主張するのは、まさに日本中世史界、病膏肓《こうこう》に入る、の構図ではないか。過ちは速やかに糾されなければならない。

追記『十六夜日記』 御成敗式目という封建法（武家法）は、大化改新で生まれた「律令体系の孫」に当たると朝河は説いた。律令体系（祖父）から庄園法（子）が生まれ、庄園法から御成敗式目（孫）が生まれたという見立てだ。藤原定家（俊成の子）の子為家（俊成の孫）の側室・阿仏尼は為家の正妻の子為氏と播磨国細川庄から得る領家職（＝年貢）相続権をめぐる激しい争いに巻き込まれた。為家は当初公家の慣例に従い、正妻の子為氏に相続させたが、その後側室の子為相が和歌に秀でていることを知り、庄園法にはない「悔返」（悔い返し）権を行使する遺言を残した。側室・阿仏尼は京都の六波羅探題に訴えたが、認められず、五十五歳の阿仏尼は幕府に直訴すべく、鎌倉に一人旅した。彼女は一二七九年一〇月一六日（旧暦）京都を旅立ち、幕府に訴えたが、容易に決着しなかった。阿仏尼の死後、子為相が訴え続け、一三一三年七月二〇日付関東下知状によって、ようやく為相への細川庄相続が認められ、冷泉家が生まれた。為家の遺言に基づき阿仏尼が幕府に訴えたのは一二七九年だから、三四年後にようやく「悔返」を認められたわけだ。この一事は、武家法がいまや庄園法に代わって、公家界をも含む全日本で適用されること、即ち幕府の武家法が全日本に及ぶことを含意する。『十六夜日記』は優れた紀行文として有名だが、法制史的には、武家法が庄園法に代替した転換を活写した記録でもある。

〝封建制〟概念追放論を批判する甚野尚志の卓見

この逆流に強い違和感を表明しているのが甚野尚志（早大文学学術院教授）である。曰く、「①日本中世史の分野では、封建制の概念の限界性が指摘されており、日本・ヨーロッパ・東アジアの歴史を比較することや、古代・中世・近世といった時代区分を考えることはすでに歴史学の現状からみれば困難である」「②日本中世史の分野で、封建制が分析概念としての意味を失っている」「③封建制が史料に出る言葉でもなく、また西欧中世史から借用概念であるので日本中世史研究では廃棄すべきだ」——これは甚野が『封建制の多面鏡』（刀水書房、二〇二三）の「訳者あとがき」で批判的に引用した保立・似鳥ら〝封建制〟追放論者の主張への反論である。

日本史学界がこのような混迷に陥ったのは、朝河史学を無視してきたことの当然の帰結と筆者は考えている。いまこそ朝河史学を読み直す秋《とき》だ。

封建制を中心とした比較法制度史という朝河貫一が専門とした歴史学の流れからすれば本章をもって本書の筆を擱くことも可能である。だが筆者矢吹としては、米国恫喝外交の原点とも言える黒船の浦賀渡来時における白旗問題の議論を補章として加え、本書の棹尾を飾りたい。父と子そして師弟という不可避の人間関係から、日米外交の嚆矢ともいうべきペリー来航時の秘められた資料「随行日誌」を含む米側資料、そしてそれを裏付ける日本側資料も対比して詳細に読み込んだ朝河貫一の歴史研究の成果を開陳しよう。

補章　ペリーの白旗が語る日米関係の真実

第一節　対米従属の原点、「白旗授受」はなかったのか？

1　「ペリーの白旗」とは何か

一八五三年七月、アメリカのペリー艦隊が浦賀沖に突如現れ、江戸中が大騒ぎになった。いわゆる黒船騒動だ。江戸の人々を驚かせたのは、四隻のうち二隻が見たこともない異様な「蒸気船」であり、巨大な大砲を備えていたためだ。「泰平の眠りを覚ます蒸気船《じょうきせん》、たった四杯で夜も眠れず」という狂歌が当時の世相を活写している。上喜撰《じょうきせん》とは、宇治の高級茶のブランド名だ。「喜撰」銘柄のうち、上等なものは「上喜撰」と呼ばれ、人気が高かった。「喜撰」は、元来六歌仙の一人であり、歌人の喜撰法師に由来する。上喜撰四杯で寝つけなくなるとは、と蒸気船クロフネに狼狽する幕府を江戸庶民は皮肉った。

幕府も庶民もまず蒸気船という新型船の偉容に驚いたが、もっと驚いたのは異国船打払令をまるで無視して、傍若無人のように湾内に居すわったことだ。「打ち払い令」とは、江戸幕府が一八二五年に発した外国船追放令である。一八〇八年一〇月に起きたフェートン号事件（イギリス海軍のフリゲート艦フェートン号がオランダ船拿捕のために、国籍を偽りオランダ国旗を掲げて長崎に入港した事件）、一八二四年の大津浜事件（水戸藩領の大津浜にイギリス人一二人が野菜や水を求めて上陸した事件）を契機に発令されたが、日本の沿岸に接近する外国船は、見つけ次第に砲撃し、追い返して、鎖国を守る措置である。

一八三七年、日本人漂流漁民音吉・庄蔵・寿三郎ら七人を送り届けようとして下田に来航したアメリカ合衆国商船モリソン号も砲撃され、追い返された。モリソン号は幕府の誤解を防ぐために、あえて「砲門を外して接近した」にもかかわらず、それでも幕府側から問答無用といわんばかりの砲撃を受けて、漂流漁民の送還に失敗し、そのまま連れ帰った。この失敗をつぶさに検討しつつ、ペリー艦隊は、万全の構えで浦賀沖に近づいた。

作戦としては、一方で露骨な砲艦外交を行う。すなわち砲艦の着弾距離と、幕府側砲台の着弾距離差を慎重に計算しつつ、自らを安全距離内に停泊させ、威嚇を続け、海深調査を試みたりした。

幕府側には鎖国令や異国船打払令があり、長崎の出島以外の地では一切の交渉を拒否する拒否回答もペリー側はあらかじめ想定に含めていた。そのように頑固な幕府をいかなる手段で交渉の窓口に引き出すか。「漂流漁民の引き取り」という人道上の理由ならば、幕府の国禁のもとでも許されてしかるべきではないか――これがペリー側の「情理を備えた」作戦計画にほかならない。

「漂流漁民の引き取り」という材料を糸口にして接近し、「フィルモア大統領の国書」（開港提案）を幕府に届けることがペリー艦隊の狙いであることは、数回の応酬を経て、まもなく明らかになる。浦賀の奉行たちは、一つ一つ、ペリー側の主張をそのまま「江戸表」（幕府の老中）に伝えた。その結果、幕府は、外国との応接は「出島に限る」という決まりの例外措置として、「浦賀における大統領国書の受取り」を決定した。

それは久里浜に臨時に設けられた「幕の内」で行われることになったが、「出島以外では、外国との応接は行わない」という禁令との矛盾を避けるためには、どうすればよいか。ここで浦賀奉行たちが考えた妙案とは、「無言劇」という演出であった。

今回に限り異例の措置として、①出島ではなく、浦賀において、②米国大統領親書を受け取るものとするが、これは便法にすぎない。それゆえ、当地での交渉は一切ありえない。単に親書の授受にすぎないことを明示するために案出されたのが「無言劇」というスタイルなのであった。

この無言劇で、大統領国書を収めた箱が捧呈されたことは誰も否定しない。ここで難題は、幕府側に渡された箱が「二箱存在した」と明記されていることだ。ならば、もう一つの箱には何が収められていたのか。

あらかじめ結論を書いておく。その箱には「白旗二枚と白旗の意味を説明する説明書き」が収められていたと解するのが最も合理的なのだ。

しかしながら、ペリーの正式報告（『遠征報告書』）にも、幕府側の記録集（『幕末外交文書』）にも、白旗授受についての記述は曖昧である。（『幕末外交文書』は史料集であり、「白旗差出の件」という文書は存在するが、この文書と捧呈式の関係は明記されていない）

ここから、「記録にない以上は、白旗の授受は存在しない」と見るのが白旗授受を否定する論客たちの見解である。遺憾ながら、否定論者にとってまことに不都合なことに、「幕府は白旗で脅迫された」とする伝聞は、当時江戸中をかけめぐっていた。

というのは、モリソン号までは打ち払い令で異国船を追い返していた幕府が、打ち払いを止めただけでなく、久里浜に設けられた天幕のなかで、異様な無言劇が行われたのはなぜか、そのナゾを否定論者は説明できないではないか。

ここから「白旗問題」が生まれた。国書を収めた箱だけに着目して事足れり、とする議論と、「もう一つの箱」に着眼して、その中身を詮索する議論に分かれた。後者には白旗が収められていたに違いないと解釈しなければ、説明がつかないではないか。

著者矢吹が冒頭で指摘したいのは、ただ一つである。もし「白旗による恫喝」がなかったら、幕府側は果たして大統領国書を受け取る決断をできたであろうか、という問いだ。

その秘密を解くのが本章の課題である。

2　なぜ近年、白旗トラウマが再燃したか

二〇〇九年六月二日、横浜では開港一五〇周年の記念イベントが行われた。この記念イベント前後

に、人々が開港前夜から二一世紀に至る歴史を回顧したのは、自然な成り行きであろう。私自身は長らく横浜市立大学に勤務して、少し前に定年を迎えていたが、一連の動きを横目で眺めていた。松本健一の『白旗伝説』が文庫版として再刊されたあたりから、にわかに政治的色彩を帯びることになる。というのは、『新しい歴史教科書』(二〇〇一年版)のコラムに「ペリーが渡した白旗」と題して、白旗事件が書き込まれたのだ。

ところが意外や意外、二〇〇五年刊行の『新しい歴史教科書』改訂版から、突然「白旗書簡」のコラムが消えてしまった。代わりを埋めたのは、『日本遠征記』から抜粋・要約した「ペリーは日本人をどうみたか」と題するコラムである。

一連のドタバタ劇を時系列で整理すると、こうなる。

一、一九九五年五月、松本健一の『白旗伝説』(新潮社版)が発表され、三年後に講談社学術文庫版が出た(一九九八年五月)。これによって白旗問題が再燃した。

二、松本の問題提起を待ってましたとばかり、『新しい歴史教科書』(二〇〇一年版)は「ペリーが渡した白旗」というコラムを掲載した。この一派の反米ナショナリズムにフィットしたのであろう。

三、右翼版『教科書』に対して、左翼陣営は即座に反論した。宮地正人教授(前東大史料編纂所所長)の偽造文書批判が『歴史評論』(二〇〇一年一〇月号)に発表され、他の東大系歴史家も宮地に追随して、白旗文書は「偽文書」とそれぞれの著書に書き続けた。

四、このころ、ハーバード大学の入江昭教授は、白旗差出問題について、「初耳」とインタビューに答えて(二〇〇二年)、事実上、東大系「偽文書派」の援軍の役割を果たした。

怪しげな歴史認識は、服飾の流行にも似て、流れがクルクル変わる。当初は、松本から新教科書まで、「ペリーの白旗」を史実と見る伝統的解釈が復活したと思いきや、歴史学の専門家たちがこぞってこれを否定する圧力に押されて、『新しい歴史教科書』（二〇〇五年改訂版）が屈伏した。「白旗書簡」のコラムは削除され、代わりの穴埋めは、『日本遠征記』から抜粋・要約した「ペリーは日本人をどうみたか」と題するコラムであった。

五、その余波は、故人にまでおよぶ大喜劇となる。再刊された大川周明著『日本二千六百年史』（毎日ワンズ、二〇〇八年一〇月版）から編集者は、白旗文書の項を削除してしまった。

六、若手研究者の桐原健真著『吉田松陰――日本を発見した思想家』（ちくま新書、二〇一四年一二月）や岩下哲典は、いくつかの論文で、「白旗書簡偽文書論は、いまや定説である、と断定する始末だ。

誤謬が定説になっては、困る。歴史の教訓を学ぶ必要性が高まっているときに、歴史の真相から目を背ける解釈がまかり通る。これは厳しく批判されてしかるべきだ。

3　「白旗トラウマ」は亡霊として生き続ける――日米関係と日本ナショナリズム

白旗問題は日本人の対米意識の底流に沈殿し、日米関係の悪化と共に日本人の反米感情を刺激するトラウマとなり、今日に至っている。

一例を文学作品から探ってみよう。たとえば島崎藤村『夜明け前』第一部は、嘉永六年六月のペリー来航のときから物語が始まる。主人公の青山半蔵が父吉左衛門の許可を受けて、江戸、日光をまわり、相州三浦の公郷村に在住の青山家の先祖とつながりのある山上七郎左衛門宅を訪問したときに、七郎左衛門が半蔵らに語ったペリー来航時の話は、次の通りである。

ペリイは大いに軍容を示して、日本人の高い鼻をへし折ろうとでも考えたものか、脅迫がましい態度がそれからも続きに続いた。全艦隊は小柴沖から羽田沖まで進み、はるかに江戸の市街を望み見るところまでも乗り入れて、それから退帆のおりに、万一国書を受けつけないなら非常手段に訴えるという言葉を残した。それればかりではない。日本で飽くまで開国を肯じないなら、武力に訴えてもその態度を改めさせなければならぬ、日本人はよろしく国法によって防戦するがいい、米国は必ず勝って見せる、ついては二本の白旗を贈る、戦に敗けて講和を求める時にそれを掲げて来るなら、その時は砲撃を中止するであろうとの言葉を残した。

異国――アメリカをもロシヤをも含めた広い意味でのヨーロッパ――シナでもなく朝鮮でもなくインドでもない異国に対するこの国の人の最初の印象は、決して後世から想像するような好ましいものではなかった。もし当時のいわゆる黒船、あるいは唐人船が、二本の白旗をこの国の海岸に残して置いて行くような人を乗せて来なかったなら。もしその黒船が力に訴えても開国を促そうとするような人でなしに、真に平和修好の使節を乗せて来たなら。古来この国に住むものは、そう異邦から渡って来た人たちを毛ぎらいする民族でもなかった。むしろそれらの人たちをよろこび迎えた早い歴史をさえ持っていた。シナ、インドは知らないこと、この日本に関するかぎり、もし真に相互の国際の義務を教えようとして渡来した人があったなら、よろこんでそれを学ぼうとしたに違いない。また、これほど深刻な国内の動揺と狼狽と混乱とを経験せずに済んだかもしれない。不幸にも、ヨーロッパ人は世界にわたっての土地征服者として、まずこの島国の人の目に映った。「人間の組織的な意志の壮大な権化、人間の合理的な利益のためにはいかなる原始的な自然の状態にあるものをも克服し尽くそうというごとき勇猛な目的を決定するもの――それが黒船であったのだ。

この藤村の一節は、「白旗書簡」の内容をそのまま書き写した感がある。藤村が実父をモデルとしてこの歴史小説を書き始めたのは一九二八年といわれるが、当時の日米関係がペリーの白旗に投影されているのは、見易い。つまり大正から昭和に時代は代わり、満洲事変はまだ起こっていないが、軍縮会議等で日米の緊張は次第に高まりつつあった。作家の感性は時代を先取りして、ひしひしと押し寄せる米国の圧力を幕末の「白旗イメージ」で捕らえたのである。*

＊　藤村はまことに時代の子であった。岩畔豪雄『昭和陸軍謀略秘史』は次のように証言している。「南京の虐殺なんというのがそれだ。それで私が軍事課長の時に、これはいかんというので『戦陣訓』を私が提案して作って貰ったのはそれなんですよ。強姦しちゃいかんなんということは（勅語には）書けないから、戦陣訓ということになれば、どんなことをしてはいかんということもかけるから、そういうものを一つ作ろうということで作りました」「結果は私の考えたものと少しちがったものにな

りましたけれどもね」「島崎藤村などが最後に文章を直したのです」（一七八頁）。

もう一つだけ「戦時下のベストセラー」と呼ばれた例を挙げよう。一九三九年に出て、敗戦までに「百万部売れた戦時下のベストセラー」、すなわち大川周明著『日本二千六百年史』にも、「ペリーの白旗」は特筆されていた。「試みに吾等をして米艦来朝に際して幕府に差出せる文書を引かしめよ。文に曰く「先年以来、各国より通商願いこれある処、国法を以て違背に及ぶ。固より天理に背くの次第莫大なり。然れば蘭船より申し達し候通り、諸方の通商、是非々々希い候。不承知に候わば、干戈を以て天理に背くの罪を正し候につき、其方も国法を立て、防戦致すべし。左候わば、防戦の時に吾等にこれあり、其方敵対成り兼ねもうすべく、若し其節に至り和睦を請い度ば、此度送り置き候ところの白旗を押し樹つべし。然らば此方の砲を止め、船を退いて、和睦を致すべし」と。而して之に添うるに二流の白旗を以てした。」

大川のこの一節の記述がいわゆる「白旗差出の件」（『幕末外交文書』）に基づくことは明らかだ。ほとんど原文そのままの引用だ。こうして昭和初めの島崎藤村から敗戦直前に至るまで、日本人が「反米」を意識するとき、脳裏には「白旗問題」がトラウマのようにしがみついて離れない。

4 白旗トラウマの反面――GHQ占領軍を民主主義の伝導師扱い

いま「戦時下のベストセラー」を紹介したが、敗戦によってこの種の鬼畜米英論は一挙に焼かれるか、屑箱入りした。教科書には墨を塗った。一九四五年敗戦の衝撃は極めて大きく、それまでの「善は悪に、悪は善に」一夜にして豹変した。白旗トラウマも例外ではない。米国は日本に圧力をかける無法者ではなく、国民を「軍国主義の軛《くびき》から解放する担い手」とみる真逆の評価になった。なるほど日本軍国主義を武装解除したのは事実であり、これはポツダム宣言に基づく。長らく獄中に幽閉されていたリベラル派・左翼陣営の指導者たちを次々に解放したのであるから、彼らにとってGHQが軍国主義からの解放者であったことは確かであろう。この類推が幕末のペリー遠征に直結して、白旗トラウマを吹き飛ばす役割を果たす。

曰く、「フィルモア国書」に書かれた大義名分こそが開港要求の本質である。開港とは、鎖国の陋《ろう》習《しゅう》を打破した開明的政策にほかならない。時代を先取りした合理的政策について「白旗による脅迫」をあげつらうのは、歴史の本流から目をそらすものではないか。ここで白旗のような噂の類に目を向けるのは、木を見て森を見ない愚昧の徒である、云々。

しかしながら、これらはいずれも単眼史観であり、正しい歴史解釈とは言い難い。ペリーによるいわゆる「砲艦外交」をフィルモア国書に書かれた「外交辞令」から説明し、勢い余って白旗の恫喝《どうかつ》を否定するのは、およそ本末転倒なのだ。「白旗による恫喝」の是非を道徳的に論じる前に、背景の分析が必要だ。ペリー外交の核心は、白旗による恫喝なくして、幕府が開港を決意できたかどうか——その検証が必要なのだ。

一九四五年、ダグラス・マッカーサーの占領軍進駐についても、類似の悲喜劇が繰り返された。占領軍をあたかも「封建的半封建的隷従」からの「解放」と認識する時代錯誤の珍現象が広範に行われた。否、その種の思考パターンから戦後の歴史学はいまだ十分に解放されていないように見える。この点は沖縄における米軍駐留の長期化を事実上黙認してきた既成事実ともかかわり、日本人の道義感覚に甚だしい歪みを与えている。日本は戦後七〇年を経ても、いまだに白旗の亡霊やトラウマに捕らわれたまま米国を認識することしかできない、といっても過言ではないと著者は考える。一方に白旗トラウマが残り、他方で、これを民主主義の伝導師あるいは、世界平和の守り手と解釈する両極に対米認識が分断されている。そして対米認識の反面は対中認識であるから、対中認識も極度に歪んだものとなる。

ここで特に問題なのは、サンフランシスコ講和条約の「片面性の矛盾」を忘れた議論である。「米国との戦争」がこの条約で終わったことを知らない者はない。では、米国との戦争はなぜ起こったのか。そもそもは中国との「宣戦布告なき戦争 undeclared war」の帰結としての日米戦争ではないか。日中戦争は、ここで開戦が曖昧であり、これに対応して終戦も曖昧だ。日本人は八月一五日といちおう考えるが、中国人にとっては九月三日である。では誰が勝ち、誰が敗れたのか。中国（国民党、共産党）は当然ながら、戦勝国を自任するが、日本人には「中国に敗れたという自覚」がほとんど欠けている。中国が戦勝連合国の一員であった事実さえ、軽視しがちだ。日中のいわゆる歴史認識のすれ違いは、ここに始まり、ますます拡大しつつある。

戦後七〇年、戦後生まれ世代が国民の大部分になったことと無縁ではないが、大方の日本人は「アメリカに敗れた記憶」さえ曖昧になり、中国が戦勝国、連合国の一員であった事実は知らなくて当然といわんばかりに平気な顔をしている。東京大空襲やヒロシマ、ナガサキを通じて、「戦争被害」の記憶は残るが、中国を戦場として、「加害者としての記憶」は極度に薄い。これらの一連の曖昧な歴史認識を象徴するものが安倍談話であり、これと対照をなすのが閲兵パレードにおける習近平演説だ。安倍談話には「四つのキーワード」が含まれているから、歴代内閣の歴史認識に継続性ありとする公認の解釈と、他人事のように引用するのは相手に対するリップサービスに留まり、誠意はない、歴史認識に継続性なしとする解釈に両極分解している。

マッカーサー将軍は、戦艦ミズーリで降伏文書の調印式を行うに際して、ペリー艦隊の旗艦に掲げられていた古い米国旗を飾る演出を示した。彼は一九四五年九月二日の調印式の本質を一八五三年のペリー艦隊を想起させることで、示したことになる。こうして「ペリーの白旗」と、これを改めて想起させた「マッカーサー将軍の旗」とは、アメリカから見て「対日政策の原点」を示すもの、日本から見れば「対米従属の原点」を確認するものにほかならない。

ペリーの遠征とマッカーサー将軍の進駐、これら二つの史実を徹底的に分析することを通じてのみ、白旗トラウマを沈め、平等互恵の日米関係への道を模索できるであろう。そもそもペリーによる開港という原点認識があいまいなままでは、その後の日米関係の歪みを正すことはできまい。本稿が、「ペリーの白旗」という旧事について些事を追うのは、実は明日の日米関係を照らす手がかりを求めるためである。

1 二回にわたる船上対話と久里浜無言劇（嘉永六年六月四・七日の対話と九日無言の捧呈劇）

ペリー艦隊の首席通訳ウィリアムズには、モリソン号の苦い体験が強く印象づけられていた。幕府と呼ばれる日本政府が鎖国という国法を固く守っていることは、すでに日本と通商関係をもつオランダから聞いていた。国法を尊重すべきであるという考え方に異論はない。それはどこの国にとっても同じことだ。だが、灯油に用いる鯨漁をやめるわけにはいかないのが現実だ。鯨漁で嵐に遭うと、一方は日本に漂着し、他方はアメリカに漂着する。これらの海難事故の漁民を救う協定は、鎖国令のもとでも可能なはずだ。ウィリアムズは、モリソン号での漂流民送還の失敗を慎重に検討しつつ、幕府との交渉、説得をどのように進めるか、頭をなやましながら、浦賀沖に近づいた。まずはなによりも、和交の意図を示すことだ。嘉永六年六月三日浦賀沖に着いてからの模様をウィリアムズ『随行日誌』から読んでみよう。

○三日夜から四日にかけて船上でウィリアムズたちは、「敵の来襲を待ち受けるごとく警戒体制」を続けていた。というのは、陸では、一晩中半鐘が鳴り響き、その音が船にも届いていたからだ。つまり、海側のペリー艦隊も陸側の浦賀奉行所も、厳戒体制で夜を明かしたわけだ。夜の闇が警戒心を強めたのはいうまでもない。

○朝七時、「浦賀で最高位を（自称する）栄左衛門」が通訳二人と与力の手下四～五名と共に船に近づき、談判にやってきた。栄左衛門は、なぜ浦賀へ来たのか、将官の地位は何か、等を聞く。そこでブキャナン船長が栄左衛門と通訳二名だけを部屋に招く。
○船長室で栄左衛門が説明したのは、自分としては国書を受け取りたいけれども、「書簡受取りは国法が禁じているため、公式にはできない」と説明した。これに対して、ウィリアムズたちは、「書簡を受けとってもらうまで停泊する」と脅迫しつつ、「受取りにふさわしい人物を船に連れてこい」と要求し、これは「大統領から天皇への国書である」「当方は委任された任務を執行する義務がある」と説明した。

（このやりとりは、鎖国の国法を盾に書簡の受取りを拒否する栄左衛門に対して、ペリーの側も米国の国法により、手渡しの義務を負っていると、論理を対置させたものであろう）

○「用向きがあるなら長崎へ行け」との栄左衛門の指示に対しては、「われわれは（出島ではなく浦賀に派遣されたのだ、幕府（将軍）に近いからだ」と説明し、長崎行きを明確に拒否した。これはむろん長崎にのみ窓口を開く幕府の応接体制へのゆさぶり作戦である。
○こうしたやりとりの後、ウィリアムズは「国書と信任状」の原文を示し、続けて「翻訳文を収めた包み」も示し、来航の目的を繰り返し説明した。

（ここから明らかなように、六月四日すなわち「最初の船上会談」の時点で、香山らは国書の蘭語訳と漢語訳を通じて、国書の概略をすでに読んでいる。しかしながら、ウィリアムズの観察によると、香山は国書自体にはほとんど関心を示さない。そして「小さな箱」を届けるために「なぜ軍艦四隻でやってきたのか」を繰り返し問いただす。香山が与力であることを知る者から見れば当然の「訊問」だが、ウィリアムズ自身は、香山の身分をまだ知らない）

○「天皇への敬意を示すため」の軍艦四隻と説明したが、栄左衛門は納得したようには見えない。ウィリアムズは飲み物と菓子を勧めたが、栄左衛門はそれに手をつけない。そして江戸表との連絡往復に四日かかるので、返事が届き次第、再訪する、と今後の方針を伝える。

ここでウィリアムズは白旗について次のように記述している。栄左衛門たちは白旗の意味をはっきりと教えられ、[*1] 朝に白旗が掲げられるまでは訪問を控えるべきことを教えられた。[*2] この場面は、幕府側記録が臨場感に富む。ブキャナン船長室のインタビュー（会談）について、ウィリアムズは「終始、その態度物腰は、威厳と沈着を保持しつつ行なわれた」と栄左衛門の「訓練された役人ぶり」を好意的に記述している。さて栄左衛門の発言内容は、すでに指摘したように、ウィリアムズにはほとんど意味が理解されていた。

＊1　ここで「朝、白旗を掲げる」とは、むろん戦闘意志のないことを示すためである。ウィリアムズはモリソン号で来航した際に、突如砲撃された体験に鑑みて、「和戦両用」のうち、「和の構え」「戦の構え」を相手側に誤解を与えないよう、シグナルとしての白旗の意味を説明した。白旗はもし「戦闘中」に掲げるならば、当然「撃ち方、止め」の意味であり、逆に掲げていた白旗を敵の面前で降ろすならば、それは「戦の構え」への転換を警告する。白旗はむろん「休戦」から、やがては「降伏」に至る場合もあるが、「和交」か「降伏か」、いずれか二者択一のシンボルと解する日本史家たちの解釈は、馬鹿げている。

＊2　They were clearly informed of the meaning of a white flag, and also that visits were out of season till after the flags were hoisted in the morning.

○会談の終りに、通訳達之助が栄左衛門の役職を「浦賀で最高の高官」と紹介した。ウィリアムズはこの時点では、浦賀奉行所の要員配置を知らないが、まもなく香山の職掌を正確に聞き出している。

○ところで、栄左衛門は船長の名を聞いて、ペルリと教えられる。このとき、「これ以上の恭順はないほどにうやうやしく聞いた」。ウィリアムズが驚いたのは、「名を名乗り、これを承る」という儀式を重んずるやり方だ。「国書には敬意を払わない」にもかかわらず、「ペリーという代表の名には敬意を払う」幕府役人の態度をウィリアムズは驚きをもって記述している。

○別れ際に「貴方はアメリカ人か」と誰かが聞く。ウィリアムズはおどけて「いかにも左様でござる」と香山の口調をまねて答える。「そこで一同は大笑いになった」。それから「達之助がウィリアムズの名を聞き当て、ウィリアムズが達之助の名を確認した」。

昨夜から今朝の接触までは、戦々恐々とした心境で一夜を明かした。ところがいまや、数時間の対話だけで一挙に、すっかりうちとけている。この社交能力は、日米双方ともすごい。さらに、ウィリアムズは、香山が挟み箱を小姓にかつがせるのを見て、箱の中味を聞く。これは与力の道具衣装一五点入りセットだ。ウィリアムズは房飾りのついた「真鍮製十手」に目を引かれたが、その用途はわからない。栄左衛門が与力であることはまもなく聞き出すことになるが、この時点では対話はまだそこまでは進んでいない。——

以上の観察は、通訳ウィリアムズの目を通した記録だが、幕府側与力栄左衛門の記録は、つぎのように記している。六月四日早朝、栄左衛門は通詞堀達之助と同立石得十郎を伴ってサスケハナ号に乗船した。

○船中の形勢、人気の様子、非常の体を相備え候につき、とてもこのまま書翰御受取りこれなくては、平穏の取り計らい相成り兼ね候。
○浦賀にて御受取りに相成らず候わば、江戸表にまかり越し相渡すと申すべし。
○江戸表へ相伺い候えても、当所にて御受取りに相成らず候わば、［ペリーは］使命をあやまり候、恥辱雪ぐべきなし。
○されば浦賀において余儀なき場合に至る［戦端を開くこと］と申すべし。
○その節に至り候とも、用向きこれあり候わば、白旗を建て参りくれ候わば、鉄砲を打ち掛け申すまじき段の存念、申し聞き候。
○相貌、将官はもちろん、一座に居合わせし異人一同、殺気面に相顕れ。

ウィリアムズ『随行日誌』は、あっさりと「白旗の意味を教えた」と記録しただけだが、栄左衛門は、戦端が開かれた場合に「白旗を建て参りくれ候わば、鉄砲を打ち掛け申すまじき段の存念」と白旗の意味を正確に理解したことが分かる。

次に六月七日（ウィリアムズ日誌七月一二日）の「船上対話書」を読んで見よう。ウィリアムズの筆によれば、朝日の差す靄に浮かぶ入江が美しい。九時前は行き交う小舟も少ない。午前一〇時ごろ始まった書簡受取りをめぐる応酬は三時間に及んだ。香山連《れん》栄左衛門永孝《ながのり》とウィリアムズはもう香山の与力という職掌まで聞き出している。香山は二人の通訳を伴って船上にやってきて、「日時はいえないが、書簡は受け取ることになろう」と見通しを伝える。

ウィリアムズは心に予期していたので驚かなかったが、栄左衛門のいう受取りが「写し」ではなく、「国書の原物」を指すことを知って予想外の展開を感じる。ウィリアムズは手渡しの段取りに時間のかかることは予想していたが、栄左衛門たち（江戸表）が検討していたのは、受取りの可否だけではなく、意外にも「国書を誰が受け取るか、その受取り人」なのであった。ウィリアムズはまず「写し」を栄左衛門に手渡す段取りを考えていたが、栄左衛門は写しの受取りを拒否する。その理由を問う過程で、話は「写し」の段階を越えて、原物の受取りまで検討が進み、受取人を誰とするかの検討まで江戸表では論議していることが分かった次第である。ここに至るまでは、「長崎へ回れ」、「いやそれはできない」の押し問答に始まり、「受取りは浦賀としてもよいが、返書は長崎で」「いや浦賀で受け取ってもらう国書は、返書も浦賀に限る」といった応酬がウィリアムズと栄左衛門との間で交わされていたが、江戸表はすでにペリー側の強い意志を明確に理解していた。

①浦賀での受取り、②受取り人名（奉行）、③受取り会場・陣屋の設定まで検討を進めていることが、午前の対話で明らかになった。さらに夕刻四時からの対話では、「九日受取り儀式」の具体的な段取りまで協議が進展した。ウィリアムズは①国書原物と②その写し、そして③幕府の信任状をもつ受取人に手渡すこと、④陸上での手渡しのため上陸する場合には、ペリーに適度の数の護衛部隊を伴うこと、などを求める。これに対して栄左衛門はこれらの条件をすべて受け入れるとともに、幕府側の条件を伝える。

それは今回の受取りは①単なる「受取り」に限定した式であり、そこでは②会談を行わない、という方針である。その言外の意味は、国法に照らしてこのような授受は「本来許されない」ものではあるが、江戸湾深くまで侵入という脅迫等、諸般の状況に照らして特別な計らいとして受取り、その場で「国書への受領書」を手渡す。このような扱い方法を逆提案したのであった。こうして、久里浜での手渡しという段取りが合意してしまうと、両者間は一気に緊張が解ける。

ペリー側から達之助に対して、腰の刀を見せてほしいと頼む。達之助が求めに応じて、抜いて見せると、刀の把手や鍔などの細工に見入る。刃渡りを確かめ、ついには大小二〇～三〇両と刀剣の「買い入れ価格」まで聞き出している。刀調べに満足すると、今度は栄左衛門たちがサスケハナ号の蒸気エンジンを見せてもらう番だ。エンジンの大きさや石炭を燃やす竈《かまど》の大きさに一同は驚く。栄左衛門は石炭を見て、日本の平戸にも、四国の阿波にも、大和などにも石炭は産出すると説明する。さらに大砲や小銃などサスケハナ号に備えた火器、武器も見せたが、栄左衛門たちを最も喜ばせたのは、銀版写真機であった。彼らは写真機のことは耳にしていたが、機械の現物を見るのは初体験だったからだ。

ウィリアムズの方は、このときに通訳の立石得十郎光定から、嘉永・弘化・天保といった「幕府の年号制度」を聞き出している。それを乾隆・嘉慶・道光など清国のケースと比べている。①公方（将軍）の年号が短いのは、将軍の権力が清国皇帝の権力よりも小さなためか、②幕府内で少数派になると解任されるのか、など自国の大統領選挙のイメージで、政権内部を推測し、そこから③鎖国政策の変更可能性を考えていることが読み取れる。きわめて優秀な情報収集能力だ。この辺りには日本政治の研究者としてのウィリアムズの横顔がくっきりと浮かび上がる。ウィリアムズはまた栄左衛門の地位が「浦賀騎士長」であり、中島三郎助の所属が「浦賀騎隊」であることも聞き出している。ここではすでに栄左衛門の「与力としての身分」も十分に理解しているから、ウィリアムズ日本研究は長足の進歩である。こうして和暦六月七日朝と夕刻、二回の対話において、国書を届けるという一八五三年ペリー遠征の目的は基本的に達せられるメドがついたわけだ。

このやりとりを次に幕府側記録によって跡づけて見よう。『幕末外交文書I』に［史料番号六二号］として収められた六月七日「浦賀表米船対話書」である。この対話書には「朝のやりとり」は記録されていない。午後四時、「香山栄左衛門、通詞堀達之助、立石得十郎本船に相越し応接左の通り」と題した記録である。

○栄左衛門曰く「書翰の儀、江戸表へ相伺い候処、当地に於いて受け取るべき旨、御指図これあり候につき、左様相心得らるべく候」。浦賀で国書を受け取ってよいとする「御指図」が江戸から、ペリー指定の時間の一日前に届いたので、それを報告したもの。

○将官曰く「この節、持ち越し候書翰のほかに、添書きこれあり候間、右添書きはただいま相渡し候につき、早々江戸表へ相達し候らわん。書翰の事柄相分け、江戸表より高位の役人請取りの為出張これあるべく候間、即刻持ち帰り、申せらるべく候」。右の通り申し聞き、すなわち添え書きを差し出す。栄左衛門の報告を喜ぶかと思いきや、ペリー側は、新たな難題を持ち出した。「添書き」すなわち撫恤《ぶじゅつ》本の問題である。しかもその「添書き」は、国書とは切り離して、即刻持ち帰れという。当惑した栄左衛門は不満を述べる。

○栄左衛門曰く、「その儀に候わば、最初よりこれを申し出らるべき処、今に至りて右様の儀申し立て候は不都合につき、書翰受取の節、右添書き一同相渡し候手続きに相成りたく候」。（せっかく

「国書」受取りの段取りの協議が整ったばかりなのに、その前に「添書き」なるものを事前に江戸表に届けよと頼まれても困る。なぜ国書と一緒ではまずいのか、と問い質す)

○将官曰く「この添書きは、前広に差出し申さずしては、事柄前後に相成り、甚だ不都合につき、是非ただいま相渡し候様致したく候」。(この「添書き」は前もって先に読んでおいてもらわないと「事柄の前後」があべこべになるからだという。この説明はまるで説得力を欠いている。そこで)

○栄左衛門曰く「ただいま受取り持ち帰り候にて然るべく候えば、このまま受取り帰らるべく候えども、右様前広に差出し候にては、不都合の訳に候えば、過日江戸表へ申し立て候以前に差出され候はずの処、その節に何の説もこれなく、ただ今既に江戸表より受取りの主任相越し候に至り、更にその書を江戸へ差送り申すべしとは、実に不都合にはこれなきか」。(江戸表が国書についてようやく受取りの指図を出してくれたところなのに、国書の前に読んでほしい添書きとは、いかなる意味か。いまさら、添書きを先に届けろと言われても受け取れない、と栄左衛門は強く断る)。(この時、ことのほか、相困り候の体にて、しばらく無言にて、いずれたるか相考え候体に相見ゆ)と対話書はト書きで説明している。

ここにペリー側の「タテマエとホンネの矛盾」が集約されている。つまり、タテマエとしては、ペリーの任務は、(恫喝を含まない)フィルモア国書を届けて、返事を待つことだ。だが、それだけでは、幕府が国書を受取るか否か、単に受取るだけで、返書を書かない、返書を無視する事態も予想しうる。そのような場合を想定して、ペリーは「万一色好い返事がなければ、戦争になり、幕府が敗れるだろう。その時には白旗を差し出せば攻撃は止める」と、脅迫の意志を非公式に伝えたいのだ。この脅迫は、「幕府は返書せず」という決定を行った後では手遅れなのだ。「ことのほか、相困り候の体」とは、

まさにペリーやウィリアムズの困惑が目に見えるようではないか。さてしばらく考えた後、

〇将官曰く「右様、ただいま受取り兼ね候儀に候えば、書翰一同相渡し候様致すべく候」。(是は自分「ブキャナン、実はウィリアムズ」の添書きにして、実は書翰一同相渡すべき書にこれなく、「全く最前差出し落とし」と相見え候)

この節は読みが肝心だ。これは、ブキャナン=ウィリアムズの添書きにすぎないものであるから、国書とともに渡すべき性質のものではない。このように、国書と添え書きとは、「格が違う」ことが一つ。それゆえ、国書差出のときに、添え書きを忘れたものと、「忘れた理由」については、栄左衛門は好意的にまず解釈した。

ところが、そのような「格下の添書き」にも拘らず、他方で「国書と信任状」に先立って開いてほしいと、「添書き=ペリー書簡」に注意を喚起しているのは何を意味するか。つまりは、「添書き」のほうが国書よりも大事なのだ。そこを読み違えないように、と栄左衛門に念を押した。これこそがまさに「ペリーのホンネ」なのだ。

次に受取り役人の地位等を尋ねる。「受取りの役人は、如何様の官職の人にこれあり候か。首将[ペリーを指す]に於いては至りて高位の者につき、日本にても同位の役人に相渡し申したく、もし高位の人にこれなく候えば、江戸表に於いて、高官の役人へ相渡し申すべく候」。(受取人はペリーと同格の地位の者でなければ困る。高位の者が浦賀まで来ないのならば、ペリーが江戸表まで行くほかない、と再度クギを刺した)

〇栄左衛門が答える。「請取りの役人は、アドミラル[提督]と同様の官に当たり、専ら政務を司

る高位の人に相違これなし。その儀は決して疑心これあるまじく候」。「かつ右の書翰、受取り応接の場所となすは、この近傍久里浜と申す海浜に陣屋を設け、その処に於いて受取り候はずにつき、将官にも上陸これあり、応接の上相渡さるべく候」。（提督と同等の官に江戸表から来てもらう手筈だ。場所は久里浜に陣屋を設ける）

○将官が問う、「久里浜と申すは、浦賀と距離いかほど離れおり候か」

○栄左衛門が答える、「久里浜は浦賀御番所より西北の方へ、距離一里ほど相隔たり候」（このとき、達之助、日本の一里は英国の里数何程に相成りと申す儀を弁説いたす）

こうして「七日夕刻の対話」は、「九日の久里浜国書捧呈の段取り」を協議したものとして重要なばかりでなく、「ペリーの第一書翰＝添書き」の末尾部分、すなわち白旗書簡撫恤本の扱いを決めた点に、より重要な意味を読み取ることができよう。ここでいう「添書き」とは、直接的には、ペリー第一書簡を指す。と同時にその結論部分を誤解のないように要約した「ウィリアムズの通訳メモ」、すなわち著者のいう白旗文書（撫恤本）を含むと解すべきである。ブキャナン＝ウィリアムズは、六月七日夕刻の対話で、結局は事前にではなく、添書きを国書と同時に渡すほかないことで合意した。この約束に基づいて、二日後の六月九日に、久里浜に臨時に設けられた陣屋で①国書および信任状と②「添書つき白旗二枚」の捧呈セレモニー（『日本遠征記』岩波文庫版、2巻二〇〇頁）が行なわれた。

ここで行われた無言の国書捧呈式について、一言補足しておく。無言とは、一言も発言しない、の意ではない。両者は一言ずつ発言している。すなわち、「使節ペルリ――日本国帝《みかど》の御前にて開封これありたく候」という発言に対して、「伊豆守――承知致し候」と応答している。無言とあえて強調したのは、「交渉は一切行わない」。この捧呈セレモニーも、「海禁の国法」に背くものではないと解釈するカタチを印象づけるための表現にほかならない。

ペリーは『日本遠征記』に、こう記している。「この会見の時に、ワシントンで調製された見事な二つの文函に納めた大統領の親書原文と、提督の信任状とを奉行に見せた。奉行は明らかに、その優美な細工振りと金のかかっていることにいたく感動していた」（同上、二〇〇頁）。ここでは二つの箱には、それぞれ親書と信任状とを入れたことになっている。

この記述は明らかにおかしい。というのは、二日前の船上対話で、あれほど強く「前広に読んでほしい」と強調していた「添書き」のことが一言も触れられていない。さらに親書原文のほかに、蘭語訳、漢語訳も用意されていたはずなのに、言及は一切ない。白旗現物といわゆる白旗書簡にも一切触れていない。要するに、ペリーの記述は、六月五日および七日の船上対話記録と合わない。ここではペリーの記述はあまりにも簡単すぎる。ここで大方の日本史家たちは、安易にもペリーの『日本遠征記』に頼りきり、二回の船上対話記録を軽視して、真相から遠ざかったのだ。

ペリー『遠征記』の行間を読むならば、ここから逆に、国書捧呈の前に読ませてゼロ回答を避けさせるという「恫喝が成功したこと」、幕府側が「脅迫の意図」を「正確に受け止め」「国書への返書を約束した」ことで、ペリーがフィルモア大統領から与えられた任務は、基本的に達成したこと、これに安堵したペリーの横顔を読み取るべきなのだ。六月四日の船上対話において、「乗船者を三名に限定して成功した自慢話」を得々と記したが、ここではペリーは事実隠蔽に徹した。そのウラを見抜けないようでは、歴史家たちの史料解読能力が疑われる。

2　国書捧呈の図が示す蘭語の位置

この間、嘉永六年六月四日と六月七日に船上対話が行われ、詳細な対話記録が残されている。一連の対話は米国側が英語からオランダ語通訳を通じて語りかけ、幕府側のオランダ語通詞堀達之助、立石得十郎を通じて、日本語に訳された。その構図を最もよく説明するのは、次の見取り図である。これは、六月九日の国書捧呈の記録に付された通詞立石得十郎の覚書に付された。ペリー首将以下の米国側将官が書翰を差し出すが、受け取るのは、浦賀奉行井戸石見守、戸田伊豆守である。ペリーの右隣に蘭語通訳ポーテメン（Anton L. C. Portman）が控え、戸田伊豆守の右隣に議事進行役の香山栄左衛門（取次ぎ与力）と蘭語通詞堀達之助が控えている。この国書捧呈図は、六月九日に行なわれた無言劇の最良の絵解きである。

日米のやりとりは基本的に双方のオランダ語通訳を通じて行われた。この点についてウィリアムズは、あまり自信のない「自分の日本語能力」よりも、「幕府側蘭語通訳の蘭語能力」が優れていたことを記している。[*] これは割合、よく知られた事実である。

＊ I am not sorry that one of them knows Dutch so much better than I do Japanese, for I think intercommunication is likely to be more satisfactory.

とはいえ、与力香山栄左衛門の言葉を通詞堀達之助が蘭語に通訳し、ポートマンが蘭語を英語に通訳する前に、交渉のやりとりはほとんどすべてウィリアムズにはよく分かったことは、ウィリアムズ『随行日誌』の記述から明らかだ。[*1] しかしながら（後述するように）漂流民から口語を習っただけのウィリアムズには、栄左衛門の口調のように、「〜にござ候」の文体で話すことはできなかったのだ。

ウィリアムズは「そのようなスタイルで話すには、かなりの訓練が必要だ[*2]」と書いている。

＊1　Yezaimon spoke in a clear voice and, through Tatsnoski, who put it into Dutch for Mr. Portman, I could make out almost all they said;

＊2　but it would require considerable practice to speak that style,

3　「無言劇」による国書捧呈

ペリーは一八五三年に来航した際、日本が「通商を欲しない国法」を堅持していることを十分に認識していた。そのような鎖国日本に対して、どのような戦略・戦術で開国を迫るべきか、これがペリーの課題であった。軍人外交家のペリーは当然砲艦による威嚇を中心に考えたが、ここで日本の国情や人々についての重要な入れ知恵をサミュエル・ウィリアムズに求めたのであった。ウィリアムズは、一八三七年に商船モリソン号に救助した乙吉ら日本漂流民[*1]を乗せて送還するため浦賀までやってきたが、引き渡しに失敗した苦い体験をもつ。異国船打払い令[*2]による砲撃で追い払われた。商船派遣という形の平和的形態の失敗を痛切に認識していた。この経緯を踏まえつつ、一八五三年のペリー艦隊は、浦賀に近づいた。

＊1　一八三七年に商船モリソン号で日本漂流民を帰国させる試みが失敗した教訓を十分に活かして一八五三年にペリー艦隊が浦賀を訪れた。その間の経緯を陶徳民は「アメリカによる対日人権外交」ととらえている。「一九世紀中葉美国対日人権外交的啓示——写在日本開国一五〇周年之際」『二一世

紀双月刊』、二〇〇四年四月号。

＊2　一八〇八年一〇月（文化五年八月）に起きたフェートン号事件、一八二四年の大津浜事件と宝島事件を受けて、江戸幕府は一八二五年（文政八年）に異国船追放令を発した。無二念打払令、外国船打払令、文政の打払令とも言う。

六月四日、浦賀奉行伊豆守の部下与力組頭・香山連（原文のまま。ウィリアムズはこの九漢字をローマ字のあとに補足している）栄左衛門永孝を相手として、幕府側通訳二名だけの乗船を許す方式で折衝を始めた。

4　ペリーの弱み

日本に対して開国を迫るために、フィルモア大統領がペリーに与えた国書はどのようなものか。ペリーに与えた権限はどれほどか。それを遂行するに十分な輸送力・軍事力をペリー艦隊は与えられていたか。これら日米彼我の交渉条件をつぶさに検討すると、ペリー提督（実は提督 Admiral ではなく、准将 Commodore の階級だが、通称にしたがう）としては、軍事力による恫喝の前に知力を尽くし、駆け引きを図るほかなかったのが真相であった。黒船四隻（実は蒸気船二隻、帆船二隻）という武力の誇示は明白な形だから、誰でもその威力を認識できる。とはいえ、幕府は単に恫喝に屈したものではあるまい。石炭や水、食糧等の補給困難を考えれば、ペリーの側にも大きな弱みがあることを幕府が知らないはずはない。こうして幕府は、要所々々でこれまでの「国法堅持」というスジを通しながら、やむなく「フィルモア国書」を受入れる形を演出することに腐心した。その一例が「無言のセレモニー」として演出した久里浜における国書授受であり、あくまでも例外措置であることを内外に示すためにこの形が用いられた。こうして商船モリソン号による非武装交渉*は、交渉以前の段階で異国船打払令により、打払いされたのに対して、ペリー小艦隊は久里浜では国書を受理させ、翌年の返答を約束させるところまで交渉を進めることができた。しかし、翌一九五四年に結ばれた日米和親条約に結実した成果は、ペリーの予期したものと比べれば、なお限界の目立つものであった。幕府との交渉はそれほどに困難なものであったことが、この事実からも理解できよう。そこで知恵袋としてペリーが物色したのが、中国通ウィリアムズ（漢字名＝衛三畏）にほかならない。

＊　一八三七年、米商船モリソン号（Morrison）が漂流民乙吉ら七名を載せて浦賀沖、鹿児島湾に現れたが、薩摩藩及び浦賀奉行は異国船打払令に基づき砲撃を行った。江戸湾で砲撃を命ぜられたのは小田原藩と川越藩であった。この船に二十五歳の若きウィリアムズが乗船し、経過を熟知していた。

この虚々実々の駆け引きの過程で、通訳というよりは、モデレーターとして（これは朝河貫一の評価である）、あえて誇張すれば軍師にも近い役割を演じたのがサミュエル・ウィリアムズなのだ。ペリーの遠征は全体として「説得と恫喝」とを併せ持つ交渉劇であったが、その過程で生まれた落とし子こそが、いわゆる白旗文書にほかならない。

5　ペリーの本懐

まず日米間で白旗問題はどのように話し合われたのか。日本側記録によれば、すでに触れた史料一一九号「ペリー書翰我政府へ白旗差出の件」が最も重要である。松本はこの文書を書写した「高麗環というひとは外国奉行所と幕閣のあいだを往き来する下級役人」と解説した（岸俊光『ペリーの白旗』二一頁に経歴が詳しく紹介されている）。史料一九号には「七月一七日付（すなわち国書受領三日後）報告書」など詳細な記録や「アメリカからの贈物」や「アメリカ人への贈物」リストなど現場レベルでの贈答等の記録も含まれていることからして、『高麗環雑記』に収められた一連の史料の重要性は明らかである。問題は個々の史料の「読み方」であろう。

たとえば史料一九号「聞書・其二」には、国書と白旗の手渡しを無事に終えたペリー艦隊の出帆のことが次のように記されている。「ご覧の通り、和交の白旗船に出し置き申し候間、必ずご心配これなきよう、かつ明朝四時（彼国の四時、今朝六時）出帆致し候旨、最早浦賀へ船留め申さず、ここより出帆致し候旨申し聞き候（この節の儀、ほかにカ条これあり候えどもしたためず）」。

ここで明らかなのはペリーの旗艦もまた「和交の白旗」を掲げて去って行ったことだが、ここから「白旗は和交」の象徴とだけ読むのは、致命的ミスを犯すことになる。史料一一九号には、基本的に同じ内容だが、別のバージョンが活字のポイントを落として付記さる。「嘉永癸丑《みずのとうし》（一八五三）浦賀一件数条に左の一文を載す。参考のため、茲《ここ》に収む」の注記のあとに書かれている白旗書簡（以下、これを「撫恤本」と略称する）の全文も巻末に掲げた。

蘭船本と撫恤《ぶじゅつ》本とを比較すると、両者に共通する文言は、①アメリカの目的は通商ではない。②天理に背いた罪は干戈をもって糺す。③和睦を望む際には、白旗を押し立て示せ、の三カ条である。④撫恤本にのみあり、蘭船本にはないのは、「自国の漂流民を撫恤しないのは、天理に背く」の一句である。⑤蘭船本にのみあり、撫恤本にないのは、「されば蘭船より申し達しの通り」の一句である。

この一句をペリー側が語ることはあり得ない。したがって、この蘭船本の一句は事後に説明のために挿入されたと見るべきである。両者を比較すると、蘭船本よりは撫恤本の文意がより鮮明である。蘭船本は「通商をしないことは天理に背く」と主張しながら、「通商をぜひに、と願うものではない」と、まるで矛盾している。

これに対して撫恤本が「天理に背く」と糾弾しているのは、「通商をしないこと」ではなく、「自国の漂流民を撫恤しない」ことだ。両者の語彙と論理の比較から、撫恤本にこそペリー側の真意、あるいはこの文書の筆者ウィリアムズの強い主張、あるいは交渉上の作戦が現れていることが分かる。その意味を分析する前に、受取り状況を確認しておこう。

6　白旗受取りの日時と箱の数

フィルモア国書および白旗受取りに話を進めるが、興味深いのは、史料一二一号「六月九日（七月一四日）久里浜応接次第覚書」である。筆者は明記されていないが、①久里浜出張の役人氏名、②上陸した米国人の氏名、③役人の着衣、④国書を入れたる箱、などを実に具体的に記録している。これによると④国書を入れた箱は「縦一尺五寸、横一尺三寸、青漆塗り、四方の縁は黒漆塗り」のものが一つ。もう一つは「幅一尺、厚さ八寸ほどにて、横文字をもって記し候、都合二箱」と記されている。史料の原典拠は「続通信全覧類輯」である。察するに、前者がフィルモア国書およびペリーの信任状であり、後者こそが「白旗二流」および「ペリー書簡」を入れた箱と推測してよいのではないか。周到なペリーは、フィルモア国書を収めた正規の箱のほかに、もう一つ、「白旗を収めるための箱」を用意していたのだ。国書等を収めた箱が二箱であった事実は、史料一二一号の「応接次第」のほか、史料一七号所収の「香山栄左衛門の聞書き」にも「国王の書翰二箱いずれも板三重にてねじ鋲にて留める」と記されている（史料17号七一～七二頁）。

P・B・ウィリーのノンフィクション『神の国のヤンキーたち』[*1]の記述を見ると、「種々の書簡を収めた緋色の布で覆われた、二つの紫檀の箱」「箱は金の蝶番で止められていた」[*2]と書かれている。箱の大きさについては、縦六インチ横三インチの固い金色の箱[*3]と記している。[*4]ウィリアムズの書簡に基づく『生涯と書簡』では「二つの綺麗な箱[*5]」と書かれている。

＊1　*Yankees in the Land of the Gods*, Penguin Books, 1990.『黒船が見た幕末日本』興梠一郎訳、TBSブリタニカ、1998年。
＊2　Two rosewood boxes wrapped in scarlet cloth with the various letters enclosed (line1-3,p.318), two rosewood boxes with gold hinges（line37,p.318）
＊3　six-inch-by-three-inch solid gold boxes, line1-2, p.319.
＊4　なおウィリアムズ随行日誌では単にboxesとのみ記されている。pp. 61-62.
＊5　two beautiful boxes 原書一九五頁、宮澤真一訳、一二七頁。

近年の論争のなかで、「箱が二つ捧呈された」ことに着目した論者が見当たらないのは、きわめて不可解である。私が気づいた二つの史料はいずれも『幕末外国関係文書I』に収められており、論者たちがこれらの史料の前後のものは、繰り返し引用しているにも拘らず、最も肝心の史料は無視されているのだ。甚だ理解に苦しむ。さてこの白旗捧呈の一件が砲艦外交の象徴であり、フィルモア国書の精神を逸脱したものであったこと、それゆえ公式の『ペリー遠征報告書』ではボカされていることは、明治以来一部の識者たち、戦後は松本たちが示唆してきた通りである。

朝河が六月四日（和暦七月九日）に口頭で、と解しているのは、おそらく通訳サミュエル・ウィリアムズの日誌には次のように記されていることを踏まえたものだ。七月九日（和暦六月四日）の条に次のように書かれている。*1 ウィリアムズは、「白旗というものの意味」を明確に告げた、と記した。「明確に」の含意は特に説明されていないが、一六年前のモリソン号がわざわざ砲台を外して来航したにもかかわらず、幕府側から突然の砲撃を受けた教訓に鑑みて、「白旗の使い方」を確認したものと読める。*2

＊1　The originals of the letter and credence were then shown them, and also the package containing the translations; they showed little or no admiration at them, but wished to know the reason for sending four ships to carry such a box and letter to the Emperor; yet whether..They ［栄左衛門と通詞たち］ were clearly informed of the meaning of a white flag[], and also that visits were out of season till after the flags were hoisted in the morning. p.51. 下線による強調は矢吹。

＊2　不定冠詞aは「一枚の旗」ではなく、「白旗の総称」であるから、日本側で記録された「二枚の白旗」と矛盾する記述ではない。

朝、白旗が揚げられる前は訪問不可であることも告げられた。ここでウィリアムズは、「白旗の意味」は、幕府役人に対して明確に告げられた、と書いているが、具体的には「誰から誰へ」の説明か。「ビュカナン中佐から与力香山栄左衛門と通詞堀達之助と同立石得十郎に対して」であったことを明記しているのは、史料二〇号「六月四日浦賀表米船対話書」である。これは四日早朝に香山栄左衛門、通詞堀達之助、同立石得十郎の三名が旗艦サスクェハナ号に乗り込み、ビュカナン、アダムス、コンチーと「国書の受取り方法」について話し合った時の記録だ。念のために記すが、幕府側乗船者を三名に限定したのはペリーの堅い指示によるものだ。一八四六年に浦賀に来たJ・ビッドル提督が無数の番船に包囲されて任務を果たせなかった失敗を教訓としたものであることをペリーは自慢げに書いている。

香山が国法に基づき、「黒船は長崎へ赴くべしと諭す」のに対して、「将官（ビュカナン）」は「直ちに江戸へ行かん」と揚言した。香山が貴意は江戸表に伝達するつもりだが、「江戸への往復だけで四日かかり、評議のために幾日かかるかは分からない」と説明したのに対して、「将官」は、「今日から四日昼まで待つ」と期限を通告した。その上で、「将官」はこう付加した。「四日目の昼過ぎまで相待ち、ご返答これなき候わば、今は致し方もこれなく、江戸表へまかり越し候えども、またいかようとも、存念通り取り計らい申すべく候。もっともその節に至りて、事平《ことたいらぐ》の用向きこれあり候わば、白旗を掲げ参るべく申し候」（『幕末外国関係文書Ⅰ』二三九頁）。六月八日昼までに国書受取りについての返事がなければ、「江戸へ直行するなり、他の方法も含めて勝手にやる」と脅迫したわけだ。そのような「場面に直面して、改めて話合いを求める際には、白旗を掲げて交渉に来られよ」と伝えたのであった。期限つきで国書の受領を強要された浦賀奉行所の当惑が青天の霹靂であったことはよく知られていよう。与力近藤良次が夜を徹して江戸へ連絡したところ、ペリーが設定した回答期限前日の六月七日、江戸表から「御指図」があった。そこでこの指図に基づいて、香山は通詞堀、立石を連れて再度ビュカナン、アダムス、コンチーと船上で会見し、国書受領の段取りを協議した。その記録が史料六二号「六月七日浦賀表米船対話書」である。

ここで米国側は国書の受領は、a「高官之役人」に限ること、bその役人は「帝の印書（信任状）を持参すべきこと、cその印書の文意にはオランダ語の訳文を付すこと、などの条件をつけた。これに対して国書受領の責任者戸田伊豆守は、受領式の場所は「久里浜とする」こと、ただし当地は「本来外国人応接の場所ではない」ので、「国書受領式は、双方とも無言とすること」、すなわちここでは交渉は一切行わず、単に受領だけに限定することで協議が整った。

「無言の授受」は、浦賀奉行戸田伊豆守の意を体した与力香山の主張である。香山はさらに「受領した国書への返書は長崎で渡したい」と提案したが、ペリー側はこれを一蹴して、「浦賀で捧呈するからには、浦賀で受領するのが当然」と譲らなかった。また返書の受領はできれば三カ月内に、「たとえ延びたとしても五、六カ月後には返事を受取るべく再度渡来する」と予告した。この予告も脅迫の一環とみてよい（『幕末外国関係文書I』一八一～八四頁）。このような事前の協議に基づいて、六月九日ペリー一行は久里浜に上陸して国書捧呈の儀式が行われた。その模様は①史料一五号「香山栄左衛門上申書、老中宛て」、②史料一八号「六月オランダ通詞立石得十郎覚書」および③史料一二一号「六月九日久里浜応接次第覚書」に詳しい（『同前、二九～三〇頁、九一～九二頁、二七一～七三頁）。これら三者のうち③史料一二一号には、すでに触れたように、a出張の役人名、b上陸した米国人名、c幕府役人の着衣、d国書を入れたる箱などが記されており、箱数は「都合二箱」であったことが明記されている（同前、二七三頁）。

さてこれら二つの箱には何が収められていたのか。aフィルモア親書とbフィルモアおよび国務長官が連署したペリーの信任状、cペリーの七月七日付け書簡（大統領親書の意味を説明したもの、末尾に恫喝条項あり）、ｄペリーの七月一二日付書簡（捧呈日時の協議を求めたもの）、ｅペリーの七月一四日付け書簡（国書への返書受取りの見通しを述べたもの）、以上五通について、英語原文に添えて、オランダ語訳、漢文訳が付され、都合一五通の書簡が捧呈されたことは、ペリーの『日本国遠征日誌』でも幕府側記録によっても確認されている。ここで争点は、白旗書簡「蘭船本」、「撫恤本」の真偽問題である。その検討のためには、七月一二日付の「ペリー第一書簡」を綿密に読む必要がある。

7　ペリー第一書簡の建前と本音——和約か兵端か

浦賀沖に姿を現す前夜にペリーが旗艦サスクェハナ号にて書き、翌七日付けの署名を付して九日に久里浜で国書とともに捧呈した「ペリー第一書簡」の末尾にはこう書かれている。この箇所の誤読がトラブルの発端であるから、あえて英原文を抜き書きする。

①Many of the large ships-of-war destined to visit Japan have not yet arrived in these seas, though they are hourly expected; and the undersigned, as an evidence of his friendly intentions, has brought but four of the smaller ones, designing, should it become necessary, to return to Yedo in the ensuing spring with a much larger force.

②But it is expected that the government of your imperial majesty will render such return unnecessary, by acceding at once to the very reasonable and pacific overtures contained in the President's letter, and which will be further explained by the undersigned on the first fitting occasion.（『幕末外国関係文書Ⅰ』英文付録九頁）

この箇所を近年の『ペリー日本遠征記』の訳本（一九九七年一〇月、栄光教育文化研究所刊、オフィス宮崎訳、加藤祐三監修）は次のように訳しているが、多分誤訳か、あるいはニュアンスを取り違えている。

①日本を訪問するために派遣された多くの大艦は、まだこの海域に到着したことはありません。しかし、それは常に予期されているのです。本書状の署名者は友好的な意図を証明するため、比較的小さな四隻の軍艦のみを率いてきましたが、必要とあれば、来春にははるかに大きな艦隊を率いて、江戸に帰航するつもりです。②しかし、大統領の親書に記載され、本書状の署名者が近く適当な機会にさらに説明することになる、非常に合理的かつ平和的な申し入れを陛下の政府がただちに受けいれることにより、このような帰航を不必要にすることを期待しています（第1巻二五九頁）。

これはまあ、何たるふやけた翻訳か。まるでラブレターもどきの文体ではないか。およそ脅迫状の匂いから遠い。浦賀の奉行所が実際に受け取った書簡の「漢文本書」は、この文体とは似て非なるものだ。ペリーから届いた第一書簡「漢文本書」の該当個所は、次の通りである。

①順此誠寔立定和約、則両国免起衅端、故先坐領四小船、来近貴京、而達知其和意、本国尚有数号大師船、特命馳来、未到日、盼陛下允準。②如若不和、来年大幇兵船必要馳来、現望、大皇帝議定各条約之後、別無緊要事務、大師船亦不来（『幕末外国関係文書I』二五七頁）。

上記の「漢文本書」は、幕府側によって「漢文和解《わげ》」された。「漢文和解」は、次のように訳してある。①この理に従い、真実に和約を取極め候えば、両国兵端を引き起し候ことこれなきと存じ候（和約が成れば、戦争は避けられる）。これに依りて、四艘の小船を率い、御府内近海に渡来致し、和約の趣意御達し申し候。本国このほかに数艘の大軍船これあり候間、早速渡来いたすべく候間、右着船これなき以前に、陛下御許容下され候様仕りたく候（本国の大軍船の到着以前に決断すれば、平和が保たれ、決断がなければ戦争になる）。②もし和約の儀御承知なくござ候わば、来年大軍船を取り揃え、早速渡来いたすべく候（万一、和約が成らない場合は、明年大軍船で再度渡来し、成行きでは、戦争になる）。右につき、ただいま大皇帝の御評議相願い申し候。御承知下され候いて、右条約取極め候えば、ほかに大切の用事これなく、大軍船渡来いたさず候（和約が成れば、大軍船の派遣は取りやめる）。かつまたわが国主（大統領）和約規定の書翰持参いたし候（『幕末外国関係文書I』二六〇頁）。

もう一つ、ペリー側で用意したオランダ語訳を幕府側で訳した「蘭文和解《わげ》」は次のごとくである。①日本へ存問せんがための大軍艦数隻、未だこの海に到着せず、某（ペリー）らいたずらにそれがしこれを待つのみ。某（ペリー）今いささかその友愛の情けを表せんがために、四小船をもって貴国に至れり。明春まさに事体に応じて（和約が成らない場合は）、尚数船を増加し、再び航し来るべし。しかりといえども、日本国帝殿下の政廷（におかれては）、願わくば、某（ペリー）が再びプレジデント来るを待たず、伯理璽天徳が書中に載せたる公平和好の策を採用あらんことを。②ただし、その書中の本旨は、近日便宜を得るを待ちて、某（ペリー）まさに自ら詳しく悉くすべし（同前、二六四頁）。ペリー第一書簡のこの部分は、加藤祐三監訳を読むと、気の弱い男が強盗役を演じさせられているイメージであり、まるで喜劇だ。この滑稽きわまる訳文をペリー側で用意したa中国語訳およびそれをb候文に訳したもの、およびペリー側で用意したオランダ語訳に基づいてc候文に訳した文体と比べて見よう。前者はあたかも喜劇の脚本だが、後者a、b、cは明らかに脅迫状である。加藤監訳本は「友愛の情け」と訳された friendly intentions のような外交辞令にすっかり騙されており、脅迫か懇願か、そのニュアンスがまるで分かっていない。「和約を取極め候えば、両国兵端を引き起し候こと、これなきと存じ候」とは、「和約が成らない場合」は、「両国兵端を引き起し候」と和約を迫る文面である。「和約か、戦端を開くか」と二者択一を迫り、かつ返事の期限まで指定する話だから、砲艦外交そのものだ。ちなみにフィルモア国書では、ペリーに対する訓令が次のような外交辞令で書かれている。大砲を備えた軍艦を派遣する以上、それ自体が軍事行動なのだが、「天皇の国土の平安を乱すこと*」をフィルモアは厳しく戒めていた。これが大統領の立場であった。しかしながら国書の受領さえ拒否し、「用事があれば長崎へ願い出よとする国法」に従う浦賀奉行所の役人との応接がフィルモア親書の与えた枠内で可能であろうか。

＊ I have particularly charged Commodore Perry to abstain from every act which could possibly disturb the tranquility of your imperial majesty's dominions. 『幕末外国関係文書Ⅰ』付録一～二頁。

そのような厳しい状況を予想しつつ、ペリーは浦賀入港の前夜に「第一書簡」を書いた。七月一四日（嘉永六月九日）に捧呈された七日付けペリー第一書簡（嘉永六月二日）の末尾にはペリーのホンネが現れている。すなわちフィルモア国書とその趣旨を説明した部分には、「平和的外交辞令」が連ねてあるが、末尾には「衣の下の鎧」が見え隠れしている。このホンネ部分と、史料二〇号の「六月四日対話書」および史料一一九号の「白旗差出しの件」の異同を検討すると、白旗問題の真相が浮かび上がる。「六月四日対話書」（史料二〇号）には「事平《ことたいらぐ》の用向きこれあり候わば、白旗を掲げ参るべし」の文言がある。「白旗差出しの件」（史料一一九号）における表現は「和睦を乞いたくば、白旗を押し立つべし」である。「事平の用向き」と「和睦を乞いたくば」は、一見、文脈が異なるように見えるが、国書の受領を拒否すれば、それが「兵端を引き起す」危険性を示唆するのであるから、これら二つの邦訳文献の内容は、基本的に同一と見てよい。

　しかも、それはペリーの英文原文の精神に発するものだ。それゆえ、史料一一九号の「白旗差出しの件」と題された文面（「撫恤本」）は、「フィルモア親書の枠」を飛び出すとはいえ、いささかもペリーの一連の行動と矛盾する事実が見られない。すなわち「白旗差出し」に滲む内容は、浦賀に到着して以来のペリーの一貫した行動を裏付けるものと解してよい。「撫恤本」の文体について、一一九号注記では「皇朝古体文辞」と呼ぶが、その含意は、「カタカナ」文語調で書かれ、一部漢字を含む文書のことではないか（後述）。

　これはペリー第一書簡末尾の漢文訳、オランダ語訳のほかに存在するもう一つの文書、すなわち私のいう「撫恤本」がカタカナ中心で表記されていたことを示唆するものと著者は解する。白旗にかかわる交渉過程を跡づけると、最も重要な折衝は、六月四日（七月九日）および六月七日（七月一二日）のやりとりであることが分かる。四日の現場にいたのは、与力香山栄左衛門と通詞堀達之助、同立石得十郎の三名である。七日の現場にいたのは、与力近藤良次と通詞（おそらく堀達之助と立石得十郎）である。ここで改めて、史料一五号「香山栄左衛門上申書、老中宛て」から、その間の経緯を読み直してみよう。六月四日早朝、通詞堀達之助と同立石得十郎を伴ってサスクェハナ号に乗船したときの「形勢容易ならず」の雰囲気を香山はこう書いている。「船中の形勢、人気の様子、非常の体を相備え候につき、とてもこのまま書翰御受取りこれなくては、平穏の取り計らい相成り兼ね候」。「当所（浦賀）にて御受取りに相成らず候わば、江戸表にまかり越し相渡すと申すべし」。「江戸表へ相伺い候えても、当所にて御受取りに相成らず候わば、（ペリーは）使命をあやまり候、恥辱雪ぐべきなし」。「されば浦賀において余儀なき場合に至る（戦端を開くこと）と申すべし」。「その節に至り候とも、用向きこれあり候わ、白旗を建て参りくれ候わば、鉄砲を打ち掛け申すまじき段の存念、申し聞き候。相貌、将官はもちろん、一座に居合わせし異人一同、殺気面に相顕れ」（史料一五号「香山栄左衛門上申書、老中宛て」二四頁）。

六月四日は浦賀奉行所与力とビュカナンとの最初の折衝であったが、奉行所としては「国法により安易な受領はできない」という立場であり、ペリー側はその国法に風穴を空ける決意で交渉に臨んでいた。彼らは「受領か、鉄砲（大砲）か」と、「殺気を顔に露わにして」与力に迫った。まさにこの時、ウィリアムズは「カタカナ漢字混じり」のメモ（撫恤本）を示しつつ、来航の趣旨を説明したはずだ。ウィリアムズの当日の日誌が示すように、栄左衛門たちは「フィルモア国書」にはいささかの敬意も表わさず、「四隻の軍艦で来航した理由」をしつこく問い糺した。これに対してウィリアムズは「幕府の海禁の国法は承知している」、「国法に反する通商の目的ではない」と幕府の立場を尊重しつつ、にもかかわらず、「幕府が自国の漂流民の受取りを拒む行為」は「天理に背くもの」だと厳しく批判した。これは、その一六年前（すなわち一八三七年）にわざわざ大砲を外したモリソン号に七名の日本人漂流民を載せて浦賀にやってきたとき、問答無用とばかり「打払令」により撃退された苦い体験をもつウィリアムズにとって、どうしても強調しておきたい論点であったことは、ウィリアムズ自身による随行日誌や、他の資料も加えて息子フレデリックが編集した『生涯と書簡』から明らかだ。

ペリー側は堅い決意を伝えようとして、内海に黒船一艘を乗入れ、測量を開始する。六月六日未明のことだ。これに気づいて与力近藤良次が通訳を連れて抗議に赴いた。相手方の対応は「書簡ならば受け取るが、応接はせず」との返答であった。そこで近藤は船中に乗り込み折衝した。近藤は江戸への終夜の往来で疲労困憊していたが、アダムスに面会し、こう抗議した。「なぜ内海に乗り入れ候やと相糺し候ところ、右は書翰御受取りに相成らざる節は、内海に乗り入れ、騒動に及びし候ことゆえ、海底の浅深測量のため、差し遣わし候の趣申し聞き候」（史料一五号二六頁）と答えた。書簡を受け取らない場合は、江戸に近づき、「騒動に及ぶ」（発砲を示唆する）つもりであり、その必要上、海深を測量しなければならないのだと、弁明ではなくさらなる威嚇であった。六月七日四つ時過ぎ、江戸表から「国書を受領してよい」との許可が届いた。そこで伊豆守が翌々九日に久里浜で受け取ることを決定し、それを旗艦に伝える。ところが国書の受取りだけでは事は終わらない。今度は「国書への返書はいつもらえるか」、と黒船側が迫る。「畢竟、手荒の申し分にて、昨年中通達に及び置き候ことゆえ、いまさら隙取《ひまど》り候の義は、これなきところ、*右のように手重に申し候わば、本願の主意相叶わざる事にこれあるべし。速やかに一戦に及び勝敗相決す、と申すべし（要求が叶わない場合は、一戦に及ぶと、脅迫している）。あるいは浦賀奉行には兼ねて申し越し候義、存ぜぬことと相見候間、江戸表にまかり越し、御老中方に御直談申すべし（浦賀奉行には四日申し入れた白旗の件を老中に直接申し入れたい、と迫る）などと、種々難題申し聞き候」（史料一五号二七〜二八頁）。六月四日から国書受領の協議が整う七日まで、浦賀奉行所がペリー側の恫喝を受けて戦々恐々としていた有り様は、以上のように、現場の応接当事者によって細かく記録されている。

＊　前年から申し入れてきた要求であるから速やかに返事が欲しいと、迫る構図だが、朱筆によるこ

の部分は一八五四年のやりとりのはず。「香山上申書」が書写される過程で書き加えられたものか。

国書受領前後の経緯をこのように見てくると、白旗書簡問題の核心が明らかになる。すでに示唆したように、六月四日（七月九日）の最初の折衝において、単に国書を届ける目的のために、四隻の軍艦で来航した真意はなにか、と理由を問い質す栄左衛門の追及に対して、ウィリアムズはモリソン号による「漂流民送還の失敗」を踏まえて、「自国漂流民の受取りを拒否する幕府の悪法は天理に背く」ことを説いた。これは口頭により説明されたが、ウィリアムズの手許には「慣れない日本語を話すのに備えたメモ書き」が用意されていたであろう。このメモ書きこそが「撫恤本」であるはずだ。「蘭船本」ではウィリアムズが最も強調したかった「漂流民の受取り」に係わる記述が落ちており、しかも「蘭船より申し達しの通り」とあることから、「撫恤本の変種」であると推定してよい。いわゆる白旗書簡には、二種類のバージョンの存在することは、かねて知られているが、両者の違いの意味するものを十分に検討したものは、ほとんど見当たらないようだ（和光大学元岸田秀教授ゼミ学生鈴木健司による解釈（岸俊光著二一五頁）や後掲の若井論文では注目している）。

ここで両者をそれぞれ「蘭船本」、「撫恤本」と名付けて対照して見よう。蘭船本と撫恤本とを比較すると、両者の異同は、前述の通りである。両者を比較すると、蘭船本よりは撫恤本の文意がより鮮明であり、論理的だ。蘭船本は「通商禁止の国法は、天理に背く至罪」と主張しながら、「通商をぜひに、と願うものではない」と、まるで矛盾している。なぜこのような矛盾撞着が書かれたのか。幕府側は、長崎のオランダ商館から届いた情報もあり、ペリー艦隊の目的は開港要求に違いないと信じ込んでいるのに対して、通訳ウィリアムズは、「幕府の海禁国法は承知している」と語る（一六年前のモリソン号打払いの教訓は、ウィリアムズにとって身に沁みている)。ここに両者の駆け引きが秘められているのだ。幕府側としては開港を要求して長崎を避けて浦賀に来航したはずの艦隊が「日本の国法は承知、問題は漂流民の救恤だ」、という主張に接して当惑している。ウィリアムズが「漂流民の救恤」というテーマを設定したことの意味を理解しかねている。撫恤本では「天理に背く」と糾弾しているのは、「通商をしないこと」ではなく、「自国の漂流民を撫恤しない」ことだ。撫恤本にこそペリー側の真意、あるいはこの文書の筆者ウィリアムズの作戦が込められていることは現代のわれわれには明らかだが、幕末当時、このような「人権思想」はどこまで理解しうるものであったか。ウィリアムズ自身は、一六年前の事件、すなわち砲台を外したモリソン号が攘夷令でいきなり打ち払いされた教訓をかみしめていた。そして攘夷令という国法をいちおう尊重しつつ、「自国漂流民の撫恤」という新たな論点を提起して対話の契機を作ろうとしていた。

8　交渉の中味を担った漢文書面と「皇朝古体文辞」の文体

日米交渉の準備段階の「手順」等においては、蘭語が共通語となるが、中味の交渉、内容にわたるやりとりは、蘭語に加えて漢文の書面、すなわち筆談による補足が重要な役割を果たしたものと推測すべき根拠がある。たとえばフィルモア国書の英文原文は、米国側によって船中で蘭語と漢語(これはアヘン中毒の薛老人によって訳されていたが、彼は浦賀到着前に病死した)に訳されていた。香山ら浦賀側は、蘭語文と漢語文とをそれぞれ「蘭語和解《わげ》」「漢語和解《わげ》」して、日本語としての意味を把握した。両者を比較すると、「蘭語和解」よりは、「漢語和解」のほうがはるかに意味を取りやすいのは、日本語がそもそも外来語の「漢語語彙」を数多く輸入し続けた結果である。
こうして、コロキュアル・コミュニケーションにおいては、「蘭語が主役」であったが、内容的には、「書面漢語が中心」であったと推定してよい。ここまで来れば、「皇朝古体文辞」と呼ばれる文書まで一息だ。すなわち漢語訳文の要所々々に、カタカナのテニオハを挿入すれば漢文読み下しの「訓読文」になる。書面漢語に得意で、しかも漢字まじりカタカナ文語調の文体を知っていたウィリアムズにとって、これはそれほど困難な書き方ではあるまい。なお、ウィリアムズの語学力については後述する。

ペリー艦隊の到着から「白旗授受」までの流れを追う過程で明らかになったのは、以下の事実であろう。

1 ノンバーバル・コミュニケーションとしての「黒船・白旗」

四隻の黒船小艦隊が幕末の日本を驚かせたことは、人口に膾炙した例の狂句「泰平の眠りを覚ます上喜撰《じょうきせん》、たった四杯で夜も眠れず」に明らかだ。そして黒船イメージのもう一つの形が「白旗」であり、その説明文書としての「撫恤本」であった。日米間にいまだコミュニケーションのチャネルが開かれない時点で、最初の口頭による対話が共通言語「蘭語」で行われ、内容に関わる部分は「書面漢語」で行なわれた経緯はすでに説明した。これらの言語によるコミュニケーションの補助手段として、黒船や白旗のイメージが効果を発揮した。時には言語以上の役割、コミュニケーションツールとして機能した。この文脈で、白旗はノンバーバル・コミュニケーション nonverbal communication の象徴であった。言い換えれば、フィルモア国書の外交辞令の裏に隠された「ペリーのホンネ」を語るものこそ、「白旗現物」であり、その説明文としての「白旗文書撫恤本」なのであり、両者は、「フィルモア国書」と並べて嘉永六年六月九日に久里浜で実際に捧呈された、と解釈した朝河説が歴史の真実と理解すべきである。

2　白旗文書の思想と日米和親条約の条文

白旗文書に書かれた思想は、一八五四年三月三一日に神奈川で結ばれ、翌五五年二月二一日に下田で批准書交換が行なわれた日米和親条約[*1]に結実している。全一二カ条からなるが、ここに通商あるいは貿易の条項はない。条約の中心は、下田と函館を開港して、米船に「薪水食料石炭欠乏の品を日本にて調え候[*2]」「給すへき品物直段書之儀は日本役人より相渡可申右代料は金銀銭を以て可相辧候[*3]」（第二条、第八条、第九条など[*4]）。そして第三～五条は、「合衆國の船日本海濱漂着之時扶助いたし其漂民を下田又は箱館に護送し（第三条）」。「漂着或は渡來の人民取扱之儀は他國同様緩優に有之閉籠メ候儀致間敷乍併正直の法度には服従いたし候事（第四条）」。「合衆國の漂民其他の者共當分下田箱館逗留中長崎に於て唐和蘭人同様閉籠メ窮屈の取扱無之下田港内の小島周り凡七里の内は勝手に徘徊いたし箱館港の儀は追て取極め候事」

＊1　Treaty between the United States of America and the Empire of Japan
＊2　where they can be supplied with wood, water, provisions, and coal, and other articles

＊3　A tariff of prices shall be given by the Japanese officers of the things which they can furnish, payment for which shall be made in gold and silver coin

＊4　フランスが中国と結んだ黄埔条約について、ウィリアムズは熟知していた。そこには「最恵国待遇」に関する条項が含まれている。それで日本との条約締結にあたり、彼の提案にそって、同様の条文が、つけ加えられることになった。彼の進言する言葉のままに、第九条は以下のようになった。「将来、日本政府が、米国以外の国ないし国々に、特権や特典を認めるようなとき、今回の条約において、米国と米国市民に盛り込まれていないものに関しては、協議を省き速やかに同様の特権と特典を米国と米国市民に認めることに合意する」。宮澤訳、二四九頁

（第五条）等、「漂着或は渡來の人民（those ship wrecked persons and other citizens of the United States）」についての規定である。ウィリアムズがこれを強調したことは繰り返し指摘した。大方の誤解とは異なり、ペリー遠征の直接的目的は、「薪水食料石炭欠乏の品」の調達と「漂民」保護にあたり、通商要求ではなかった（これは一八五八年に結ばれた日米修好条約以後の課題である）。

3　白旗と白旗文書は、なぜ歴史の闇に消えたか

フィルモア大統領親書には、恫喝や脅迫と受け取られるような文言は一句もない。だが、ペリーの七月七日書簡の結びの二文は、明白な脅迫的言辞だ。この「脅迫と白旗捧呈」という事実がなければ、幕府が交渉に応じたかどうか、疑わしい。とはいえ、万一交渉に失敗した場合、ペリーが責任を問われることは明らかであった。こうしてすでに多くの識者が指摘しているようにペリー側としては、白旗や白旗文書は、可能な限り秘密扱いしようとした。

他方、白旗や白旗文書をやむをえず受け取る幕府側も、これは可能なかぎり内密に扱う必要があった。脅迫に屈して国法の禁じた応対をすることは、幕府の沽券に関わる国辱の事態であった。香山らの智恵や老中阿部正弘の決断で一八五三年の国書受取りと五四年の和親条約に至った。白旗文言は、極秘覚書（あるいは添書）として扱われた。そして江戸城大火に伴う文書庫の消失によって失われた。史料不足には、それなりの事情がある。だが、その欠落を他の史料群によって補うことが歴史の真実を知るうえで欠かせないことは言をまたない。入手しやすい史料だけに頼るのは、学問的な態度からは遠い。

第三節　ウィリアムズの役割を評価する

1　忘れられた通訳ウィリアムズ

宮澤眞一は『サミュエル・ウェルズ・ウィリアムズ——生涯と書簡』[*1]を翻訳した際に記した前書きで、「日本におけるウィリアムズ」（以下、単にウィリアムズとはサミュエルを指し、父子を区別する時は父をサミュエル子をフレデリックと略称する）のイメージをこう記している。「日本でのサミュエル・ウェルズ・ウィリアムズの知名度は低い。中心的な研究テーマとして、焦点が合わされたことがない。一八三七年のモリソン号事件[*2]、一八五三年と一八五四年のペリー艦隊の日本渡来、ヘボンやブラウンによる日本伝導活動、など幕末維新に起きた竜巻的新機運との絡みに於いて、ウィリアムズの名前と貢献が、言及されているに過ぎない」（宮澤訳、前書き二頁）。白旗外交の「カゲの主役」は、実はペリーではなく、通訳サミュエル・ウィリアムズなのだ。[*3] キーパーソン・ウィリアムズを忘れたあらゆる議論は、まるで問題にならない。

＊1　原著は *The Life and Letters of Samuel Wells Williams: Missionary*, Diplomatist, Sinologue, 889. 宮澤訳は『S・ウェルズ・ウィリアムズ――生涯と書簡』高城書房、二〇〇八年。

＊2　モリソン号には、ウィリアムズのほかに、ピーター・パーカー（一八〇四〜八八）も乗船しており、ヘラルド紙にはパーカーによる報告があり、その日本語訳もある。"China, Journal of Mr. Parker on a Voyage to Japan," The Missionary Herald, June 1838, pp.203-208. 塩野和夫「ミッショナリー・ヘラルドの日本関連記事(1)」西南学院大学『国際文化論集』10巻1号、一八九九〜二一六頁。塩野和夫著『19世紀アメリカンボードの宣教思想Ⅰ（1810〜1850）』新教出版社、二〇〇五年三月。

＊3　いわゆる白旗論争では言及されていないが、ウィリアムズについて記した文献はいくつもある。たとえば杉本つとむは『西洋人の日本語発見』（初版は創拓社、一九八九年、のち講談社学術文庫、二〇〇八年）はこう記している。「右のウィリアムズは衛三畏のシナ名をもつシナ語学者である。すなわち、S・W・ウィリアムズ（一八一二〜八四）はアメリカの神学者、東洋学者である。ニューヨーク生まれ、ハイスクールを卒業して、工芸講習所で印刷技術を習得、アメリカ外国伝道会社出版主任となった。一八三三年、アメリカン・ボードの宣教師として、中国に趣き布教、広東でミッション・プレスの責任者となり、通訳としても活躍した。一八三六年、マカオで日本人漂流民にあい、彼らから日本語を学んだ。そして一八三七年にモリソン号で日本人漂流民を送るとき、日本語ができるというので、通訳として同船に便乗している。さらに一八五三年のペリーの浦賀来航の際ももとめに応じて主任通訳として随行し、久里浜や神奈川で日本側との応接に活躍。また The Chinese Repository

を一八五一年の終刊号まで編集しているなど有力なシナ通であった。一八五八年九月、一時避暑のため長崎に来日しているが、特記することはない。晩年の約一〇年、イェール大学でシナ語を講義し、同大学の教授となった。アメリカでのシナ学の重鎮である。日本語については、アメリカの『東洋ジャーナル』（Journal of the American Oriental Society）に「日本の音節表（五十音図）についての覚書」（一八五一年）などを発表している。シナ語・日本語・琉球語などに関する論文もある」「ちなみに息子はイェール大学の東洋史の准教授となっている。いずれにせよ、直接的な交渉はないまでも、シナや日本で活躍した新興の国、アメリカの宣教師たちの協力体制もまた見事であったことを推測させる」（学術文庫、二二五～二二六頁）。杉本はウィリアムズの子フレデリックまでは、紹介しながら、その教え子で講座を引き継いだ朝河貫一には触れていない。杉本はまたブラウンを紹介する形でウィリアムズに触れている。「マカオでは、聖書の翻訳を試みていたS・W・ウィリアムズとあい、彼を自分の家で七カ月同居させて親交をもった。その後、一八五九年、ブラウンは日本伝道のため来日することになるのだが、ホンコンで再び、ウィリアムズにあった折、ウィリアムズは自分の訳した『馬太福音伝』の訳稿をブラウンに委託した。これは漂流民原田庄蔵の協力により翻訳したものであった」「しかし一八六七年、横浜の住宅が焼失、ウィリアムズから委託されていた『馬太福音伝』も焼失した（のち長崎の古書店で発見されたという。別の転写本か、真偽未詳）（学術文庫、三四七頁）。

通訳とは元来地味な裏方であり、表舞台に顔を出すことはまれだ。朝河は、ペリーの遠征と日米交渉の内実について、「入り組んでいて、きわめて曖昧な歴史過程」（the complex and still very obscure historical process）と評している（朝河貫一によるウィリアムズ A Journal of the Perry Expedition to Japan (1853-1854) への書評。これは The American Historical Review, Vol.16, No.1 (Oct.1910), pp.136-137 に掲載された）。そしてこの任務におけるペリーとウィリアムズの役割を視野の不自由な「盲目の俳優」になぞらえている

（both Perry and Williams were to a large extent blind actors）。その後の歴史の展開から見ると、鎖国日本を開国に導いた結果からして、「ペリーの成功」は明らかに見える。だが朝河は遠征の成功と共に、残された課題や限界をも見極めようとしていた。たとえば一八五四年二月二二日、アダムス船長は幕府との三週間の交渉で日米和親条約に調印までこぎつけており、これはむろん大成功と見られている。だが他方、「日本の港で米国商人が貿易を行うこと」は認められなかったし、ペリー自身が江戸を訪問して「天皇（実は将軍）の謁見を受けること」もかなわず、また天皇（あるいは将軍）から「フィルモア大統領宛の親書」を受け取ることもできなかった。それだけではない。ペリーは自分と「同等の官職をもつ人物」と会見することさえできなかったのだ。実際にはペリーは、「希望したものと比べてはるかに劣った条件」で「奉行の署名」を得ることができたにとどまり、通常の署名と捺印さえ得られなかった（朝河貫一によるウィリアムズ『随行日誌』への書評を参照）。そしてこのような日米交渉の真実を知る上で、『ウィリアムズ日誌[*]』は問題の核心を知るうえで最も重要な史料だと朝河は指摘している。

＊ A Journal of the Perry Expedition to Japan (1853-1854). By S. Wells Williams, Edited by F. W. Williams. Transactions of the Asiatic Society of Japan, vol. XXXVII. part2. (Yokohama:KellyandWalsh. 1910. Pp.ix, 259)

2 中国学者ウィリアムズ（後にイエール大学教授）

ペリーが日本との交渉においてウィリアムズを選んだのは、若い宣教師S・W・ウィリアムズによる、モリソン号が砲撃を受けた一部始終の連載物語を『中国叢報』（一八三七年九～一二月号）で読み、彼が日本語や日本事情についても研究意欲を燃やしていたことを知ってのことだ。[*1] ウィリアムズは漂流民から日本語を学び、それらの漂流民にキリスト教を教えるために、マタイ伝の翻訳[*2]を試み、『日本語語彙表』の編纂も試みていたのである。ウィリアムズによる『マタイ伝』の日本語訳は、文語調を志向していた。すでに先例として存在していた、初めてのギュツラフ訳[*3]が口語体を選んだのとは異なり、ここにも彼の知的好奇心が光る（春日政治『一八五〇年和訳の馬太伝』一九四八年）。日本語と中国語の異同、そして日本語における文語体と口語体の区別をウィリアムズが認識していた点が重要なのだ。日本語をどこまで習得できていたかという到達水準ではなく、文語体と口語体の違いを認識できた点が重要である。これはおそらくウィリアムズが中国語においても、方言の差異はもとより、書面体と口語体が異なることを深く認識していたことからの類推でもあろう。[*4]

＊1　望月洋子著『ヘボンの生涯と日本語』はこう記している。「合衆国政府が、主として経済上の見地から、鎖国日本の門戸を開くべく駒を進めている時、キリスト者としての立場から、日本の開港を望んで冷静に行動を開始した人物がいる。モリソン号に同乗した若い宣教師S・W・ウィリアムズであった。一八三三年から中国にあって月刊『中国叢報』や『中国総論』の編集刊行に当たっていた彼は、砲撃を受けた一部始終を『中国叢報』に連載した。当時二十五歳の柔軟で聡明な見解はペリーの目にとまり、ウィリアムズは日本遠征の通訳官に任命され、日本の土を踏む初めてのアメリカ人宣教師となる」「四十歳をすぎて、ペリーと共に日本に上陸し、神奈川条約の通訳を無事に務めた彼は、その後も日本への関心と理解を抱き続け、一八五八年、軍艦ミネソタに便乗して長崎を訪れる」「中国への施療伝導を志し、マカオでウィリアムズの家にしばらく泊まったというヘボンが『中国叢報』

の記事を読んだのは、ほぼ疑いのないところである。ヘボンが廈門で中国語（福建地方語）を集めていた一八四三年から四五年にかけては、ウィリアムズも中国語（広東地方語）を集めて辞典編纂を計画し、同じく四五年に一旦帰米している」。新潮新書、三三一〜三四頁。

＊2　高谷道男著『ヘボン』はこう記している。ヘボンはウィリアムズよりも三歳若い。「ウィリアムズはモリソン号帰航後、マカオのミッション印刷所で漂流日本人を世話していた。そして馬太伝と創世記とを和訳した。これらについては従来その原稿が横浜のS・R・ブラウンに届けられたのが、ブラウンの家の火災で焼失したと伝えられていた。しかし二一〜二三年前、九州でこの『馬太福音伝』の原稿が発見せられた」。「七人の日本人中四人は天草の船員で、ルソンに流され、そこからマカオのギュツラフのもとへ送られたもの、庄蔵・寿三郎・熊太郎・力松で、このうち庄蔵はたしかにウィリアムズの下で働いていたらしく、発見せられた原稿の『馬太福音伝』の最後の頁に左の如き手記がある。馬太福音伝於、道光三拾年正月吉日、是訳於ジイサアス一千八百五拾年——原田庄蔵、日本肥後国河尻正中島町茶屋この馬太伝の原稿は横浜方面から出たものか、直接庄蔵の手から長崎方面に伝わったものか、明白ではないけれども、とに角ウィリアムズの日本訳聖書の原稿であることにはまちがいない」。吉川弘文館、一九六一年三月、一三六〜一三七頁。

＊3　ギュツラフ訳の冒頭は、次のごとくである。「ハジマリニカシコイモノゴザル、コノカシコイモノゴクラクトモニゴザル。」カシコイモノは神の訳語、ゴクラクは仏教用語だが、これでキリスト教の神の国を説明した。

＊4　ウィリアムズの中国語研究については、孔陳焱の前掲書、第4章「衛三畏的漢語研究」が詳細な分析を行っている。その集約が一一年に渡る努力で完成した『漢英韻符』であった。*A Syllabic Dictionary of the Chinese Language, Arranged According to the Wu-Fang Yuen Yon, with the Pronunciation of the Characters as Heardin Peking, Canton, Amoy, and Shanghai*, Shanghai: American Presbyterian Mission

Press, 1874（漢字表記は『漢英韻符』）。これはクォート判、三段組一三三八頁の大冊で、一万二五二七の漢字を、北京、広東、廈門、上海の四種の方言で発音表記した百科全書であった。「鱒」は、「日本では鮭魚という」。「倭国」は「日本人の自称であり、Yamatoに相当する」といった間違った解説も付されている。なお、この過ちを孔陳焱は「倭国とは日本人の自称ではなく、中国人の日本に対する呼称」と訂正している（『衛三畏与美国漢学研究』二一八頁）。

思想的文脈で考えると、日本はなぜ鎖国をするのか、鎖国を解かせるにはどのような段取りが必要か。この種の外交戦略をペリーの助手として考えることがウィリアムズの課題であり、彼は見事にその課題に成功した。

ウィリアムズの人物像

ウィリアムズはどのような人物なのだろうか。これまではあまり日本語のできない日本語通訳といった、あやしげなイメージが広く行われてきた。こうした頼りないウィリアムズ像を一挙に粉砕し、その横顔をくっきりと描いてみせたのは宮澤眞一訳『Sウェルズ・ウィリアムズ、生涯と書簡』（鹿児島、高城書房、二〇〇八年八月）である。英文の原著 *The Life and Letters of Samuel Wells Williams* は一八八九年に出ている。父サミュエルの残した膨大な資料をもとに、子フレデリックが父の死の一五年後にまとめた伝記である。

ウィリアムズは一八一二年九月二二日ニューヨーク州ユーティカに生まれ、一八八四年二月一六日、コネチカット州ニューヘイブンで死去した。ウィリアムズは一八三三年、十九歳のとき、米国海外伝導協会によって広州伝教団の伝導印刷工に任命され、翌年広州に派遣された。最初の二〇年、彼の主な仕事は雑誌『The Chinese Repository 中国叢報』（Canton: printed for the Proprietors）の編集と印刷であった。「伝導印刷工」とは、聞き慣れない職種だが、彼の家業が小さな印刷所であり、彼は印刷の技術をもっていた。そこで中国において各地に散らばり宣教を進めている宣教師たちの通信や、宣教に際して心得ておくべき知識を提供する中国宣教師団の会員通信のような雑誌を一八三二年から五一年まで編集発行した。この仕事を通じてウィリアムズは中国のことなら何でも最新の知識を身につけた中国専門家に成長した。この間一八五三年と五四年にはペリーに嘱望されて日本遠征に参加した。一八五八年、ウィリアムズは伝導協会を離れ、米国の中国大使館に勤め、五八年には米公使を助けて米中天津条約をまとめた。一八五六年から七六年までに彼は七回にわたって代理公使の職務に就いた。一八七七年、六十五歳のウィリアムズは、アメリカに帰国した。帰国した彼を迎えたのはイェール大学に初めて設けられた中国語と中国学を教える講座の教授ポストであった。彼自身は、大学教育を受けずに中国に渡ったが、持ち前の学者気質を活かして、辞書を作り、何冊もの本を書いた。その業績が認められてイェール大学に迎えられたわけだ。ウィリアムズの子フレデリックは、父の後を襲ってイェール大学の准教授になった。そしてこのフレデリックこそが朝河が『大化改新』を書いて博士号を得た際の指導教員であり、朝河はフレデリックの中国学講座を日本学、東洋学まで拡大した。以上の学灯からして、朝河はウィリアムズ父子の資料をすべて閲覧できる図書館のキュレーターを勤めた経緯もあり、一連の史料に熟知していた。一時帰国の際には、東大史料編纂所の史料も閲覧しており、ペリーの白旗問題について、朝河ほど原史料を繙いた研究者はない。そのような朝河の研究を一切無視したところに、日本史学界の白旗騒動の悲喜劇が生まれた。

3　ウィリアムズと日本との関わり*

＊　ウィリアムズの『生涯と書簡』を素材として、孔陳焱がまとめた「衛三畏生平年表」（『衛三畏与美国漢学研究』上海辞書出版社二〇一〇年九月、二四〇～四九頁）から日本関係の記述を抜き書きし、再整理したものである。

ウィリアムズの横顔に続けて、彼と日本とのかかわりをまとめておきたい。ウィリアムズの東洋における活動は、中国大陸が中心なので、人々は彼と日本とのかかわりをほとんど意識していない。しかしながら学者気質の彼は日本語や日本人、日本文化に強い関心を抱いていた。彼は中国語の書き言葉と話し言葉、南方方言と北京官話との違いなどを研究していたので、公文書に漢字表記、漢文を用いながら、それを日本語として読む日本語に強い関心を抱いていた。

発端は、一八三六年六月、三名の日本漂流民との出会いである。彼は自ら経営する印刷所で彼らを雇い、彼らから日本語の語彙を学び、簡単な語彙集を編集している。一八三七年七月、彼はこれらの日本漂流民を日本に帰国させる目的をもってモリソン号に乗り組み、送還を試みた。生憎その試みは、幕府の異国船打払令によって失敗した。ウィリアムズはその顚末を *The Chinese Repository* に書いた。ペリー提督が日本遠征に際して日本語通訳としてウィリアムズに白羽の矢を立てたのは、この顚末記を読んだからだ。清朝はアヘン戦争の敗北以後、門戸を開放していたので、そこで活躍する宣教師たちも少なくなく、また中国語を習得した人材も少なくなかった。ところが日本は未開国であり、その国の言語を習得したアメリカ人は皆無であった。ウィリアムズの日本語、特に話し言葉は、十分とはいえないレベルであったが、中国語に堪能であり、不足は中国語でカバーできようという目論見でもあった。モリソン号での日本訪問が失敗した後、ウィリアムズはマカオで本格的に日本語の学習に着手し、一八三八年冬には、『マタイ伝』の日本語訳を完成し、『日本語語彙表』を作成している。ウィリアムズ訳の『マタイ伝』は、失われたものと考えられていたが、一九四八年に九州大学の春日政治が偶然長崎の古書店で、庄蔵写本を発見した（春日『一八五〇年和訳の馬太伝』参照）。

ウィリアムズは妻宛ての書簡で、三五年にわたる日本との交流をつぎのように回顧している。／三週間の日本訪問では、三分の一を江戸で過ごしましたが、まるで夢の国に足を踏み入れたような錯覚に襲われました。過去、現在、それに未来が、一緒くたに渾然としている様は、とても説明できないものの、極めて楽しいものでした。将軍家の墓地を見物してきました。北京市近郊の明朝陵墓に較べたら、どんなにか小規模で貧弱なものではありますけれど、それなりの特色があり、一目を置く価値はありました。繊細な彫刻と清楚な感じが、見る人の目を特に楽しませてくれます／学院の教師の一人に案内されて、小高い丘の頂上まで馬で行きました。首都近郊の広大な平原を眺望できました。木立、田畑、村落が群がって、見事な光景でした。江戸の樹木ばかりを遠望した苦い経験が一八五四年にありましたけれども、今回快適な夏の気候に恵まれ、市内を逍遥できたことは、満足の一言に尽きます。ただ、時速五マイルの速さで、二人の強壮な車夫によって、町中を引っ張り回される人力車の奇妙な感触だけは、やはり初体験の怖さが残りました／とにかく今回の日本訪問中で、一番おもしろかった光景を挙げるとすれば、教養豊かな学者の洗礼でした。彼ほどの日本人が、キリスト教と信者の責任を全て受け入れ、キリストの教会の一員になったことです。彼ら日本人の礼拝に出席していると、あの頃、マカオの僕の家に集まっては、祈禱した昔の同胞日本人たちのことをどうしても思い出してしまいます。ここ三五年の歳月をかけて、神が成就された業のことを思います／ヘボンの伝えてくれた話によりますと、横浜での僕は、「ただし殿」（Mr.But）というニックネームでよく知られているとのことです。僕の会話のなかで、頻繁に使っている But という日本語の表現は、日頃使わない言葉なので、日本人の関心を引いたものと思われます（宮澤訳、四五五〜五六頁）。ここにヘボンの名が出てくる。ヘボンはヘボン式ローマ字の創案者として、また明治学院の創設者としてよく知られている。ヘボンとウィリアムズとは三歳違い、ウィリアムズが年長であった。二人は布教の主な対象、そして宣教師としての生活は、日本と中国に分かれたが、友人として東洋における布教体験を交流し合う仲間であった。ウィリアムズが横浜で「ミスターバット君（ただし殿）」のあだ名で呼ばれたという逸話は、彼の特徴を巧みに描いていると思われる。ある陳述を行ったすぐあとで、「しかしながらこの点では、あの点では」、と限定を付すのがウィリアムズの口クセであり、これはいつも正確さを求めて分析を繰り返す彼の思考法を活写したあだ名ではないかと思われる。

白旗問題の論点をサーベイした岸俊光『ペリーの白旗』（岸俊光『ペリーの白旗』毎日新聞社、二〇〇二年、一二頁）は、こう書いている。「ウィリアムズの日本語能力について、専門家の見方は一様に否定的だ。松本健一の著書『日本の近代1開国・維新』は、ウィリアムズを含むペリー一行の絵巻を載せながら、「シナ語通訳のウィリアムズが「日本通辞」とあるのは誤記か」と書いている（岸俊光、一一頁）。また加藤祐三著『黒船前後の世界』も、ペリーから通訳として同行を要請されたウィリアムズが日本語に自信が持てずにためらったことなど（ちくま学芸文庫、一九九四年、一三三〜三五頁。なお、加藤『黒船異変――ペリーの挑戦』岩波新書、一九八八年）を指摘している加藤の「自信が持てずに」という記述は、むろんウィリアムズが『随行日誌』のなかでの謙遜表現を字義通りに受け取ったものであろう。「傲岸な」ペリーと「謙遜を忘れない」ウィリアムズのことばを、そのまま受け取るのは、誤解を招きやすい。

4　ウィリアムズの日本語能力について

ウィリアムズはどのように日本語を学んだのか。一八三七年七月二日付マカオ発父親への手紙で、彼は仲間のギュツラフの日本語習得について、こう書いている。「ギュツラフは日本人漂流民から、すでにある程度の日本語を習得しました。どんなことでも大抵の話題は、日本語で会話できるほどになりました。彼ら日本人とギュツラフが同行しておりますので、先方に対しては、かなり説得力のある次のような話ができるのではないか、と期待しているところです」、「『この人たちは、米国海岸で難破しましたが、その後、マカオまで連れて来られました。マカオで私どもは、日本語を彼らから学びました。江戸まで私どもが、こうして渡航して参りました目的は、一つに、彼ら日本人漂流民を母国に返すことです。次に日本人との間に友好的な交わりを育てたいからです。更に、医師の治療を受けたいと希望する人がおりましたら、病気を直したいと思っております。最後に、わずかな量ですが、交易もしたいのです』」。「初めての試みなので、伝道文書はいっさい持っていきません。そんなことで日本側の恐怖心を煽ってしまい、せっかくの良い始まりを傷つけたくないためです。そのかわりに、良い行いをすることによって、日本側の嫌悪するキリスト教の実践面が、彼らの目に見えてくるように、努力して来るつもりです。」（宮澤眞一訳、一〇六～〇七頁）

　この手紙から、ギュツラフの日本語習得が「大抵の話題は、日本語で会話できるほど」のレベルに到達していたことが分かる。私が着目するのは、ギュツラフについてこのように記述するウィリアムズ自身の目的意識を調べるためだ。上の引用中、筆者が強調を加えた部分は、ギュツラフ、ウィリアムズらのモリソン号チームが江戸幕府に伝えたい来航目的の要旨である。しかも「日本側の恐怖心」を煽らないよう伝道文書を携帯しないこと、日本側がキリスト教を嫌悪している事実を十分に認識した上での行動であることを自覚している点に着目しておきたい。この時点でウィリアムズ自身はまだ日本語を学んではいないが、ギュツラフと同じ目的意識をもち、同じ努力を行うならば、「大抵の話題は、日本語で会話できるほど」にウィリアムズ自身の日本語能力を高めることは、時間の問題にすぎない事が察せられよう。

　ウィリアムズはモリソン号航海から三九年後に、『中国布教報告書』に、次のように書いた。「（モリソン号の五六日間の航海は）渡航に二〇〇〇ドルの費用をかけながら、見返りの収益はありませんでした。布教の観点、または科学的な観点から考えても直接的な成果は皆無でした」「それが、究極的な成果という観点から申しますと、そうとは限りません。連れ帰った七名の日本人たちは、あちらこちらで雇用されて、大抵の人が、有益な働きをしました。ギュツラフのもとに、二名が、数年間とどまりました。また、マカオの僕の印刷所でも、別の二名が、働いてくれました」、「この四人から僕たちは、日本語の知識の習得を助けてもらいました。その結果、僕たちの共同作業によって、創世記、マタイによる福音書、ヨハネの福音書と書簡、それらを日本語に翻訳することで、彼らの教化に役立てました」（宮澤訳、一一三頁）。

上の二つの記述に基づいて、ウィリアムズの子フレデリックは、次のようにまとめている。「（モリソン号は）悲しい気持ちで戻っては来たものの、敗北感はなかった。日本における布教と文明開化の道は、まだ閉ざされたままではあるが、日本人の開眼に役立つはずの手段を準備するには、出来るところから始めなければならない。こう考えたウィリアムズは、マカオに戻った日本人のなかでも、最も知的な一人から日本語を学ぶために、真剣な勉強を開始した」「もと船乗りのこの日本語教師に助けられたウィリアムズは、帰還後の冬場の間に、マタイによる福音書の日本語訳を準備したが、これは、外国人のもとで雇用されることになった七名の全員に、キリスト教を教えるためだった。その後につづいて、日本語の小さな語彙集を完成させ、更に二年経過する頃には、『創世記』の日本語訳を準備できた。これらの小さな草稿本は、読み書きのできた二名の日本人漂流民の手によって、二、三部の写本を完成したものの、現在まで一部も残っていない。ウィリアムズの所有していた写本は、一八五六年に起きた十三行街の商館破壊のときに、彼の蔵書とともに焼失してしまった」「こうした作業を進めていくなかで、少なくとも二名の日本人漂流民の改心を成し遂げて、キリスト教信者にした」「それだけでなく、会話の目的に十分なだけの日本語知識、それも庶民の口語日本語の知識を獲得できた」（宮澤訳、一一四頁）。

では、実際の交渉の場でウィリアムズの日本語はどうであったか。「双方の間のコミュニケーションは、オランダ語で行いました。長崎の日本人通訳の一人がどうやら浦賀出張を命じられ、遠征隊の到着まで待機していたようです。彼のオランダ語は、僕の日本語よりも、はるかに上達していました。実際の話、昔の僕は、平気で文章を組み立てられたのに、そんな慣れが、ほぼ消滅しています。八年もの間使っておらず、もともと中途半端なうえに、普通の日本人水夫から習っただけの知識でしたから、僕の日本語は、まるで五里霧中の状態にあります。こんな事情ですから、オランダ語によって、ずっと会談を続けられると知り、僕は内心、胸をなで下ろしました。これほどオランダ語に堪能な日本人がいるなんて、僕の予想を超えていました」（宮澤訳、二二六〜二二七頁）。

　白旗問題を扱う多くの論者は、この一節を引用して、日米対話が主としてオランダ語を媒介したものであり、日本語通訳の日本語のレベルは、実用の訳に立たない程度のものにすぎなかったとする誤解が広く行われている。すでに述べたように、実際の対話がオランダ語を主として行なわれたことは事実として確認できる。では朝河が「モデレーター」の役割と高く評価したのはなぜか。幕末の識者があえて、皇朝古体文辞と称した文体を想定する上で参考になるのは、ウィリアムズが『マタイ伝』を訳した際の文体である。ここでは、カタカナを主体として若干の漢字（名詞）が加わる形式である。これならば、「漢文色・漢文調」を脱して、「より日本語らしい文体」に見えてくるであろう。要するに「カタカナを主体とし、若干の漢字を用いた」文語調の文体――これが「皇朝古体文辞」あるいは「皇朝古文言」と呼ばれたものの正体であり、このような文体のメモ書き（添書き）を書くことは、ウィリアムズの語学能力からして不可能ではなかったはずだ――このように推定することが許されるであろう（畏友故川西勝との討論によってここまでたどりついた）。話し言葉が不得手なウィリアムズに白旗書簡の執筆は可能であったか。ウィリアムズ訳と推定される『マタイ伝』第五章の一節を読んで見よう。

ウィリアムズ訳『マタイ伝』第五章の一節

1 ヒンナ〔貧な〕ココロノ〔心の〕ヒト〲ワ〔人々は〕、メデタクアリ〔めでたくあり〕。コレソノヒトワ、テンノクニヲ〔天の国を〕、モトメラルナリ〔求めらるなり〕。

2 ナゲキカナシム　ヒトビトワ〔嘆き悲しむ人々は〕、メデタクアリ〔めでたくあり〕。コレソノヒトワ　アンダクヲ〔その人は安楽を〕モトメラル〔求めらる〕。

3 ヤソラカナ　ヒトワ〔安らかな人は〕、メデタクアリ〔めでたくあり〕。コレコノヒトワ地ノ楽ヲ〔地の楽しみを〕、ユヅラル〔譲られる〕。

4 ヒモジイカゾキ〔ひもじい家族〕アルヒトワ〔ある人は〕、メデタクアリ〔めでたくあり〕。コレソノヒトワ萬腹アリ。

5 アワレミヲカケル　ココロノヒトワ〔憐れみをかける心の人は〕、メデタクアリ〔めでたくあり〕。コレ　ソノヒトワ、アワレミヲ　タシカニモトメル〔憐れみを確かに求める〕。

6 ココロキレイナヒトワ〔心きれいな人は〕、メデタクアリ〔めでたくあり〕。コレソノヒトワ、テンノツカサヲ〔天の司を〕、ノチニミレル〔のちに見れる〕。

7 ワボクヲサセルヒトワ〔和睦をさせる人は〕、メデタクアリ〔めでたくあり〕。コレソノヒトワ、テ

ンノゴシソクト〔天のご子息と〕、ナヲツケラレル〔名をつけられる〕

8 ギニシタガツテ〔義に従って〕ナンヲウケルヒトワ〔難を受ける人は〕、メレタクアリ〔めでたくあり〕。コレソノヒトワ、テンノクニヲ〔天の国を〕、モトメラル〔求めらる〕。

9 ヒトビトナンヂラヲ〔汝らを〕アクコウゾウゴンスル〔悪口雑言する〕、マタワレガコトニツイテ〔我がことについて〕、ナニニヨラズ〔何によらず〕、ソムキコト〔背きこと〕ウソデ〔嘘で〕ソシラレテモ〔誹られても〕、メデタクアリ〔めでたくあり〕。

10 ヨツテオドツテヨロコバレヨ、ソウイタサンナラバ〔そう致さんならば〕、テンノクニニ〔天の国に〕、ナンジラノ〔汝らの〕ハウビ〔褒美〕、ハナハダタントアリ〔甚だ多い〕。

11 ナンジラヨリムカシ聖神サノトヲリニ〔左の通りに〕、ナンヲウケナサレケル〔難を受けなされる〕。

ウィリアムズは、浦賀に来る八年前に、このような日本語を書いた体験をもつ。この種の文体が幕府役人から「皇朝古体文辞、皇朝古文言」と呼ばれたとしても、不思議ではない。これは、いわゆる「候文」ではなく、「漢文訓読」ほど漢字が多くはなく、「カタカナを中心として部分的に漢字が混じる文語調の文体」である。このような、辛うじて意味の通ずる「ウィリアムズの通訳メモ」が、「白旗文書（撫恤本）」と呼ばれたものであろう。

ところで、以上は日本語の「表現能力」の側面である。日本語を「聞く能力」あるいは、「聞いて理解する能力」は、表現能力をはるかに上回っていたと見てよい。それを示すものは、翌一八五四年四月、すなわち白旗文書から九カ月後に再度浦賀を訪れた際の、「吉田松陰との対話」であり、いわゆる投夷書の英訳[*1]である。この来航においては、ウィリアムズは中国人通訳羅森[*2]を助手として、その漢文力を借りている。ウィリアムズは「投夷書」をどのように訳したか。原文と英訳とを対比して見ると、松陰が偽名「瓜中萬二」で書いた漢文調の乗船依頼文は、完璧に訳されている。「投夷書」の解読にあたって中国人の通訳羅森の協力が大きいことは、当然予想され、ウィリアムズ個人の力だけで訳したものではないが、ウィリアムズ首席通訳以下の「ペリー艦隊通訳陣」は、これだけの能力を備えていたのだ。その前年の際は、アヘン中毒の中国人通訳薛老人が沖縄沖で病死していた。当時のウィリアムズ通訳陣は、翌五四年四月時点（この時は羅森がいた）よりは弱体であったとはいえ、幕府側が「皇朝古体文辞」と称した白旗文書を書く能力は、備えていたと解してよいと思われる。

＊1　吉田松陰のいわゆる投夷書は、『全集』第10巻に収められた草稿によってかねてその内容は知られていたが、イェール大学スターリング図書館ウィリアムズ父子ペーパーズに現物が保存されていることが、陶徳民によって確認された。同図書館はいまホームページに写真版を掲げている。なお、陶徳民は気づいていないようだが、スターリング図書館のウィリアムズ文書に「投夷書」の原文および「添書」が残されていることを初めて紹介したのは、夜久正雄の「研究ノート、エール大学図書館・ウイリアムズ家文書の吉田松陰渡海密書二通について」（『亜細亜大学教養部紀要』15号、五三～七三頁、一九七七年）であった。夜久はこの文献について詳細な検討を行っている。たとえば金子重輔の仮名市木公太がIsagi Koodaとローマ字表記されたことについて「誤植であろう」としつつ、「しかし、英語の書物といふものは、誤植が少ないものなのに、偽名とは言へ重要な人名で二つの誤植があるのも、理解に苦しむ」と評している。市木の仮名の場合、差し出された文書には、カタカナのフリガナが付されていた。その「イチギ」が「イサギ」に見えるために、ウィリアムズはこのように表

記したものと思われる。これは誤植というよりは、ウィリアムズがこの添書をそのように「解読した」結果であろう。『日本遠征記』にみられるKwansuchi Manjiは、夜久の指摘の通り誤植であり、ウィリアムズ『随行日誌』は、Kwanouchi Manjiと表記している。夜久の指摘をまつまでもなく、『随行日誌』はKuri-hamaをGori-hamaと表記するなど、誤解・誤記・誤植は少なくない。だが、これらはまさに手さぐりによる日本学事始めを示す貴重な試行錯誤の痕跡と理解すべきである。それらを一つ一つ丁寧に読み解く作業は、きわめて不十分と思われる。

＊2　陶徳民の英文論文 Negotiating Language in the Opening of Japan: Luo Sen's Journal of Perry's 1854 Expedition, Japan Review, 2005によって、ペリー第二回来航の際、羅森の果たした重要な役割が解明された。

ペリーのホンネとウィリアムズの役割

5　ペリー第一書簡

白旗問題の核心を握る人物がペリーの首席通訳を務めたサミュエル・ウェルズ・ウィリアムズであることが理解できれば、いわゆる白旗書簡とは、ペリー第一書簡（一八五三年七月七日付）の末尾部分の翻訳であり、かつ「ペリーのホンネ」部分であることが明らかになる。

一九一〇年に英文で発表されていたサミュエルの『随行日誌』(*A Journal of the Perry Expedition to Japan; 1853-54*, 1910）を洞富雄が雄松堂から『ペリー日本遠征随行記』（一九七〇年初版、一九八六年5刷を利用したが、誤訳、不適訳が少なくないと感じられる）として、翻訳出版したのは一九七〇年であり、宮澤眞一が『サミュエル・ウェルズ・ウィリアムズ――生涯と書簡』（*The Life and Letters of Samuel Wells Williams: Missionary*, Diplomatist, Sinologue, 1889）を翻訳したのは、二〇〇八年である。これら二冊によってサミュエルの人物と活動は、細部まで明らかになっていたはずだが、白旗論争は、二つの翻訳の中間に行われ、基本文献は十分に参照されることがなかった。これが致命的なミスとなった。キーパーソン・ウィリアムズをペリーの背後に隠れる亡霊のごとく扱うことによって、白旗の真実が見えなくなったわけだ。

6　撫恤本の筆者、ウィリアムズ

こうして白旗書簡の内容を検討すると、撫恤《ぶじゅつ》本の筆者がウィリアムズであることは断定してよいと思われる。以上の検討を踏まえて、もう一度「撫恤本」を読み直しておきたい。冒頭に「アメリカ国より贈り来る箱の中に、書簡一通、白旗二流《しらはたふたながれ》、ほかに左の通り短文一通」とある。ここで書簡一通はいうまでもなく、ペリーの七月七日付書簡（いわゆる第一書簡）であることは疑いない。白旗二流とは、むろん白旗二枚である。「ほかに左の通り短文一通」とあり、その説明として「皇朝古体文辞一通、漢文一通、イギリス文字一通（不分明）」と書かれている。これをどう読むか。「短文一通」のなかに、「皇朝古体文辞一通、漢文一通、イギリス文字一通」が含まれていると読むべきである。つまり、「短文一通」は、三種の言語表記で書かれていたわけだ。

「短文一通」の内容は、ペリー書簡の結びの部分の英文要約を本文として、それをまずウィリアムズが得意な中国語（漢文）に訳し、さらにそれほど得意ではない日本語（カタカナ文語調）に訳したものに違いない。つまりこれは、「ウィリアムズの通訳メモ」であり、ペリー書簡の真意（ホンネ）を幕府側に伝えるために、ウィリアムズが用意したものと解してよい。内容は次の七カ条である。

①「先年以来、彼国（米国）より通商の願いこれあり候ところ、国法の趣きにて違背に及ぶ」――かねて米国から通商の要求があるが、幕府の国法と矛盾するので、受けいれられない。これは一般的な状況解説であり、ウィリアムズの言葉ではない。②「漂流等の族を自国（日本）の民といえども、撫恤せざること、天理に背き、至罪莫大に候」――これはウィリアムズが最も強調した論点である。通商についてはそれぞれの国法があろうが、自国の漂流民を引き取らない非人道的行為は、絶対に許されるものではない。③「通商を是非是非に願うに非ず」――米国がいま求めているのは、「通商ではなく、漂流民の引き取り」である。誰にも反対はできないはずの「人道問題」を接触の糸口として、そこから日米対話の突破口を開き、通商への道を開くことがウィリアムズの作戦であり、これはモリソン号の失敗から得た教訓であった。④「干戈をもって天理に背きし罪を糺す。其時はまた国法をもって防戦致されよ」――人道問題では妥協の余地がないので、幕府が拒否するならば戦争は必至だ。⑤「必勝は我（米国）にあり。敵対兼ね申すべきか」――艦隊の砲撃力からして米国は必ず勝つ。⑥「其節に至りて和降願いたく候わば、予（ペリー）の贈るところの白旗を押し立て示すべし。即時に砲を止め艦を退く」――降伏する場合の合図用として白旗を贈る。⑦「当方（ペリー）の趣意は、かくのごとし」――ペリー艦隊の日本訪問の狙い、その意図を説明したペリー書簡の核心は、つづめていえば、これに尽きる。

撫恤本の内容は、以上のごとくである。フィルモア親書の外交辞令ではなく、ペリーのホンネが実に的確に述べられていることが分かる。ペリーのホンネをこのように要約し、それを中国語と日本語で説明できる人物はウィリアムズ以外にはありえないし、ウィリアムズには語学力と、幕府役人との交渉体験（モリソン号事件）のあることは、すでに指摘した通りである。

「撫恤本」からウィリアムズの思想を読み取った、ある「アマチュア研究者鈴木健司」の論文「モリソン号の亡霊たち」に触れて結びとしたい。鈴木は春日政治のマタイ伝紹介を踏まえて、こう指摘した。①ウィリアムズがペリー艦隊にいたことは、この時の外交交渉に重要な意味を持っていた。②漂流民を撫恤せざる事、という幕政批判が日本人に書けたかどうか疑問である（岸俊光『ペリーの白旗』二一八〜二一九頁）。このアマチュア研究者の分析能力は素晴らしい。

①の着眼は、ペリー自身がウィリアムズの貢献を高く評価した書簡を書いて、「米国公使館書記兼通訳」に推薦したことから明らかである。②では、ウィリアムズの思想を実に的確に読み取っている。彼は宣教師としてではないが、The American Board of Commissioners for Foreign Missions（ＡＢＣＦＭ）の活動に大きな貢献をして、中国布教史に名を残したウィリアムズ（漢字名・衛三畏）の堅い信念に裏付けられた行動であった。つまり当時の日本には、このような偽文書を執筆できる書き手は存在しなかったのである。

『近代日本外国関係史』（田保橋潔著）に描かれたウィリアムズ像について

本稿脱稿後に、戦前の外交研究専門家・田保橋潔著『近代日本外国関係史』を読み、戦前の研究者がウィリアムズの役割について、調べていたことに気づいたので、以下に重要な記述を抜き書きしておく。ウィリアムズや白旗を忘れたのは、戦後の研究者たちが戦前の遺産を継承しなかったのだ。田保橋潔『近代日本外国関係史』（『近代日本外国関係史』初版、刀江書院、一九三〇年、のち一九七六年に原書房から増訂版刊行）は、ウィリアムズについて、以下のように記している。①アメリカにおける支那学の鼻祖として聞こゆサミュエル・ウェルズ・ウィリアムズが遭難日本人と相識ったのは正に此頃で、彼らは破格ながら一通り英語を解して居たと云う（同前、三一五頁。典拠は *Life and Letter*. pp.83-84. *Chinese Repository*, vol.V, No.1, pp.44, 228）。②モリソン号の武装解除について。「ウィリアムズは『仮に砲を搭載したりとて、如何なる場合にも、防御用武器として使用せざる事に固く決定し居たり』と注意して居るのは寧ろ賢明なる策である事を思はしめる（同前、三二〇頁。ウィリアムズの引用は *Chinese Repository*, vol.VI, No.5, p.211）。③ビッドル海軍代将の直率する東印度艦隊コロンバス、ヴィンセンズの両艦が、一八四六年七月二〇日江戸湾口に出現したことについて。「其『日本語に翻訳仕候上書』とは、合衆国大統領ジェームズ・ノックス・ポークより将軍宛の親翰訳文を指したものであるが、此訳文はかのウェルズ・ウィリアムズが漂民庄蔵、寿三郎の徒と会して作成したものの如く、半漢文・半日本文にして文義をなさない事、かの文化元年ロシア国特使ニコライ・レザノフの齎《もたら》した国書日本語訳文と同一である（同前、四一一頁）。④ペリーの浦賀来航について。「ペリイ長官は……又在広東米国海外宣教団所属宣教師サミュエル・ウェルズ・ウィリアムズを新たに日本語通訳官として任用し、之を迎へんがため、サラトガを澳門《マカオ》に留め、自らミシシッピに搭乗し、澳門、広東を歴訪して五月四日上海《シャンハイ》に着し（同前、四四六頁）⑤ペリーの船上会見について。「当番与力中島三郎助は早速の機転を以て、自ら浦賀副知事と称し、其官職に相当する乗組将校との会見を請求するに及び、ペリイ長官も之に応じ、中島及び和蘭小通詞堀達之助の乗艦を許し、艦長室に於て、参謀コンティ海軍大尉、ウィリアムズ首席通訳官、書記（蘭語通訳）ポートマンと会見せしめた」（同前、四七五頁）⑥ペリーの一八五四年来航について。「艦隊が投錨するや……同艦に赴き、将官公室に於て、参謀長アダムズ海軍中佐、通訳官ウィリアムズ博士、秘書ペリイ、書記ポートマンと会見するを得た」（同前、五八一頁。典拠は『幕末外国関係文書』第四、二二七〜二二八頁）⑦ペリーの恫喝外交について。「此種の条件は、一八五二年一一月いつか臨時国務長官代理訓示にも記載せられて居ないところである。ウィリアムズ通訳官は、ペリイの恫喝外交を以て、只管自己の名声を昂めんとする人気取の手段であって、正義及び祖国の名誉を顧みざるものとし、いたく非難して居る」（同前、六一〇頁。典拠は、S. W. Williams, Journal of Perry Expedition to Japan, pp.121-123.『幕末外国関係文書』第五、一九六〜二〇二頁）⑧日米修好条約第九条最恵国待遇について。「第九条、日本政府は、当節アメリカ人へ差し免じ候わず、外国人へ（その後）相免じ候節は、アメリカ人へも同様差し免じ申すべし。右につき、談判なお致さず候事。本条は最恵国待遇に関する規定で、もと通訳官ウィリアムズ博士の注意により、ペリイの最も重要視したものである。けだし合衆国政府が日本国開港に成功したとの報が一度伝播したならば、ロシア、フランス、英国政府は相次いで日本国との条約の交渉を開始すべく、日本国政府は歩一歩譲歩を免るる事を得ないのは自明の理であり、此際各国の獲得した特権に均霑《きんてん》しようとするものである。日本国全権は本条の意義を解する事なく、此貴重なる条約上の権利を無条件にて承諾し、永く自ら苦しむ事となった。」⑨吉田松陰と金子重助の乗艦拒否事件について。吉田と金子が「（ポウハタンに赴き乗艦を求めた際に）通訳官ウィリアムズ博士*は長官の命により両士を取調べ、彼らが本国の法規に反するを顧みず、海外に渡航して見聞を広め、以て祖国の民心啓発の任に当らんとする決心を有することを知り、其旨報告した。長官は吉田、金子両士の志を壮とし頗《すこぶ》る同情したが、日本国法規を犯して彼らを伴ふ事は、神奈川条約の精神に反するものとなして之を許さず、在勤幕吏黒川嘉兵衛の認可を得て再来すべきを諭し、軍艦付属端艇を以て陸上に送還せしめた。後両士が自首投獄せられた事を聞知して、厳刑に処せらるる事なきよう、ベント参謀、ウィリアムズ通訳官等をして非公式に日本国官憲に勧告せしめたと云ふ。此事件はペリイ長官の厳正なる証として、頗る日本国官憲の感謝するところとなった（同前、六二九頁。典拠は『幕末外国関係文書』第5、六四二～四五頁。墨夷応接録2篇、Williams, Journal, pp.172-175)。」⑩函館開港細則の協議について。松前藩には、英語、蘭語に通ずるものなく、主としてウィリアムズ通訳官の漢文筆談による外なかった。然るに同通訳官の漢学の素養十分ならず、雇支那人通訳羅森の力を須《ま》つ事甚だ多く、加之《しかのみならず》羅森が無責任なる舞文曲筆を意に介しないため、意外の誤解を惹起し、彼我共意志の疎通十分ならざるに苦んだと云ふ」（同前、六四〇～四一頁。典拠は『幕末外国関係文書』第5、四九二頁、ほか。Williams, Journal, pp.188-190)。⑪下田追加条約について。「神奈川条約に於ては、和・漢・蘭・英四カ国語文を作成したが、漢文は誤訳を起こし易い事、前回の経験によって証明せられ、幕閣よりも漢文使用停止を達せられて居たので、追加条約案は蘭文を基とし英文を作成した」「当日ペリイは所労を以て上陸を中止し、条約英文に自署し、ベント参謀、ウィリアムズ通訳官に命じて、之を携帯上陸し、了仙寺に日本国全権を訪うて、条約日本文と交換せしめた（同前、六四四頁。典拠は『墨夷応接録二篇』)。」⑫日露修好条約の交渉言語について。「条約文の起案に着手したが、日本人、ロシア人共に対手国の国語を解せず、漢訳文・蘭訳文を添付する必要がある。漢文は儒者古賀謹一郎並びに通訳官ゴシケウィチ、蘭訳文は森山栄之助並びにポシェートが担任したが、以上四カ国語を完全に対訳するには多大の困難を感じた。古賀茶渓も吏文を草するは長所にあらざるところである。加之俗吏の漢文を解するもの少なく、往々支障を生ずるため、幕閣は漢文を廃して和文を正文とし、聖堂儒官が命を奉じて和文を起案する奇観を呈した。更に漢文翻訳官ヨシフ・ゴシケウィチは、その学力アメリカ国通訳官ウェルズ・ウィリアムズを越えたと思はれるが、なほ「めくら漢文」の評があり、漢文起案のみならず、毛筆を以て漢字を書するに困難を感じた。しかもプウチャチンはアメリカ合衆国の例に倣ひ、漢訳文を要求するため不要の労を費やした。ゴシケウィチが漢訳文対校のため古賀茶渓を訪問するや、漢英辞書二種を携帯し、一字毎に字義を検して紛々論議し、聖堂儒官を悩殺するに近きものがあったと云ふ」（同前、八〇九頁。典拠は『西使続記』安政元年一二月一七〜二〇日）

＊　ウィリアムズが博士号を得たわけではないが、松陰「投夷書」を的確に英訳した日本語・中国語の実力に敬意を表して、田保橋はここで「博士」と呼称したものと思われる。洞富雄訳は、この「投夷書」部分を読み飛ばしたことになる。

ウィリアムズ『随行日誌』が示すように、大統領国書を収めた箱を運んだのは、奴隷の黒人少年であった。時代は米国の南北戦争の前夜であり、米国における奴隷制度の功罪は当然人々の議論にものぼっていたと思われるが、ウィリアムズは、ここでは奴隷制度はさておいて、「日本漂流民の人権擁護」を訴えた。「通商を欲しない幕府の国法」を表向き尊重しつつ、「漂流民の人権を国法の上におく」キリスト教の価値観をもって、与力香山に迫るのがウィリアムズの説得術であった。すでに中国語と中国人の発想を相当に学び、「似ていながら異なる日本語と日本人」についても、一定の認識をもつウィリアムズらしい発想にほかならない。通訳兼調整役として白羽の矢を立てて、逡巡するウィリアムズを敢えて起用したペリーとの共同作業によって、幕府はようやくフィルモア国書の受領を決断したのであり、この外交劇において、サミュエル・ウィリアムズという「通訳の役割」は、きわめて大きなものであり、あえて誇張するがこれはほとんど「軍師の役割」と言ってよい。こうして、サミュエル・ウィリアムズの役割に対する洞察がなければ、黒船問題の核心は理解できないのだ。近年の白旗論争が袋小路に陥ったのは、他の要素もないではないが、なによりもキーパーソンであるウィリアムズに光を当てることを忘れ、論者たちが表向き文書であるペリー『遠征記』の虚偽報告、虚偽記述に惑わされ、砲艦外交の側面を軽視して、さらに「文語調の日本語を書ける者は、ペリー艦隊にはいないはず」、といった予断で臨んだことによると言わざるをえない。

第四節　朝河によるウィリアムズの評価

1　ウィリアムズの役割は通訳を超えてモデレーター

朝河はウィリアムズ『随行日誌』への書評で、彼の役割を「モデレーター」と評している。日米当局者は、初めての出会いであるがゆえに、どのような言語を用いて、何から話をどのように進めるべきか、皆目見当がつかない手さぐりの状態で対話を始めた。この対話において要所々々で的確な判断を示しつつ成功に導いたのは、実はウィリアムズの智恵と洞察力なのであった。ウィリアムズの役割を的確に評価できる人物は、日本はむろんのこと、アメリカでもほとんどいない。この状況で例外的な見識を持った歴史家が朝河である。朝河は、ウィリアムズが切り開いたイェール大学東洋（中国）学講座の二代目にしてサミュエルの子でもあったフレデリックを師匠にもつ幸運に恵まれたからだ。

2　ウィリアムズ親子とのつながり

実は、朝河学を少しでもかじった者にとっては常識なのに、遺憾ながら日本ではほとんど知られていない史実、それゆえ研究上の欠落部分となっているのは、父サミュエル・ウィリアムズの日誌を整理して公表した子フレデリック・ウィリアムズが、父のポストを継いだイェール大学の研究者（准教授）であり、前述のように、朝河の指導教授であった事実である。繰り返すが、朝河の博士論文The Early Institutional Life of Japan（四章参照）を指導したのもフレデリックであり、また無名の朝河がThe Russo-Japanese Conflict*を書いたときに「序文」を書いてアメリカ社会に紹介したのも、フレデリックなのだ。この師弟関係もあって、朝河は特に「ペリー遠征隊の真実」に関わる米国史料に通じていた。イェール大学に中国学の講座を創設したウィリアムズの生涯、そしてペリー遠征記のさまざまな欠陥や、史実の歪曲に与しなかったウィリアムズの『随行日誌』などアメリカ側の「第一級史料」を朝河は熟知していた。それだけではない。朝河は一九〇六～〇七年の第一次帰朝に際して東大史料編纂所で幕府側史料を調べており、そのときに、後日『幕末外国関係文書I』に収められることになる基本資料さえ調べていた。後述の書評を読むと、この間の事情がよく分かる。

＊『日露衝突』の英原文は、The Russo-Japanese Conflict, its causes and issues, with an introduction by Frederick Wells Williams, xiv, 383p. Boston and New York, Houghton Muffin; London, A. Constable & Co., 1904. 矢吹『ポーツマスから消された男――朝河貫一の日露戦争論』東信堂、二〇〇二年に一部を紹介した。

朝河は前に引用した一九四五年五月一三日付け書簡のなかで、「（嘉永六年六月）四日の会談（旗艦サスクェハナ号での船上会談）に同席した二人の役人（浦賀奉行支配組与力香山栄左衛門と通詞堀達之助、同立石得十郎を指す）が書いた二つの日誌（香山栄左衛門の「上申書」と立石得十郎の「覚書」を指す）と、英語を除く書簡とが現存しています。それらのペリー極秘書簡は、当時、幕府の老中たち以外には見せませんでした」と米国の親友クラークに書いている。この具体的な記述は、朝河が遊学中の東大史料編纂所で原史料を見ていることを示唆する。こうして、朝河は米国側原史料と日本側原史料とを対比しつつ、交渉経過を精査していた。このような綿密な史料調査を踏まえて、朝河は恩師フレデリックの編集したウィリアムズのペリー遠征『随行日誌』への前掲書評を書いたことが分かる。ここで小さな疑問は、フレデリックによる航海日誌の編集出版が父ウィリアムズの死去した一八八四年二月一六日から二六年後まで出版を待つことになった事情である。父の日誌の整理を終生の課題としたフレデリックにとって、いささか仕事が遅すぎる印象を否めない。推測だが、事実関係の確認のために、朝河による幕府側資料の点検を待っていたのではないか。（なお、フレデリックはアメリカ草創期の東アジア研究者としては恵まれた生い立ちにありながら、イェール大学では準教授にとどまり、弟子の朝河と違って正教授にならなかった事実も付加しておく）

3　ウィリアムズ『随行日誌』

さて朝河自身は、フレデリック編によるウィリアムズ『随行日誌』が出版されるや直ちに、恩師父子の本に対して書評を書いているのは、かねて出版計画を知り、出版後直ちに読んだからだ。当時横浜で出版されていた日本アジア協会機関誌を掲載誌としてフレデリックに紹介したのはほかならぬ朝河であった可能性も考えられる。というのは、朝河は博士論文『大化改新』の執筆に際して、この雑誌に掲載されたW・G・アストン訳の『日本紀』英訳版、B・H・チェンバレン訳の『古事記』英訳版を頻繁に引用しており、この協会の活動を熟知していたし、朝河自身が一九一八年には、この協会で封建制について講演している。*　いずれにしてもフレデリックがこの掲載誌を選んだことに日本からやってきた青年研究者朝河の存在が無縁だとは考えにくいのである。

＊　講演「日本の封建制について」、原載 Some Aspects of Japanese Feudal Institutions, *the Transactions of the Asiatic Society of Japan*, 1918. 邦訳『朝河貫一比較封建制論集』八〜一一七頁所収。

4　朝河はいつ、どこで「ペリーの白旗」を知ったか

三輪公忠は「朝河が、ペリーの白旗のことを歴史上の出来事として知るようになったのは、これら前後二回にわたって東大史料編纂所で研究をしていたとき（一九〇六〜〇七年と一九一七〜一九年）ということは十分に考えられることである」と推測している（三輪公忠『隠されたペリーの白旗』上智大学刊、一九九九年五月、一四九頁）。この推測は妥当であろうか。三輪はペリー提督の通訳官サミュエル・ウ

ィリアムズとその子フレデリック・ウィリアムズがいずれもイェール大学中国学の教員・研究者であったこと、朝河が *The Early Institutional Life of Japan*（邦訳『大化改新』）を書いて歴史学の博士号を得たとき、その指導教授はフレデリックであったことを失念しているようだ。そしてまた朝河が一九〇五年に *The Russo-Japanese Conflict* を書いたときに、序文を書いて無名の朝河を紹介したのもフレデリックであることに気づいておられないようだ。* 初期朝河の二冊の本は、いずれもフレデリックの指導のもとに書かれたのであり、そこから両者の師弟関係が分かる。師は一六歳年長であった。プリンストン大で博士号を得た三輪がこういったフレデリック師と学生朝河の関係に目が届かないのは不可解千万である。

＊　たとえば『書簡集』八〇七頁下段の注（書簡43号の注72）には「ウィルリャムス氏。Frederic Wells Williams（一八五七～一九二八）はイェール大学の東洋史講師（一八九三～一九〇〇）、東洋史助教授（一九〇〇～一九二五）。それ以後は昇進なく退職。朝河のイェール大学大学院入学当時は助教授で朝河の著 Russo-Japanese Conflict に序文を書いた」と明記されている。

ところで、フレデリックは朝河に「ペリーの白旗」の故事をいつ語ったであろうか。フレデリックが父ウィリアムズの日誌を整理して公刊したのは、一九一〇年のこと、掲載誌は *the Asiatic Society of Japan* の三七巻二号であった。* 日米関係への深い洞察を含む記録を編集するに際して、父のような直接体験をもたない子フレデリックが朝河のさまざまな協力を仰いだのではないかという推測を著者は押さえきれない。フレデリックはアメリカ草創期の東アジア研究者としては恵まれた生い立ちにありながら、イェール大学では準教授にとどまり、弟子の朝河と違って正教授にならなかった経過があるが、これは父の遺産が大きすぎて、その学問的な整理の課題が重すぎたことによるかもしれない。

＊ 朝河は後日一九一八年に慶応大学で開かれた同会の総会で「日本の封建制について」講演している。邦訳『朝河貫一比較封建制論集』八〜二七頁。

ペリーによる史実の偽造に与することのなかった研究者としての父サミュエルの日誌を整理して公表した一九一〇年以降、英語世界の読者にとって、ペリーとウィリアムズの記録の違い、対日交渉の真相は明らかとなった。ただし、朝河の場合は、この公表に先立って、フレデリックから史料整理について、特に交渉の相手・日本側の事情について相談を受けていた可能性が強い。ここからは推測にわたるが、朝河は一九〇六〜〇七年の第一次帰朝時に、日本側の対応する文献を調べていた。この朝河の史料調査を踏まえて、フレデリックの編集作業が完成したと私は読む。

5 朝河による評価

一九四五年五月一三日付けG・G・クラーク宛ての朝河書簡には、はっきりと朝河の「白旗」理解が述べられている。「一八五三年にペリー提督は将軍の幕府に宛てて、通商を禁じた幕府の伝統的な政策は、「天理」を犯す「極悪犯罪」である故、アメリカの大艦隊が通商を求めに来航するであろう。アメリカ艦隊が大挙して押し寄せたら、日本はどうして交易禁止などできよう。アメリカ側は納得できる説明を断固求めるはずだ。その勝利は明らかである。そのさいに、もし貴国が降伏を望む（wish to capitulate）のであれば、ここで一緒に送る二枚の白旗（the two white flags he was sending there with）を掲げよ、そうすれば砲撃はただちに止むであろう、と書いています。これは、六月四日に幕府の役人に対して口上で（said to officials）伝えられました。この趣旨を正確に記した英語・中国語・日本語の三通の書簡の形でおよそ五日後に（was sent about five days later in three letters of this exact import, English, Chinese, and Japanese）、それらは箱に収められた白旗とともに届けられました（arrived together with the flags in a box）。四日の会談に同席した二人の役人が書いた二つの日誌（two diaries by two officials who took part in the interview of the 4th）と、英語を除く書簡（the letters except the English）とが現存しています。それらの書簡は当時、幕府の老中たち以外（no one at the time but to the inner councilors）には見せませんでした」（『朝河貫一書簡集』早稲田大学出版部、一九九〇年、六七五頁。*Letters Written by Dr. K. Asakawa*, Waseda University Press,1990, p.154）

では、朝河がこのように書いた根拠はなにか。朝河は『開国起源』（*the Kai-koku Kigen*, I.『開国起源』勝安芳（海舟）著、東京、吉川半七、明治二六年）および『幕末外国関係文書』（*the Baku-matsu Gwai-koku Kwan-kei Mon-zho*, I.『幕末外国関係文書Ⅰ』大日本古文書シリーズ、帝国大学史料編纂掛編、明治四三年三月刊）という二つの史料を挙げて、後者については「まもなく公刊されよう」と付記している。朝河がこのように書いているのは、東大史料編纂所で編集作業が進行中であることを確認してのことだ。ここで問題は、朝河がなぜ「四日の会談に同席した二人の役人が書いた二つの日誌と、英語を除く書簡とが現存」と、的確に読めたのか、であろう。おそらく朝河はアメリカ側の関連史料を読み切っていたからだ。それがウィリアムズの『随行日誌』および『生涯と書簡』[*1]である。朝河は前者が公表されるやただちに「書評」[*2]を書いている。この書評を読むと、白旗問題の顚末は一目瞭然だ。汗牛充棟《かんぎゅうじゅうとう》の白旗論だが、この朝河書評に言及して、問題を論じた文献は（管見だが）皆無と思われるので、まず短い書評から要旨を読み取ることにしよう。

＊1　Samuel W. Williams, First Interpreter of the Expedition, ed. By his son Frederic W. Williams, A Journal of the Perry Expedition to Japan, *Transactions of the Asiatic Society of Japan*, XXXVII, part2, Tokyo, 1910.（洞富雄訳、東京雄松堂書店、一九七〇年七月、新異国叢書、五五三頁）、*The life and letters of Samuel Wells Williams*, New York and London, G. P. Putnam's sons, 1889（宮澤眞一訳『S・ウェルズ・ウィリアムズ生涯と書簡』高城書房、五四一頁、二〇〇八年）。

＊2　K. Asakawa, A Journal of the Perry Expedition to Japan (1853-1854) by S. Wells Williams; F. W. Williams, *The American Historical Review*, Vol.16, No.1(Oct.,1910), pp.136-137 (review consists of 2 pages)

朝河がこの書評で言及したのは、以下の要点である。

○通訳ウィリアムズ自身は謙遜しているが、その貢献は非常に役立つものであった（great usefulness）と評価できる。貢献の内容がこのウィリアムズ『随行日誌』に反映されている。

○通訳ウィリアムズの日本語能力が論点の一つとなったが、彼は二〇年近く極東に住み、「中国語に精通する」とともに、「日本語についてある程度の知識（some knowledge）を習得していた」ことを指摘している。

○ウィリアムズの子息であるイェール大学教授フレデリック・ウィリアムズが「序文と注釈」とを付した。

○通訳ウィリアムズは、「内に籠もりがちな日本」と「強引な軍人外交家ペリー」の間で「極東事情に通じた唯一のアメリカ人」として「調停者の役割」を果たした、と朝河は特筆している。

○通訳ウィリアムズの示唆により、「治外法権条項」が条約原案から除外された。そして「最恵国条項が最終案に盛り込まれた」、と編集者フレデリックがコメントした箇所に朝河は注目した。
○朝河はこのテーマを扱う際の、米国側と日本側の原史料がなにかを示している。
○ウィリアムズ日誌の「見どころ」が「ペリーの横柄な作風」を活写しつつ、「自由かつ率直に」、ペリーの作風にコメントを付した点にあることを朝河は読み取っている。
この最後のコメントは、われわれ日本人がペリーの公式遠征報告書やその日誌を読むうえで恰好の指針となるはずのものだが、この努力はほとんど行われなかった。白旗書簡をめぐる誤解の連鎖反応は、まさに朝河のこの示唆を無視した結果である、と著者矢吹は確信している。
○ペリーの遠征は、日米双方にとって異国との初めての交渉であるから、意図的な省略か、あるいは無意識のものかは別として、ペリーもウィリアムズもかなりの程度まで、「手さぐりの交渉を続けざるをえなかった状況」に、朝河は特に注意を喚起している。
○ペリーの獲得した「予期した以上の成果」は、どこから得られたかについて、朝河は「アダムス船長と浦賀奉行との交渉」を挙げている。船長と奉行との交渉を仲介し、通訳したのは、むろん首席通訳ウィリアムズであった。
○ペリー側が「期待しつつも実現できなかった」ものとして、一、将軍との会見や、二、フィルモア大統領宛ての天皇親書、すなわち国書混じりを得られなかったことを指摘している。
○ペリー遠征の功罪を論じるうえで、『ウィリアムズ日誌』がいかに役立つ史料であるか、そのかけがえのない価値を指摘して書評を結ぶ。
さて、このような朝河の研究に導かれて問題の所在を考えると、論議が錯綜した白旗問題の真実は容易に解けてしまう。いな、これは朝河が一九一〇年の時点で基本的に解決していた課題なのだ。後学たちが百年後にほとんど無意味な論争を行ったのは、彼らの「知的怠慢」というよりは、先達の到達地点を無視してきたことにより知的復讐を受けたにすぎない。まことに真の学問ほど恐ろしいものはない。

6　六月四日に口頭で、九日（ごろ）に書簡の現物と白旗二枚

こうして日付問題への正解は、「（嘉永六年）六月四日にまず口頭で」伝えられ、「九日（ごろ）に書簡の現物と白旗二枚が届けられた」と解するのが朝河の分析である。* 朝河が、実際の手交を四日ではなく九日としたのは、九日付で「白旗差出しの件」が記録されていることに基づく。そして『幕末外国関係文書Ｉ』を編集した史官が「九日」という差出「日付」について疑問符を付したのは、むろんそれ以前に、文書の内容・趣旨が分かっていたことを示す「六月四日栄左衛門とビュカナン艦長（中佐）の対話書」等の史料を意識してのことに違いない。朝河はそこを読み取って「およそ五日後に（about five days later）」差し出しか、と日付に「アバウト」をつけている。つまり、朝河は「六月九日」という日付」を疑う原史料編者の意図を尊重し、「九日か」の意味で「about」を付したわけだ。この「疑問符」について、史料自体への疑いを示すものと曲解するのは論外である。「日付」に対する疑問と、「史料自体」に対する疑問は峻別すべきである。

＊ 朝河のいうように、六月四日にまず口頭で伝えられたのは確かだとして、艦隊に白旗は相当数用意されているはずだから、ウィリアムズによる説明と共に見本が手渡されたと見ても差し支えない。

第五節 「白旗」論争――無言劇に始まり、悲喜劇は今日も続く

一五〇年前の日本開国史をめぐって、二一世紀初頭の日本でくり返されている田舎芝居は、何を意味するのか。ペリー艦隊の旗艦を飾った星条旗をミズリー艦上に掲げてマッカーサーは日本の降伏調印式に望んだが、それからすでに七〇年。白旗と白旗文書は、ほとんど亡霊のごとくに、左右、中道の歴史家たちを翻弄し続けている。右も左も真ん中も含めて、歴史家・評論家たちがこのように揺れるにつれて、国民のナショナリズム感情も揺れる。いまこそ、日米開国における「ウィリアムズの役割」に光を当てるべきであり、その間の経緯を最も的確に論評した朝河史学に学ぶべきである。歴史学の光こそが日本の行方を照らす。私自身はたまたま朝河史学をかじる過程で、白旗問題の真相に気づいた。そこから、朝河の師フレデリックおよびその父ウィリアムズに興味を抱いたにすぎないが、モデレーターとしてのウィリアムズの貢献を未だに正当に再評価できないのは、二一世紀の日米関係の行き詰まりと無縁ではあるまい。あえて一石を投ずる所以である。

白旗書簡は偽文書か、覚書か

1　若井敏明「ペリーの白旗書簡について」

著者は白旗撫恤本に対して「偽文書」と批判する論者たちに対して、これはウィリアムズの通訳メモあるいは覚書、添書と名付けるべき文書とみてよいことを、以下の分析で論証する。不覚だが、その作業の最終段階以後になってようやく著者の考えに最も近い論文に接した。それは若井敏明教授の「ペリーの白旗書簡について」である（『大阪成蹊女子短期大学研究紀要』第40号、二〇〇二年一〇月二九日である）。この若井論文は、投稿の日時（二〇〇二年一〇月二九日）から察せられるように、松本健一『白旗伝説』（学術文庫版、一九九八年）、大江志乃夫『ペリー艦隊大航海記』（朝日文庫、二〇〇〇年）、宮地正人『歴史評論』論文（二〇〇一年）、三輪公忠『UP』論文（二〇〇一年）、秦郁彦『諸君』（二〇〇二年二月号）論文までをレビューしたものであり、投稿後に出た岸俊光記者の『ペリーの白旗』（毎日新聞社、二〇〇二年一一月）は参照していない。若井は「幕末史を専攻しているわけでもないのに、ペリーの白旗問題について私見を述べてきた」と謙遜しつつ、次のような優れた結論を導いた。曰く、「いわゆる白旗問題なるものは、六月四日の日米交渉の過程で生まれた覚書である可能性が高い」、「そこで示されたペリー側の態度には武力行使を正当化する脅迫的姿勢がみえるのは否めない*」。この二カ条について、朝河の指摘を組み合わせて考察すれば、白旗問題は全面的に解決できたはずであった。

＊　若井論文「終わりに」、二二二頁。ここでポイントは、「ペリー側の脅迫的姿勢」である。ペリー書簡に秘められた「脅迫的姿勢」をあたかもラブレターもどきの文体で誤訳した。その誤訳に引きずられて「脅迫的姿勢」を否定した読み方が横行したのは、マッカーサー占領軍を解放軍と誤認した左翼的日米関係論が歴史学界において再生産され続けた珍現象の一部であろう。

若井論文が優れている理由は二つ上げられる。一つは、戦前期の関連文献を検討していることだ。すなわち、私のいう撫恤《ぶじゅつ》本の要点が、以下の書籍に言及されている。すなわち、一、大森金五郎著『大日本全史』（下巻、一九二二年）、二、大隈重信（名義）著『開国大勢史』（一九一三年）、三、栗田元次著『新修綜合日本史概説』下（一九四三年）、四、『概説維新史』（一九四〇年）の四点である。これらの著作が描く白旗問題の記述を導きとして、若井論文は、優れた結論に到達した。戦前期には白旗差出を史実として肯定する認識は、いわば常識に近い認識なのであった。たとえば前述した島崎藤村の『夜明け前』の一節は、その代表と見てよい（二〇五頁）。若井論文のもう一つの長所は、白旗書簡の史料系統を整理して、その原型に迫る方法論が明確なことだ。書簡文そのものと書簡文に関する風説とに分けて、後者には書簡の由来や翻訳者を列記した「名前書」を持つものと持たないものがあることに着目して腑分けした。その方法意識は評価するが、結局『町奉行書類』所収「亜美利加極内密書写」が「最も原型に近い」（若井論文、一八頁）と結論し、「蘭船本」を肯定したのは、九仭《きゅうじん》の功を一簣《いっき》に欠く誤りだ。若井論文は、「史料系統」の分析を踏まえて、次に白旗書簡の「内容」を次のように検討した。「ペリーがオランダとの関係を強調することは到底考えられない」、「オランダ船がもたらした情報は何だったか」を追求して、「オランダ船の情報とは、諸方の通商是非に希うに非ず」の部分と読む。そして天理に背く罪とは、「漂流民の取扱いについて言及されていた可能性もたかい」と括弧書きしている（同前、二〇頁）。

こうして書簡内容の分析とその漏洩過程（西丸の徳川家定御小姓久留金之助周辺から漏洩して記録に留められた）の検討から、若井が偽文書説を否定した判断を私は高く買う（同前、二二頁）。若井による以上の行論は、きわめて妥当なもので、強い説得力をもつ。幕府側の史料の検討としてはこれで十分であろう。ただ一つ欠けるのは、私のいう蘭船本を最も原型に近いと誤認したことだ。やはりキーワードが肝心だ。「撫恤というキーワードを含み」、「蘭船より申し達しの候なる一句を含まない」テキストを選ぶべきである。もう一つ欠けるのは、朝河が「通訳を超えてモデレーターの役割」とまで高く評価した通訳ウィリアムズの役割についての記述が欠如していることだ。日米双方の記録を対照して、日本側認識の欠落部分を埋める作業は、およそ百年前に朝河によって行われていたにもかかわらず、その成果を日本史家たち（日米関係論専攻者を含む）が無視してきたために、百年後の今日、悲喜劇を繰り返していると私は批判する。ペリー艦隊来航は、明治維新の直接的契機の一つであるばかりではなく、それ以後の日米関係の原型でもある。*まさにこの原型・原点の認識において、われわれは未だに真相に到達しているとは言えないのだ。歴史家たちの「頭脳の開国」こそが、いま求められている。

＊ 岸俊光著、一九一～九二頁で、ハーバード大学名誉教授入江昭は「ペリーが白旗書簡を差し出したことなど今まで聞いたことがなかったし、僕が日米関係を考える場合もそういう問題は念頭にありませんでした」と語っている。これは驚くべき証言である。日米関係の原点に存在した白旗を忘れた日米関係論は、真実を著しく歪めたものとならざるをえないのではないか。白旗という原点を見失う

ことは、虚像に合わせて空中楼閣を建てるに等しい。

2 ウィリアムズの評価

まことに宮澤眞一『サミュエル・ウェルズ・ウィリアムズ——生涯と書簡』の指摘するように、[*1]「ペリーの白旗」論争においては、一部の例外を除いて、ウィリアムズに言及したものはきわめて少ない。たとえば松本健一『白旗伝説』[*2]には、ウィリアムズの姿は、影も形もない。これは松本が徹頭徹尾日本語文献だけで「日米問題を扱った」ことを示唆する。すなわち松本には、「通商開国か、戦争か」、「降伏か、否か」の二者択一しかない。「ペリーによる隠蔽」によって「見失われた白旗」問題を「発見した」と得意満面、アカデミズムが無視してきた「白旗問題を発見した」と繰り返し自慢するばかりだ。自慢の挙げ句、松本が陥るのは、少女趣味にも似たセンチメンタリズムである。「あえていえば、それらの『白旗』は、会津といい、沖縄の少女といい、そのときどきの日本の歴史において、もっとも過酷な運命を背負わされたものたちがかかげさせられたものではなかったろうか。そう考えると、白旗は『文明』が『野蛮』なる敗者に対してかかげさせる旗ではなくて、歴史においてもっとも過酷な運命を背負うものたちが、その運命のあまりの重さに負けてかかげる旗だったのかもしれない、という想いがわたしに沸いてくるのである。ペリーが幕末の日本を文明化すべくもたらした『白旗』を、明治元年の会津藩と昭和二〇年の沖縄の少女が日本それじたいの代わりにかかげさせられたのだ、と」(松本、講談社学術文庫版、一六九〜七〇頁)。ここに松本の貧しい考察が露呈されている。

＊1　宮澤はウィリアムズが一八五八年九月二〇日～一〇月七日に長崎に来たことは記していない。「一八五八年九月、中国在住の二人のアメリカ人プロテスタント宣教師Sウェルズ・ウィリアムズとエドワード・サイルが、キリスト教を日本へ布教する可能性を窺うために米国船ミネソタ号で来崎した。長崎到着後、二人はたまたま来航していた米国船ポーハタン号の従軍牧師、ヘンリー・ウッドと出会った。ウィリアムズはオランダ商館長から「阿片とキリスト教を排除できるなら商業上の特権を外国人に与えてもよい」という日本高官の言明を聞いた。これに応えてウィリアムズ、サイルとウッドの三人は、監督教会（聖公会）、改革派、長老派の伝道局に対して、真のキリスト教の何たるかを伝え得る優秀な人物を至急日本に派遣するべきであることを書いた文書を提出することで意見が一致した」。レイン・アーンズ著『長崎居留地の西洋人』長崎文献社、二〇〇二年、二一～三頁。

＊2　松本健一の「白旗伝説」初出は『群像』一九九三年四月号。その後「白旗伝説余波」「白旗伝説異聞」等三篇のエッセイを加えて単行本『白旗伝説』新潮社版を一九九五年五月に出版した。さらにその後執筆したエッセイ四篇を加えて『白旗伝説』講談社学術文庫版を一九九八年五月に出版した。松本は最初の論考において、問題意識を直截にこう述べている。「たとえば、ペリー来航事件をめぐっての、いちばん最近の論考である加藤祐三の『黒船異変――ペリーの挑戦』（岩波新書、一九八八年）にも、白旗のことは一言もふれられていない」と（学術文庫版、三六頁）。このテーマについての加藤の主著は『黒船前後の世界』である。これは一九八五年に岩波書店から刊行され、一九九四年にちくま学芸文庫に収められた。この主著においても加藤は白旗に言及していない。というよりも加藤のウィリアムズ像は極度に分裂している。「ペリーは日本語通訳を同行させていない［傍点は矢吹］」。ペリーが通訳としてウィリアムズに同行を要請したときには、彼がかなりの日本語を解すという点が考慮に入っていたが、ウィリアムズ自身は、自分はすでに日本語をすっかり忘れており、日本側のオランダ語通訳の方が立派だと認めている」（ちくま文庫、四二頁）。加藤はウィリアムズの謙遜

表現から文字面だけを受取り、彼を「日本語通訳」として認めない過ちを犯している。加藤のこの断定は、同書五六頁の次の記述とも矛盾している。「実際には政治・外交顧問の役割をはたすS・W・ウィリアムズにペリーの側から同行を依頼し、ペリーがウィリアムズの見解を尊重しつつ、具体的な政策決定を行ったことも、確実な成果を生み出す重要な鍵になった」。ここではウィリアムズを「政治・外交顧問の役割」と高く評価して、これを尊重して「具体的な政策決定」が行われたことが開国成功の一因と評価している。この評価自体は妥当なものだが、加藤は「政策決定」の具体的な内容については、何一つ例示していないので、日本語を忘れていたウィリアムズが、なぜそのような貢献ができたのか、まるで不可解である。その後、加藤は松本に反論して、『幕末外交と開国』で、次のように書いた。「ペリーが幕府に白旗を渡し、降伏するときにはこの白旗を掲げよと恫喝したと強調する学者がいる。日米双方の資料を見ても、この種の主張には根拠がない。本書でも書いたとおり、測量や伝令など、軍事行動とは直接に関係のない行動にはペリー艦隊の小舟が白旗を掲げており、この絵を描いたのは同行画家ハイネである。白旗の使用は操船マニュアルに沿う常識であった。それを降伏要求という政治レベルまで拡張解釈するのは、いかがなものか」（加藤『幕末外交と開国』ちくま新書、二〇〇四年、二四六〜四七頁）。小論全体が加藤の誤りに対する批判となるであろう。

私自身は、一時は旧会津藩に預けられたこともある奥州旧守山藩の出身だから、旧会津藩や二本松藩の悲劇を熟知しているし、復帰前の沖縄も旅しており、沖縄の苦難も承知している。二つの悲劇は私なりに理解しているつもりだが、「ペリーの白旗」についての、松本の考察の最後の感想がこのようなセンチメンタリズムでは、黒船による開港の意味、そこに始まる世界と日本との新しい関係の意味を考察する上で、日本ナショナリズムを煽る以外には、何の役にもたたないのではないか、と疑問を感ずる。

3　白旗書簡の正体とは？——ペリー第一書簡の恫喝

ペリー来航を契機とする日本の開国とは、そもそも日米関係なのであるから、日本側史料だけでは絶対に解けない。米国側史料との照合が不可欠である。論者がすべて米国側史料を無視しているのではない。彼らなりに、いちおう参照はした形なのだが、眼光紙背に徹する読み方をしないので、文字面のみを追う。その結果、史料を読みきれていないのだ。高名な入江昭教授のような日米関係論の専門家中の専門家でさえも日米関係の原点に関わる史実について、不正確な認識しかもっていないとすれば、戦後の日米関係が歪んだ構造に陥るのも当然かもしれない。スタート地点が「つまずきの一歩」と化したように見える。

朝河は、原史料を読み抜く作業を「百年前にすでにやり遂げていた」のであるから、朝河に学ぶことが必要なのだ。朝河史学から何も学ばず、限られた史料と勝手な思い込みから、米国側の思想と行動を理解せずに身勝手な結論を導く歴史家たちに猛省を促す次第である。むろん、これは歴史家たちだけの責任というよりは、日米双方に正確な認識が欠けているのであり、ワイゼッカー流にいえば、「過去に盲目な人々は、現在も未来も正しく認識できない」のである。これは古今東西の真理だ。

4　白旗書翰偽造説の大御所・宮地正人教授への批判

白旗書翰偽造説の大御所宮地正人は、こう書いた。「この書簡を正しいと主張するためには、ペリーが日本側に「日本語古文の書簡を送ったこと」を論証しなければならず、さらに、ペリーは江戸湾停泊中に英文書翰を書くのであるから、この時点で、ペリーの側近に、「日本語古文への翻訳を流暢にできる者が存在していたこと」を立証しなければならない」（『歴史評論』二〇〇一年一〇月号）と。宮地は「ペリーの側近に、日本語古文への翻訳を流暢にできる者が存在していたこと」を立証せよと書いたが、「ウィリアムズの存在」はまるで眼中にない。同じく偽造説に立つ三谷博東大教授は、こう評した。「（ペリーは）日本語と中国語の通訳としてウィリアムズを中国で雇い入れていた」、「彼は在清宣教団の一員で、かつてモリソン号で浦賀に来たことがあった。その時、送還に失敗した日本人漂流民から日本語を倣っていたが、再来までにはかなり忘れていた」（三谷博著『ペリー来航』吉川弘文館、一一〇〜一一一頁）。三谷はこう続けた。「日米の間に直接言語が通じなかったことは」「日米交渉に際して、アメリカが日本側に降伏の印として白旗を交付したという説に根拠がなきことも示している」。「この説の依拠する史料は、アメリカが日本側に皇朝古体文辞の文書を渡したと述べているが、当時、ペリー艦隊には、日本人漂流民を含め、そのように高級な日本語を綴れる人物は乗船していなかった」（同前）。

三谷はウィリアムズのモリソン号体験、日本語の学習歴には注目したものの、「高級な日本語を綴れる人物」とは見なさなかった。実はここに落とし穴がある。内容を問わぬままに、一方で「皇朝古体文辞」と評しつつ、流布された白旗文書を並べるから、ウィリアムズの手に余るはずと即断してしまうのだ。これは幕府側が「解読した結果をまとめた文書」であるから、ウィリアムズの「通訳メモ」あるいは、「添書き」であり、その原文は、辛うじて文意が読み取れる程度の文章であった可能性が強いのだ。「皇朝古体文辞」の言い方を絶対化して直ちに「高級な日本語文体」をイメージするのは、現実に行なわれた「手さぐりの対話」という現実にまで想像力が及ばないのであろう。ウィリアムズの書いた「皇朝古体文辞」とは、幕府の専門家が辛うじて解読できる程度のレベルであったに違いないと考えてよい。今日の白旗文書の形で、文意を解読できたのは、「漢語訳」が付されていたからだと考えるべきだ。山本博文東大史料編纂所教授の『ペリー来航』(小学館)も同じ偽文書説だ。「白旗を交渉のしるしと説明し、江戸湾を測量する船にも白旗を掲げさせたことは事実」、「しかし、これとペリーが実際にそのような文書を渡したかどうかということは別問題である」と両者を峻別してしまう。

こうして宮地・三谷・山本ら、東大系歴史家は偽文書説に凝り固まっていて、日米交渉の現場から目を背け、その論理は随所で破綻している。「皇朝古体文辞」とは、前後の脈絡から判断して「カタカナ書き文語調」の文(一部に漢字を含む)を指すものと解される。「国法、撫恤、天理、通商」といった漢語の語彙は、漢訳を用いれば代用できる。これらのキーワードをつなぐ部分をカタカナ書きして、しかも「ナリ、ケリ、ベシ、ゴトシ」などを文末に補った文語調の文体、これこそが「皇朝古体文辞」「皇朝古文言」と評された覚書の実体ではないか。要するに、すでに漢語訳はできているのであるから、これに「テニヲハ」の助詞類を付すのは、たとえこの部分が間違っていたとしても、基本的な意味は十分に通じる。繰り返すが、カタカナ文語調の文（漢語が部分的に挿入された可能性あり）が、「皇朝古体文辞」なのだ。

もう一ついえば、宮地は「白旗書簡は当時の日本人の妄想が作り出したものだ」とするが、妄想でさえも「虚空からは生まれない」ことに留意されよ。「漂流民を撫恤しないこと」が「天理に背く」といった人権思想は、幕末の日本人にはない発想であったことの意味を宮地は再考すべきなのだ。「妄想さえすれば何でも書ける」という認識は、間違いではないか。人々の思想が時代の制約を受けている点に着目しない歴史家を私は疑う。白旗書簡撫恤本の成立をこのように解すると、これを「明白な偽文書」と断定するだけに終始する宮地正人教授（前東大史料編纂所所長）の主張（『歴史評論』二〇〇一年一〇月号）の誤りが明らかになる。第一に宮地は書簡の文面だけを扱い、「白旗という実物」を一切無視している。ペリーが「白旗二枚を差出した」という「恫喝行為」が重要であり、書簡あるいは添書・覚書は、その「説明書き」にすぎないのだ。「説明書き」の欠陥だけをあげつらうのは、本末転倒ではないか。真に問うべきは、白旗差出の有無であり、そこに込められた意味なのだ。宮地の議論には「木を見て森を見ない」欠点が随所に露呈している。宮地は白旗差出の事実を否定するが、では六月九日に久里浜で捧呈された「箱が二つ存在した」という記録をどう説明するのか。そもそも松本も宮地も「二つの箱」という重要な事実に着目しないのは、「最も根本的な証拠」を見落としたものと言わなければならない。白旗差出とは nonverbal communication であり、この「差出行為」が最も重要なのだ。

第二に宮地は白旗書簡文面における不自然な箇所として、「蘭船より申し達候通り」の記述をあげる。これはおそらくペリー艦隊到着の報が事前に蘭船から予告されていたことを踏まえた挿入句であり、「流布の過程で挿入されたもの」と解するほかはない。ペリー書簡に書き込まれるのは明らかに不自然である。この記述は「蘭船本」にだけあり、「撫恤本」にはない。ここから著者矢吹は、初めに「撫恤本」があり、その趣旨説明のために、「蘭船本で書き加えたもの」であろうと推定する。書簡に前田肥前守の名が見えるのは不自然という指摘も、専門家の高見として認めよう。しかし別のバージョンでは筒井肥前守（松代藩重臣山寺常山の風説留「如坐漏船居紀聞」。松陰の読んだバージョンには、前田の代わりに筒井の名がある）、であり、矛盾はない。文書の流通について、「八月以降に現れ、九月に各地方に伝播された」という知見も専門家ならではものだ。ところが、宮地はこれらの特徴をもとに「偽文書」と断定してしまう。だが、宮地も書いているように、「偽文書論が往々にして面白くないのは、白か黒の決着にだけ固執して、グレーゾーンを問題としないからである」。では「偽文書の方が本物より信じられたのはなぜなのか」（『歴史評論』一二〇頁）。このコメントはまさに宮地論文への批評として最適ではないのか。宮地は白旗書簡の瑕疵《かし》を指摘して「偽文書」と断定してしまい、「面白くない」論文に熱中した。「偽文書の方が本物より信じられたのはなぜなのか」——宮地はまさにそれを問うべきなのだ。

ここで基になった「撫恤本」とは、ペリー「第一書簡」の精神を踏まえて通訳ウィリアムズの書いたメモ、すなわち、ペリー第一書簡の「趣旨説明要旨」だからこそ信じられたのであり、これ以外に理由は見出せまい。

なるほど宮地は「六月四日対話書」と「白旗書簡」について「両者の文章を比較すれば、その相似性は明らかである」（「又いかようとも存念通り取計うべく申し候。もっとも、その節に至り事平《ことたいらぐ》の用向きこれあり候わば、白旗を掲げ参れ、申すべく候」）と重要な指摘を行いながら、「（徳川）斉昭に近い前田夏蔭の名が出ているが、偽文書というものはなんらかの痕跡を残す」と偽文書性の論証に関心が向いてしまう。宮地には初めに間違った断定がある。ペリーの通訳ウィリアムズに「皇朝古体文辞が書けるはずはない」という前提から出発するので、ウィリアムズの日本語能力を具体的に検討することをしない。彼が後日イェール大学に迎えられ、中国学の初代教授に就任するほどの研究者であるところまでは視線が届かない。国史家の視野狭窄の典型であろう。最後に宮地はこう結ぶ。「この文書を偽文書として確認した上で、しかもその上で日本の開国という未曾有の事態に直面した武士階級を含む三千万の日本国民の恐怖と不安、そして見通しのたたないものへの激しい苛立ちを理解させるための恰好の材料として、我々はこの史料を活用していかなければならないのである」（『歴史評論』一二一頁）。

話はあべこべではないのか。「国民の恐怖と不安」「激しい苛立ち」がこの文書に滲むことは確かだが、「書簡の核心」は、むろん「ペリーの恫喝」ではないのか。現実の白旗差出こそが恫喝のシンボルなのだ。宮地はせっかく白旗書簡の原型が「六月四日対話書」にみられることを認識しながら、そのペリーの恫喝から目をそらして、「恫喝におののく側の不安と苛立ち」しか読み取れないのである。これは偶然ではない。白旗を「降伏勧告」ではなく、まるで「友好の象徴」であるかのように錯覚しているからだ。「フィルモア親書に書かれた思想」と「ペリーが実際に行った恫喝」とは似て非なるものだ。その緊張関係は、朝鮮戦争期に原爆投下を主張してトルーマン大統領から解任されたマッカーサーのケースと酷似したところがある。フィルモア大統領からピアース大統領への政権交代、数年後に勃発した南北戦争を視野に入れてこそ、アメリカの東アジア政策は的確に理解できよう。

　宮地に欠けているのは、まさにその視点である。三谷博教授（東大大学院総合文化研究科）の『ペリー来航』（吉川弘文館、二〇〇三年）も偽文書説である。曰く「（ペリーは）日本語と中国語の通訳としてウェルズ・ウィリアムズ」を「中国で雇い入れていた」。「彼は在清宣教団の一員で、かつてモリソン号で浦賀に来たことがあった。その時送還に失敗した日本人漂流民から日本語を習っていたが、再来までにはかなり忘れていたのである」（同前、一一〇頁）。「かなり忘れていた」と断定してよいのか。ウィリアムズ自身の日誌を調べて見よう。*

○最初の船上対話全体を通じて、これらの日本人の物腰は威厳があり、冷静沈着であった。栄左衛門ははっきりした口調で語り、達之助がそれをポートマン氏のためにオランダ語に翻訳した。私には彼らのいうことがほとんどすべて分かった。

○しかし、そのような武家言葉で話そうとすれば、かなりの訓練が必要であったろう。幕府側に私の日本語よりもはるかにうまくオランダ語を話す者がいてよかったと思う。おかげで対話がより満足できるものとなったからだ。上記のウィリアムズ『随行日誌』から分かるように、彼には栄左衛門のいうことがほとんどすべて理解できていたのだ。ただし、威厳に満ちた武士の言葉で、「あたかも候文のように」語ることはできなかった。

* During the whole of this interview the bearing of these Japanese was dignified and self-possessed. Yezaimon spoke in a clear voice and, through Tatsnoski, who put it into Dutch for Mr. Portman, I could make

out almost all they said but it would require considerable practice to speak that style and I am not sorry that one of them knows Dutch so much better than I do Japanese for I think intercommunication is likely to be more satisfactory. At the close of the interview the interpreter said the officer present was the highest in Uraga, and his name Yezaimon "What is the name of the captain of this ship?" He was told, and nothing could be more polite than the whole manner of this incident. Are you an American?" "Yes, to be sure I am." I replied in a tone to intimate some surprise at the question where at these was a general laugh. pp.51-52.

ウィリアムズ日誌はこう続く。

○対話を終える時に、在席の役人は浦賀で最も位の高い栄左衛門だと通訳が説明した。そして艦長の名前を尋ねてきた。名前を教えてやると、これ以上はありえないといった風にかしこまった。

○あなたはアメリカ人か？　然り、いかにもアメリカ人でござる。その問いにいくらか驚いたかのように答えてやった。そこで一同大笑いになった。

「白旗書簡」偽文書説の根拠として、三谷はこう書いている。「日米の間に直接言語が通じなかったことは」、「日米交渉に際して、アメリカが日本側に降伏の印として白旗を交付したという説に根拠がなきことも示している」。「この説の依拠する史料は、アメリカが日本側に皇朝古体文辞の文書を渡したと述べているが、当時、ペリー艦隊には、日本人漂流民を含め、そのように高級な日本語を綴れる人物は乗船していなかった」（傍点は矢吹による。『ペリー来航』一一〇～一一一頁）。要するに、ウィリアムズには「カタカナ文語調の文体を書けなかったはず」だから、「カタカナ文語調で書かれた文書」があるとすれば、偽文書だという論理であり、宮地とまったく同じ論拠である。三谷の本では、私が利用した『幕末外国関係文書Ｉ』から少なからず前後の史料を引用しているが、なぜか「箱を二つ受領した」と記す文書（一七号と一二一号）までは目が届かない。素人の私が数時間の調査で発見できた史料に、この分野の専門家が気づかない理由（あるいはあえて無視する理由）がまるで不可解である。山本博文教授（東大史料編纂所）も疑文書説だ。「（白旗の現物ではなく）書簡を幕府に渡したといううわさが流布した」。「宮地正人氏は、ペリーが白旗書簡を渡したという証拠はなく、外交交渉の場で、ペリー自身が国家に報告していない私信を渡したとは考えられないから、白旗書簡は疑文書であると主張した」。「ペリーの部下が浦賀奉行所とやりとりをした時、白旗を交渉のしるしと説明し、江戸湾を測量する船にも白旗を掲げさせたことは事実であった」。「しかし、これとペリーが実際にそのような文書を渡したかどうかということは別問題である。おそらく事実としては、宮地氏の主張が正しい」。「興味深いことは、白旗書簡のうわさを書き留めた史料が意外に多いことである」（『ペリー来航——歴史を動かした男たち』小学館、二〇〇三年、三九〜四〇頁）。「史料が意外に多い」ならば、その理由を詮索することも歴史家の仕事ではないのか。こうして、先輩宮地正人教授に追随して、三谷博教授も山本博文教授も東大系は、見事にずっこけた。嗤うべし。ここで長老・大江志乃夫教授の『ペリー艦隊大航海記』（立風書房、一九九四年、朝日文庫二〇〇〇年）を見ておく。大江は白旗差出しについては「徳川斉昭の老中阿部正弘あて建議書に書かれている」ことから、「このことは事実であろう」と解する（朝日文庫版、一六七頁）。しかし白旗書簡については、「史料の出所がはなはだ怪しい」とし、「書簡の内容にも信をおきがたい点がある」として、フィルモア国書の授受を困難にするような「最後通告めいた脅しをしたかどうか、おおいに疑問がある」と指摘した（同前、一六九〜七〇頁）。当時の状況を考えるならば、論理は逆なのだ。フィルモア国書の授受が困難と見られたからこそ、恫喝行為が必要なのだ。開国以後の事態から、海禁当時の非正規の交渉を論ずるのは、倒錯している。さらに大江は文面にある「蘭船より申達候通り」の箇所に触れて第二の疑問（同前、一七〇頁）としているが、これは誰もが抱く疑問であろう。大江は「白旗差出し」については「事実であろう」と推量し、白旗書簡については、「偽書ではないかという疑いが大きい」（同前）と主張した。ところが、「文庫版のための補注」では「真正の書簡である可能性も全面的には否定できなくなった」と動揺し、「白旗の授受があったのは紛れもない事実」であり、「白旗にその用法に関する書翰が添えられていたとすれば、それは七月九日に香山栄左衛門に手交されたと断定してよい」と解釈を変えている（同前、三五三頁）。

朝河がすでに論証したように、和暦七月九日に香山栄左衛門に「手交された」と解するのは誤りであり、当日はその含意を説明しただけであった。実際に白旗二枚とペリー書簡が差し出されたのは、「一四日久里浜に上陸したペリー一行によって国書とともに」であった。大江がまず白旗の授受を認め、次いで白旗書簡についても解釈を修正したのは歓迎すべきだが、問題の経緯を史料に即して具体的に検討していないのは、遺憾である。

不毛な左右イデオロギー論争

5　松本健一が「白旗伝説」で提起した課題

松本健一が「白旗伝説」を書いて一石を投じたのは、一九九三年（『群像』一九九三年四月号）であり、

「発表したあとの波紋と、その後の展開」を含めて新潮社版にまとめたのは一九九五年五月であった。その後の「増補」を加えて講談社学術文庫版は一九九八年五月に出た。つまり、松本としてはこの学術文庫版が白旗伝説論の決定版のつもりらしい。松本はいろいろ史料を渉猟したが、肝心の史料をいくつか押さえていないので、決め手を欠いており、隔靴掻痒《かっかそうよう》だ。松本は「学術文庫版まえがき」で、自らの旧説の不備を次のように修正した。すなわち「ペリーの白旗が日本側に手渡されたのは嘉永六年（一八五三）の六月九日ではなく、六月四日の時点だったのではないか」、という推定である。この推定に自信を込めて「このまえがきを書いている時点では、ほぼ確定と断言していいようにおもわれる」と強調した。松本の新しい断定の根拠はなにか。松本旧説の「白旗差出六月九日説」では、『阿部正弘事蹟』や浦賀奉行所の他の記録などと矛盾するからだ。奉行所の「六月四日付け記録」には、ペリー側は、「（六月四日から数えて）四日目昼過ぎまで相待ち、御返答これなく候わば、今は致し方もこれなく、江戸表へ罷り越し候とも、又いかようとも存念通り取計うべく申し候。もっとも、その節に至り事平《ことたいらぐ》の用向きこれあり候わば、白旗を掲げ参れ、申すべく候、と発言している」。「このとき日本側は、白旗を掲げることが降伏・和睦を申し入れるさいのメッセージである事実を知らないのだから、ペリー側がじっさいにそのような発言をしたのでなければ、このような記録を残しようもないわけである」（文庫版五頁）。松本は『大日本古文書』シリーズの『幕末外国関係文書Ⅰ』（東京帝国大学編、明治四三年刊）所収史料一一九号「六月九日（？）米国使節ペリー書翰、我政府へ白旗差出の件」に基づいて、差出日をひとまず「九日」と措定したあと、奉行所の他の記録との矛盾を解くために九日から、四日に繰り上げたわけだ。なるほど、この修正によって奉行所の記録などとの整合性は保証できよう。だが、この重要史料のタイトルになぜ「六月九日（?）」と疑問符が付されていたかを松本は、説明できなかった。

6　三輪公忠上智大学名誉教授の朝河理解

最後に、他の日本史家たちと違って、せっかく英文史料を手にしながら、読みきれていない三輪公忠上智大学名誉教授の所説にコメントを付しておきたい。三輪公忠の著書（『隠されたペリーの白旗』上智大学刊、一九九九年五月）は、どこがおかしいか。三輪は次のように書いている。「朝河がこの史料に言及して、アメリカの不条理な行動への批判としたのは、太平洋戦争終結直後の一九四五年八月一九日の日付のある、エール大学総長クラーク（G. G. Clark）宛の私信においてだけであった」（同書第五章「ペリーの白旗の隠匿と使われ方」）三輪が朝河書簡に注目したのはよいが、この書簡以前に、フレデリック編『ウィリアムズ航海日誌』に寄せた朝河の書評が最も重要な文献であることに気づかないのは、大きなミスだ。それから三五年を経た敗戦前夜に、日本敗戦を日米開戦以前から予想していた朝河が、最も親しいアメリカの友人に宛てて書いた書簡が、注目すべき内容を含むことはいうまでもない。この書簡は『朝河貫一書簡集』に収められたが、その後、この書簡に言及した論文等は現れなかった。三輪の引用は、その空白を埋めたものであり、朝河の役割に対する高い評価も大いに共鳴できるところだ。ただし、遺憾ながら、「エール大学総長クラーク（G. G. Clark）宛の私信」という書き方は、明らかに誤解である。クラークは「エール大学総長」ではなく、「ダートマス大学一八九九年卒業クラス」のクラスメートだ。朝河は旧友クラーク宛てに次のように書いた。この書簡の発信日付はポツダム受諾後の「一九四五年八月一九日」ではなく、ヤルタ会談三カ月後の「五月一三日」(朝河貫一書簡集』早稲田大学出版部、一九九〇年、六七五頁)である。

7 アマチュア研究者・鈴木健司の慧眼

こうして松本健一や加藤祐三、そして宮地正人、三谷博、山本博文ら高名な歴史家たちの解釈とはちがって、ウィリアムズの日本語能力を高く評価して「ペリー艦隊通訳ウィリアムズこそが白旗書簡の起草者」と推定したのはアマチュア研究者・鈴木健司(岸俊光『ペリーの白旗』によれば、和光大学岸田秀教授の元ゼミ生の由)である。鈴木の論点は三カ条である。[*1] 鈴木は、ここからウィリアムズの日本語能力への過小評価を戒め、特に「自国漂流民の撫恤」というキーワードに着目した。このキーワードは、白旗書簡のうち、矢吹のいう「撫恤本」にのみ見えるが、ここからペリーとは区別されるウィリアムズ自身の「人権思想」を読み取ったのが鈴木の慧眼であった。[*2] もしウィリアムズが、引退後イェール大学に迎えられ、中国学の基礎を構築したこと、その子フレデリックが父の記録を整理したこと、そしてフレデリックを師として、わが朝河が博士論文『大化改新』の指導を受け、『日露衝突』に序文を書いてもらい、日露講和問題では、「イェール・メモランダム」参加者の一人として知見を貢献した事実等を知るならば、鈴木はもっと自信をもって、この説を提起できたのではないか。いずれにせよ、鈴木健司が通説では当然のこととされている「通商要求」とは異なる「漂流民の撫恤」無視を「天理に悖《もと》る大罪」とみなす「ウィリアムズの思想」に着目した点が凡俗の歴史家・評論家たちとの違いと見るべきである。

＊1　鈴木健司の論点は、以下の三点である。①ウィリアムズは一八五四年の再来時に、密航を企てた吉田松陰に応対したが、松陰の印象は次の通りだ。「ウリアムス日本語を使ふ、誠に早口にて一語も誤らず。而して吾れ等の云ふところは解せざる如きこと多し。蓋し渠れが狡猾ならん。是を以て云はんと欲すること多く云ひ得ず」（三月二七夜の記）。なるほど彼らの口頭での会話は、チンプンカンプンであったと思われる。しかし、筆談ならば十分に相互理解が可能であった事実も記録されている。②春日政治『一八五〇年和訳の馬太伝』によると、ウィリアムズ訳と思われるマタイ伝が存在する。春日によれば、その日本語は文語体を志向するものであり、ギュツラフ訳とは異なる要素があった。ちなみに、中国語における「口語と文語」の違いを知るウィリアムズは、日本語においても、書き言葉と文語体に差異のあることを知っていた。③ウィリアムズは一八三七年のモリソン号事件の教訓を活かすことができた。日本人漂流民を送還しようと浦賀沖まで来航しながら、砲撃を受けて追い払われたモリソン号に若いウィリアムズが乗船していた。このモリソン号の体験を教訓として、ペリーに示唆を与えることもウィリアムズに期待された役割であった。朝河貫一はこの種の役割を意識してモデレーターの一語を用いたが、単に武力による威嚇だけではなく、いかなる手段で対話のチャネルを確保するか、会談のきっかけ作りが最も重要であった局面でウィリアムズの役割は大きかったことに着目するのは、朝河貫一の見方である。

＊2　鈴木の「モリソン号の亡霊たち——白旗書簡偽書説に対しての或る一つの仮説」という未公表の論文を矢吹は未見だが、岸俊光『ペリーの白旗』の引用の限りでも、十分にその意味は把握できる。鈴木は、上掲の三点から、ウィリアムズの日本語能力とその思想を読み取ろうとしたのであり、いわば影の薄い通訳ウィリアムズの人物像の輪郭を、（英語で書いた朝河貫一は例外として）日本で初めて描いて見せた。

「白旗」の怨恨

1 朝河貫一の危惧

朝河はアメリカに在って、日本における占領期の反米ナショナリズムの行方を危惧しつつ、マッカーサー占領政策において、この教訓が活かされ、恫喝政策が繰り返されないことを期待していた。白旗差出の日付問題は、一九四五年五月一三日付けG・G・クラーク宛ての朝河書簡で解明済みであることはすでに指摘したが、筆者を含む朝河書簡編集委員会によって『朝河貫一書簡集』が出版されたのは一九九〇年一〇月である。もう一度、白旗差出の該当個所を読んでみよう。「アメリカ人は下劣な動機に浸るとき、馬鹿げた行為に至ることがあります。おせっかいな人の中には、サンフランシスコ会議（当時、国連創設準備のサンフランシスコ会議が開かれていたことを指す）で、五月三〇日を国際祝日にすればよい、とまでいっている者さえある。[*1] 一八五三年にペリー提督は将軍の幕府に宛てて、通商を禁じた幕府の伝統的な政策は、「天理」を犯す「極悪犯罪」である故、アメリカの大艦隊が通商を求めに来航するであろう。アメリカ艦隊が大挙して押し寄せたら、日本はどうして交易禁止などできよう。アメリカ側は納得できる説明を断固求めるはずだ。その勝利は明らかである。そのさいに、もし貴国が降伏を望む（wish to capitulate）のであれば、ここで一緒に送る二枚の白旗（the two white flags he was sending there with）を掲げよ、そうすれば砲撃はただちに止むであろう、と書いています」。朝河が私心を吐露した相手は、G・G・クラークである。クラークは渡米した朝河がダートマスで最初に知り合い、終生の親友となった人物で、朝河の没後は二本松市や早大から資料を取り寄せて級友とともに英文の優れた追悼記（Obituary）を書いた人物である。晩年に自らの山荘をワーズボロに買うまでは、夏休みや冬休みにはしばしばニューハンプシア州プリマスの農場で休暇を過ごす間柄であった。なお、『書簡集』八三六ページ下段の注、すなわち書簡番号二二六号の注記（253）には「George G. Clark はダートマス時代の同級生」と説明されており、さらに八三四ページ上段の書簡番号二一〇号の注記（176）には「プリマス」の注記として「ニューハンプシア州ハノーヴァーの東北にある町。友人クラークの農場があった」と解説されている。[*2]

＊1　朝河書簡の日付は五月一三日だが、この時点で米国の新聞はすでに沖縄戦の勝利を確定的なものとして伝えていた。事実、第一海兵師団第一大隊長 Richard P. Ross 中佐は一九四五年五月三〇日に首里城攻略の尖兵として、石垣に大隊旗を掲げた。

＊2　ちなみに『朝河貫一書簡集』にはクラーク宛のものは、書簡番号 226 号（一九四〇年一二月一日付）、231 号（一九四一年三月一六日付）、233 号（一九四一年六月二九日付）、234 号（一九四一年七月二七日付）、235 号（一九四一年九月二〇日付）、256 号（一九四二年九月二七日付）、263 号（一九四四年一一月五日付）、266 号（一九四五年二月一八日付）、269 号（一九四五年五月六日付）、270 号（一九四五年五月一三日付）、272 号（一九四五年九月二三日付）、280 号（一九四六年九月二九日付）、計一二通が収められている。

2　「無言劇」による国書捧呈

朝河がここでクラークに対して、短い私信で日米関係の危機を示唆したとき、彼の脳裏には、かつての「無言劇」の情景が鮮やかに浮かんでいたはずである。フィルモア国書入りと白旗入りの「二箱の授受」を行ったのは、『随行日誌』の日付では、一八五三年七月一四日の久里浜天幕内セレモニーにおいてであった。浦賀沖に到着した和暦六月四日以降、浦賀奉行所与力組頭香山栄左衛門らとの一連の折衝を通じて、この形式による受領方式が成ったのは、砲艦による威嚇とともに、ウィリアムズによる考え抜かれた外交的説得が存在したからだが、力による威嚇と並ぶ「説得の側面」に着目したのは後世の歴史家では朝河だけではなかったか。そして朝河は、ここから外交の精神を学び、「外交とは相手の精神の理解を通じて自分の目的を達成することなり」[*1]（Diplomacy consists in gaining one's point through an understanding of the view of the other party.）とする至言を導いたのであった。力による強要だけでは反発を生む。相手側が納得してみずからそれを受け入れるよう条理を尽くして説得すること、これが肝要だ、と朝河が説いたのは、実は日米開戦の直前、ラングドン・ウォーナーの米大統領から天皇への親書というバイパスで日米開戦を阻止するために、両人が共同作業を行った際に、ウォーナーに宛てた一節に見える言葉である。[*2]

＊1　K. Asakawa's Letter to Langdon Warner, Dec. 10, 1941. Letters of K. Asakawa, Waseda University Press, 1990. 邦訳「G・G・クラーク宛て朝河貫一の手紙」一九四五年五月一三日『朝河貫一書簡集』所収。

＊2　朝河貫一の「大統領親書運動」については、矢吹晋『朝河貫一とその時代』花伝社、二〇〇七年、一〇二頁。

（原載、矢吹晋著『ペリーの白旗』花伝社、二〇一五年）

結びに代えて――内外整合的な日本史を描く

朝河貫一の描く日本の封建時代とは、日本史と世界史に巨大な遺産を残した時代であった。明治維新からおよそ六〇年後に出版された *The Documents of Iriki* が大方の日本知識人の心に届かなかったことの意味を改めて考えてみたい。戦中から戦後にかけての政治は、「天皇制ファシズム」を支える「半封建的土地所有制」といった類の「実感」でとらえられ、俗流唯物史観で解釈しようと努めていた永原慶二や石井進ら旧講座派系学者の主張が学界の主流として迎えられ、入来町に調査に赴きながら、朝河史学をあえて黙殺したエピソードは、象徴的な事件だ。ロンドン大学の故森嶋通夫（一九二三〜二〇〇四）は晩年に、「これからの各国史は国内から見たものと外から見たものとが整合的であるようなものでなければならない」と強調した（『日本にできることは何か――東アジア共同体を提案する』岩波書店、二〇〇一年一〇月）。この言葉は、元来は故入江昭（ハーバード大学、歴史学）のものだが、森嶋はこの原点から「東アジア共同体を構想せよ」と主張した。入江や森嶋の説く、「内外の整合性をもった歴史記述」という問題提起は、まさに「諸国民の相互理解のための国民性の研究」を提起した朝河の主張と共鳴するものであろう。

二〇世紀前半の二つの大戦と後半の冷戦が終わり、二一世紀を迎えたいま、朝河史学はようやく甦る契機を得た。グローバル時代の今日ほど「諸国民の相互理解のための各国史」の必要な時代はない。

古典的な名著 *The Documents of Iriki, 1929* が出版以来七六年ぶりに矢吹によって邦訳されたのは、単なる偶然ではないかもしれない。矢吹が未来への期待を込めて、「諸国民の相互理解のための各国史」の必要性を強調したのは、二一世紀初頭であった。その後、筆者は『天皇制と日本史：朝河貫一から学ぶ』（集広舎、二〇二一年）を刊行して朝河史学への再考を呼び掛けた。予想通り日本史学界からは無視されたが、なぜ無視されるのか、その秘密を解くコメントが現れた。

一つはアマゾン公式サイトのカスタマーレビュー、これは素晴らしい。〈好書家〉署名の筆者で、タイトルは「日本封建制論の正道」（二〇二二年一月二五日付）。以下レビューの一部である。

矢吹晋氏が何度も強調されるように、現在の歴史研究の常識から言えば、朝河貫一の方法が正統であって、大塚久雄史学は邪道であろう。問題は戦後の永原慶二や石井進など、日本史の専門家たちの「混迷状況」だが、マルクス主義史学の影響だけでなく、やはり大塚史学と同様に、戦前・戦時に実際に彼らが経験した「不自由」の歴史的起源を過去に投影したいという心性が働いていた。歴史とは過去の真実を解明する学問なのか、それとも今の人びとが将来を開拓するための道具を与える行為なのか、本当に悩ましいが、矢吹の紹介する朝河の学問は正道の歴史学である。日本には、国内で無視されてきた日本人が海外で有名になると一躍もてはやすという悪弊があるが、朝河は海外で有名になったのにもてはやされるどころか、無視され、黙殺され続けてきた希有な例外である――。

この匿名筆者は、歴史学界の病を鋭く剔抉《てっけつ》している。朝河貫一の学問は正道の歴史学である、と言い切り、歴史研究の常識から言えば、大塚久雄、永原慶二、石井進は邪道と断じている。ではなぜ、〝邪道歴史学派〟が日本では主流なのか。〈戦前・戦時に実際に彼らが経験した「不自由」の歴史的起源を過去に投影したいという心性が働いていた〉からだ。この〈心性〉が彼らを突き動かして歴史家たらしめたというのは、その通りであり、同時に彼らの書籍が、その心性に共感する多くの日本の読者から歓迎された理由でもあろう。こうして朝河貫一の歴史学は学問の正道であるにもかかわらず、日本の戦前・戦時の体験のゆえに邪道歴史学に道を譲る結果になった。さて問題はその次だ。〈朝河は海外で有名になったのに、もてはやされるどころか、無視・黙殺され続けてきた希有な例外だ。朝河を活かした日本史研究の可能性はありえたが、実際には発現しなかった〉〈不幸な偶然も作用したのかもしれないが、もう少し根深い（＝日本の歴史家たちも自覚できなかった深層心理上の）理由が作用していた〉とレビューは説く。

〈根深い、深層心理上の理由〉として〈好書家〉氏が何を想定したかは分からないが、私は福沢諭吉の脱亜論や、津田左右吉のシナ蔑視論（たとえば『シナ思想と日本』岩波新書、一九三七年）を想起する。*明治維新を経て日本は欧米先進国に次いでアジア唯一の帝国主義国家として自立した。その誇りと反面、すなわち内心の居心地の悪さは際立つ。それまで和魂漢才として学んできた先輩・先進国を侵略する立場に陥った。ところが二一世紀に至り、日本の近隣諸国が経済的にも国際政治的にも勃興し、脱亜論はどんでん返しだ。G7という旧帝国主義国の一員と価値観を共有している、などと主流メディアや政治家が繰り返すたびに、いまや経済的・国際政治的に劣位と化した日本のコンプレックスはいや増す。

＊『矢吹晋著作選集』第5巻二八二～九七頁に、現代政治への警句として、福沢諭吉『脱亜論』批判、津田左右吉『シナ思想と日本』批判を書いた。

もう一つ、読者の声を紹介したい。これは大学入学以来の旧友の私信だ。彼は全15巻の著作集をもつ高名なヘーゲル学者である。

矢吹晋様、ご高著『天皇制と日本史』（集広舎）を拝受。近所に住んでいた立花隆（一九四〇～二〇二一）が亡くなって、坂野潤治（一九三七～二〇二〇）もしばらく前に亡くなり、西部邁（一九三九～二〇一八）の自殺がもっと前にあった。寂しい思いの中にご著書が登場し、旧友大著を為し、学の命盛んなるを証す、我もまたその命の波に遊ぶを喜ぶ心境。冒頭に〈朝河貫一語録〉があり、朝河学の全貌が分かりかけた。日本の封建社会を実際の目で見、西洋史学の定型との違いを指摘することは容易でない。時代的にもっと後には、外国文献に触れる機会は多くなったが、日本の実情認識は薄れたという意味で、稀有の歴史的な条件を生かした学問だと思う。堀米庸三とか、丸山真男とかの封建社会の認識はすべて間接情報による。荻生徂徠（一六六六～一七二八）を丸山が読む時、ヘーゲルの歴史哲学の教養が働いていたが、徂徠もヘーゲルもどちらも「借り物」の知識だった。東西社会の両方にまたがって本物の理解力を発揮することは、普通の学問環境では達成できなかった。天皇制について、君主制から民主制へという近代政治の定型では解釈できない面を指摘する姿勢が、ユニークな把握力を示す。日本では〈権力の二重化〉を人為的に作りだし、二重化によってこそ、社会の歴史的適応・進歩が可能になった——と私は解釈する。日本の学界は小便被った蛙のように変らないだろう。学会組織、アカデミズムは間違った定説を防衛し保存する機能しか持たないから。若者の研究者は定説を持ち上げるふりをして学会の門を入り、定説保存員会のような人間関係を作ってそのなかで定年を迎える。大兄の奮闘は見事ですが、ともかく時間をかければ必ず爆発する定説破壊装置を作って自分の死後の世界に残すよりほかに打つ手はない。そういう危険物を贈っていただいたことに感謝したい。

ヘーゲル学者として高名なこの旧友は、一九五八年に知り合った時も飛び切り頭脳明晰と感じたが、六六年後の今日も毒舌は衰えない。〈必ず爆発する定説破壊装置〉という警句には、思わず破顔一笑だ。

湯島の寓居にて　矢吹晋

二〇二四年新春

人名索引

やぶき すすむ

1938年福島県郡山市生まれ。県立安積高校在校時に朝河貫一を知る。1958年東京大学教養学部に入学し、第二外国語として中国語を学ぶ。1962年東京大学経済学部卒業。東洋経済新報社記者となり、石橋湛山の謦咳に接する。1967年アジア経済研究所研究員、1971～1973年シンガポール南洋大学客員研究員、香港大学客員研究員。1976年横浜市立大学助教授・教授を経て、2004年横浜市立大学名誉教授。21世紀中国総研ディレクター、公益財団法人東洋文庫研究員、朝河貫一博士顕彰協会会長等を歴任。

著書は単著だけでも40書を超え、共著・編著を合わせると70書をゆうに超える。著作選は『チャイナウオッチ』全5巻（未知谷）。

朝河貫一の紹介・論評としては、『ポーツマスから消された男――朝河貫一の日露戦争論』（東信堂、2002年）、『入来文書』（柏書房、2005年）、『大化改新』（同上、2006年）、『朝河貫一比較封建制論集』（同上、2007年）、『中世日本の土地と社会』（同上、2015年）、『明治小史』（『横浜市立大学論叢』、2019年）の6書、朝河を主題とする『朝河貫一とその時代』（花伝社、2007年）、『日本の発見――朝河貫一と歴史学』（同上、2008年）、『天皇制と日本史――朝河貫一から学ぶ』（集広舎、2021年）など。

矢吹晋著作選集
別巻 朝河貫一顕彰

2024年 4 月22日初版印刷
2024年 5 月15日初版発行

著者 矢吹晋
発行者 飯島徹
発行所 未知谷
東京都千代田区神田猿楽町 2 丁目 5-9 〒 101-0064
Tel. 03-5281-3751 / Fax. 03-5281-3752
［振替］ 00130-4-653627

編集協力 （株）デコ
組版 柏木薫
印刷・製本 モリモト印刷

Publisher Michitani Co, Ltd., Tokyo
Printed in Japan
ISBN 978-4-89642-723-3 C0321